JN324268

目次

第一章

「ラーメンからミサイルまで」とは総合商社のビジネスを表す時に用いられる表現としては、随分手垢《てあか》がついたものだが、売れるものなら人体、臓器以外は何でも売る。それが総合商社だ。

数ある部門の中でも、最も神経を遣《つか》い過酷な労働を強《し》いられるものの一つが相場を張る部門だ。もちろん一口に相場といっても、総合商社が携《たずさ》わる商品は数多《あまた》ある。オイル、ガス、石炭を始めとするエネルギー。貴金属、鉄、非鉄、そして穀物と数え上げれば切りがない。しかも世界中の商品取引所で二十四時間どこかのマーケットが開いているのだから、仕事は常に追いかけて来る。携帯電話、ロイターの携帯端末はどこにいても手放すわけにはいかない。深夜であろうとも、担当している商品の取引価格に動きがあれば、時差などお構いなしに携帯電話が鳴る。

年明け早々のオフィスで、始業前にもかかわらず早くも電話を握り締め、緊張した表情でやり取りを交わす部下たちの姿を見ながら、私は昨夜の出来事を思い出していた。

新橋《しんばし》の駅前で残業を終えた数人の部下と一杯引っかけ、世田谷《せたがや》の家に戻ったのが十二時。それから風呂を浴び、寝床についたところで枕元に置いた携帯電話が軍艦マーチを奏《かな》でた。着メロをそんなふざけた音楽にしているのには理由がある。一つは母校の盛岡一高の校歌であること、それにビジネスは食うか食われるかの戦争だ。休んでいた脳に気合いを入れ、直ちに戦闘モードへと切り替えるにはこれほど相応《ふさわ》しいメロディはない。

「シカゴの藤島《ふじしま》です」

枕元の時計を見ると、時刻は午前一時ちょうどを指していた。シカゴの市場が開いてからまだ一時間しか経《た》っていない。寝る前にロイター端末で担当する商品の寄り付きは確認してあったが、これと言った動きはなかったはずだ。

「部長、大豆が大きく動いています。ついに八ドルの大台を超えました。いま八ドル二セントまで上がっています。昨日の終値より六セントの値上がりです」

藤島が矢継ぎ早に発する言葉がたちまちのうちに酔いと眠気を振り払い、私の脳を覚醒させる。

「またかよ。今度は何だ」

「川が凍結してバージ（艀船《はしけぶね》）の運航ができなくなったんです。再開までの目処《めど》は現時点ではまったく立っていません。ことによると、冬が明けるまでの数カ月この状態が続くんじゃないかという憶測も流れてまして、大手穀物業者の中には、トラックや鉄道輸送に切り替えることを検討し始めたところも出てきているようです」

深刻な事態だった。頭を抱えたくなった。藤島の言う川とはミシシッピのことで、一昨年の夏には大洪水を起こし、やはりバージの運航がストップしてしまったのだ。ひとつの川の交通が遮断されたぐらいで何を大騒ぎするのかと普通の人は思うだろう。ところが、これが日本人の生活に大変な影響を及ぼす事態なのだ。

なぜなら川の上流には大豆、小麦、とうもろこしを産出する大穀倉地帯がある。中でも大豆はこの地域が世界最大の供給地で、日本は世界最大の大豆輸入国。国内消費の九五％が輸入でまかなわれている。最近では中国からの輸入が増加してはいるものの、いまだに八割はアメリカ産で、大穀倉地帯からの輸送を担うのはバージ、つまり川は物流の大動脈を担っているのだ。

通常大穀倉地帯で収穫された大豆はミシシッピ川流域に点在する集積地に集められ、一度に数百トンの量がバージで河口にあるニューオリンズへと運ばれる。そして再び量がまとまったところで大型貨物船に積み替えられ、およそ三十日の日数を費やして日本へとやって来るのだが、集積地から船積み地までバージの代わりにトラックを使わなければならないとなれば、せいぜい一台のトレーラーが運べる量は十五トンやそこら。鉄道を使うにしたって、もよりのターミナルまではトラックを用いるのだから輸送効率は格段に落ち、コストが跳ね上がるのは自明の理というもので、それが大豆価格に転嫁されるのだから手をこまねいていては大変なことになる。

私の脳裏に入社間もない頃に経験した、悪夢のような大豆の暴騰相場が浮かんだ。あの時もミシシッピ川が寒波で凍結し、バージの運航が不可能となった。しかも悪いことは重なるもので、前年にエルニーニョが発生したお陰で、ペルーのアンチョビ漁は不振。本来そのカスを用いて生産される飼料原料が一気に大豆へと転じたせいで、六ドル台だった相場が、最終的には十一ドル寸前のところまで暴騰したのだ。

幸い昨年はペルーのアンチョビ漁は好調で、あの時の再現が起きるとは思えないが、それでも様々な思惑買いが入り、相場が上がり続けることは間違いないだろう。四月に入ればブラジルの大豆が収穫期に入る。もちろん不作となれば、相場が上がり続ける可能性がないとはいえないが、これまでのところ不作を暗示するような情報は入ってはいない。五月までを凌《しの》げば何とかなる。

私は自分の所見と方針を藤島に告げ、電話を切ると、返す手で携帯電話のメモリーを操作した。先ほどまで酒席を共にしていた、赤塚義弘《あかつかよしひろ》の名前が液晶画面に浮かぶ。発信ボタンを押す。三度目の呼出音が鳴り止まぬうちに、明らかに寝込みを襲われたことが分かる、呂律《ろれつ》の回らない声が聞こえてきた。

「赤塚です」

「山崎《やまさき》だ。いまシカゴの藤島君から電話があった。大豆の相場が動いている。いま八ドル二セントだ。ミシシッピ川が凍結して、バージの運航ができなくなったそうだ」

「そりゃえらいことだ」

　赤塚がベッドの中で跳ね起きる気配がする。

「ニューオリンズ二月積みの成約状況は、確か五割だったな」

「ええ、その通りです」

「状況が状況だからな。へたをすると冬明けまでバージが使えなくなる可能性が高いぞ。最低でも五月のブラジル物が入って来るまで、三カ月分は確保しておくのが賢明だ」

「しかし、ニューオリンズまでの足がなけりゃ、二カ月分をどうすんです。三月、四月積みの手当てはまだ済んじゃいませんよ」

「これは俺の勘だが……」私は前置きをすると続けた。「今回の相場は急激に上がるだろう。大手の穀物商は早くもトラックや鉄道を使う陸上輸送に切り替えることを検討し始めたくらいだ。ことによると十ドルやそこらの値をつけるかもしれん。すまんが君、これからすぐにシカゴと連絡を取り合って、ワイオミングの集積地にどれほどの在庫があるか確認してくれるか。備蓄量にもよるが三月、四月分ならあそこから貨車を使って、西海岸まで運べるかもしれん」

「それでは輸送コストが……」

「相場がもし、十ドルを超える展開を迎えれば、仮に一ブッシェル（二十七・二キログラム）八ドル五十で調達できたとして今なら一ドル五十は安く確保できる。それが二本船分ともなれば、六万トン。三百三十万ドルの節約だ。貨車輸送のコストなんて吸収して充分にお釣りがくるさ」

「分かりました」

「その手配が終わったら、サンパウロの氷川《ひかわ》にブラジル産大豆の出来を改めて調査するよう依頼してくれ。この間のレポートでは豊作ということだったが、念を入れておくに越したことはない。これでブラジル産が駄目になるようなことにでもなったら、目もあてられないことになるからな」

「すぐにとりかかります」

回線を切って時計に目をやると、時刻は間もなく二時になろうとしていた。ビジネスモードに切り替わったせいで、頭はすっかり醒《さ》めちまっていた。こんな時は、寝酒を飲まないことには再び眠りにつくことなどできやしない。ベッドを抜け出し、リビングの明りを灯《とも》した。

四井《よつい》商事食料事業本部穀物取引部部長、山崎鉄郎《てつろう》。それが私の肩書きだ。

世間から見ればさぞや羨《うらや》ましいものと映るだろう。

四井商事は日本でも一、二を争う大手総合商社だ。商社不要論が叫ばれて久しいというのに、学生の就職人気ランキングからは、入社してから三十三年、一度もベストテンから落ちたことはない。同期入社は二百人ほどいたが、そもそも商社というところは、ある一定の年齢になれば、自分でビジネスを見つけ、関連会社を立ち上げ転籍していくか、あるいは関連会社へと出向し、そこでサラリーマンとしての生涯を終える。本社の部長というポジションに辿《たど》り着けるのは、よほどの幸運と、実力に恵まれた者だけだ。その点から言えば、今のところ私は成功者、勝ち組に入ると言っていいだろう。

年収は二千五百万。これまでにシカゴ、ロンドンと二度の駐在を命ぜられ、その間に蓄えたサラリーで世田谷の一等地にマンションを購入することができた。子供は男の子が二人いるが、結婚が早かったせいもあって、いずれも独立し、長男は銀行、次男は広告代理店で働いている。

これだけを以《もっ》てすれば、誰しもが絵に描いたような幸せな家庭と思うだろう。しかし、何かを得れば何かを犠牲にしなければならないというのは世の常というものだ。

事実私にだって犠牲にしたものはある。その一つが家庭だ。

相場を担当する者の宿命と言ってしまえばそれまでだが、仕事は二十四時間追いかけてくる。帰宅はいつも深夜。夕食を家族揃《そろ》って摂《と》れるのは日曜くらいのものだ。ましてや深夜に電話で叩《たた》き起こされるのも当たり前。休暇の最中であろうと、妻とのセックスの最中であろうと相手はお構い無しだ。そのお陰で夫婦関係はこの十年途絶えたままで、それ以前に深夜に電話で起こされることに我慢ならなくなった妻は、とっくの昔に寝室を別にするようになっていた。

二人の子供がグレもせず、無事に育ってくれたのだって、私が何か父親らしいことをしたからでもなければ、彼らが特別素晴らしい資質を持っていたからでもない。家庭を顧《かえり》みることなく、仕事に邁進《まいしん》する私に愛想をつかした妻の情熱が子供たちの教育へと向いただけの話だ。子供が二歳になるとすぐに幼児教室に通わせ、誰もが羨む都内有数の小学校から大学までの一貫校に入れることができたのも、二人が立派な企業に入れたのも、すべては妻の描いた通りの道を歩ませた結果に過ぎない。実際、最初のシカゴへの駐在は、二人の子供がまだ幼かったせいもあって、家族揃っての赴任となったが、二度目のロンドンへの駐在は、上の子供が高校生、下の子供が中学生ということもあって、単身赴任を強いられた。子供が独立してからは、二人の間の距離はますます広がるばかりで、帰宅する時間にはすでに妻は寝室に入っており、朝の出勤時に起きてくることもない。顔を合わせるのは週末の二日間だけだが、それも妻がソーシャルダンスを始めたせいで、土曜日は一人で過ごすと決まっている。

普通なら、こんな生活が続けばとっくの昔に三行半《みくだりはん》を突き付けられても仕方がないところなのだろうが、愛情などとうの昔に消え失せてしまってはいても、妻にとっては結婚生活は充分な所得と、社会的地位があれば維持できるものであるらしい。

もちろん、私だってそれに気がついてはいてもいまさら離婚を切り出す勇気などありはしない。単なる同居人となってしまった妻と離婚したとしても、生活が変わるわけではないが、いざ別れるとなればそれなりの慰謝料を払わなければならないのは明白だ。ましてやこちらには三十年も連れ添う間、金を稼いでくる以外家庭人として満足なことをしてこなかったという負い目がある。やはり財産の半分は差し出さなければなるまい。

加えて離婚ということを考えれば、迂闊《うかつ》なことに、私はいまこの時点でいったい家にどれほどの蓄えがあるのか、本当のところを知らない。給与は銀行振り込み。口座を管理しているのは妻である。二人の子供が独立してからは、毎月三十万円の小遣いを貰《もら》ってはいたが、家のローンも払い終え、その他の金の行方についてはまったく把握できてはいないのだ。銀行口座にすべての金があるならともかく、換金性のある金や箪笥《たんす》貯金にでもされていればそれまでだ。ましてや退職金を貰った直後に流行《はや》りの熟年離婚などということになれば、老後の生活に困ることにもなりかねない。

もっとも定年退職まではまだ五年ほどの時間がある。首尾よく役員になることができればさらに延び、この激務からも解放される。そうなれば、妻も態度を改め、関係を修復できるようにもなるだろう。

先のことは先のこと。なるようになるさ。

私は、そう思い直すと、妻を起こさぬようにサイドボードの中からスコッチを取り出し、一人静かにグラスを傾けた。


「でさあ、泊まった民宿のトイレがびっくりしたの何のって、今の時代によ、ぽっとんなの、ぽっとん。信じられる？　しかも下を見たら中がはっきりと見えちゃってんの。あたし、ちょーびっくりしちゃって出るもんも出なくなっちゃったわよ。だって個室は男女共用なのよ。あたしが用を済ました後によ、彼氏が入ったらあたしの出したもの見られちゃうじゃない。いくら何でもそれはねえ……」

出社早々、寝不足で充血した目をしばたたかせながら、製油会社との交渉に必死の面持《おもも》ちでやり取りを交わす部下たちの声に交じって、声を潜《ひそ》めて話す女子社員の会話が聞こえてきた。

本人たちは他人に聞こえていないつもりだろうが、ヒソヒソ話というものは、逆に周囲にいる人間の注意を惹《ひ》くものだ。さりげなくそちらの方に目をやると、大豆セクションでアシスタントを務める飯田香奈《いいだかな》がしゃがみ込み、椅子に座る同僚の川口真澄《かわぐちますみ》と話し込んでいる。始業まではまだ三十分ほどの時間がある。勤務中は私語は慎むべきであるのは言うまでもないが、始業前ともなればそれを注意するわけにもいかない。

「ひゃあ、それマジ。ぽっとんなんてトイレ、今でも日本にあるんだ?」

川口があからさまに驚く。

あるよ!　と私は心の中で言う。

「あたし、今回の旅行、凄く楽しみにしてたんだよ。だって彼氏が、寒い時に暖かいところに行くなんてのは、馬鹿のすることだ。正月料金で旅費も高くつくし、サービスだって悪くなるに決まってる。第一、寒い時こそ寒い場所でとれる食べ物には美味《うま》いものがある。今回は人のいないところでゆっくりと美味いものをしこたま食べるグルメ旅にしようぜって言うんだもん」

それは、お前の彼氏とやらが正しい、と私は激しく同意する。

「で、食べ物はどうだったのさ」

「確かに値段の割りにはちょー豪華だったことは認めるわよ。夕食なんてそりゃ凄いの。アワビ、雲丹《うに》、イクラ、カレイにトロのお刺身が食べきれないくらい出るし、それに仙台牛のステーキや野鳥の丸焼き。東京じゃ幾らするか分からないってほどの料理がテーブルいっぱいに出るんだもん。それで一泊たったの一万円よ」

「そら、安いわ」

「おまけに、正月だからって、民宿のおじさん地酒の一升瓶をどんと出して、これサービスって言うし……」

「至れり尽くせりじゃん」

「食べることができたならね」

「どういう意味?」

「馬鹿ね。少しは考えなさいよ。食べるもん食べれば、出さなきゃならないじゃん。最初にぽっとん見た瞬間から、トラウマになっちゃってさ。結局、料理にはほとんど箸《はし》を付けず終《じま》い。四日間の旅行中、お酒ばっか飲んだせいで、毎日酷い二日酔いになるわ、東京に帰ってきたら便秘に苦しめられるわで大変な目に遭《あ》ったわ」

ざまあみろと、私は心の中でほくそ笑む。

「私もう、三陸《さんりく》なんていかない。宮城県なんて田舎は二度と御免だわ」

悪かったな! と私はもう少しで怒鳴るところだった。

宮城は私の出身地だ。それも内陸にある過疎の町、もちろんトイレだっていまだにぽっとんだ。大学卒業と同時に大四井に入社し、シカゴ、ロンドンと二度の駐在を経て穀物取引部の部長の座を手にした経歴は、傍《はた》から見れば世界を股にかける国際人と映るだろう。

実際、四井商事の動向は穀物市場でも相場を左右するほど世界中の同業他社に常に注目されている。四井の動きとは、これすなわち私の動きでもある。だから私は服装にも気を遣う。身に着けるスーツはブルックス・ブラザーズのオウンメイクにこだわっているし、靴はジョンストン・アンド・マーフィーと決めている。そんな洒落《しゃれ》者の私の実家がいまだにぽっとんなんて口が裂けても言えるものじゃない。

もちろん、自分の出自《しゅつじ》を恥じるつもりはない。ぽっとんにしたところで、日本全国を見渡せば、今の時代にしても決して珍しいものではない。政令指定都市でこそ、下水道の普及率はほぼ一〇〇％に近いものの、人口十万人の都市では六割そこそこ、五万未満となるとせいぜい四割といったところなのだ。これを日本全国で均《なら》せば七割とも言われる。

これほど下水道の完備が先進国日本でなぜ進まないか。理由は簡単だ。大都市のように家屋が密集しているところなら、下水道の完備も効率良く運ぶだろうが、広い地域に家が散らばる地方都市では一軒あたりの設置費用は莫大《ばくだい》なものとなる。ましてや、し尿処理場がなければ下水道を完備しても、し尿が垂れ流しとなってしまう。つまり過疎化が進む地方では、その費用を捻出《ねんしゅつ》しようにもできない。それが現状なのだ。

ところが、都会育ちの人間が、このぽっとんに出くわすと、例外なく驚きやがる。

事実、私の妻にしてからがそうだった。婚約成立と同時に宮城の実家を訪ね、トイレに入った途端、

「うっ！」

中からくぐもった声が聞こえてきた。無理もない。時は夏。ましてや三十年前のことである。換気は便壷の途中にある穴から伸びた管の先にある回転塔だけ。風が吹いているならまだしも、無風状態となると狭い室内は激しい臭気が籠《こも》る。さすがにその時は、婚約し

たばかりとあって妻は何も言わなかったが、結婚し、年を重ねる度《たび》に、私の実家を訪ねることを嫌がるようになった。子供が生まれてからは、

「この子がトイレに落ちたらどうするつもり」

とあからさまに言うようになった。しかし、孫の顔を見たいと願う両親のことを考えると、せめて年に一度は帰省してやるのは息子たる者の義務である。電気換気扇を備え付け、臭気が籠らなくなったことを盾に、何とか短いながらもお盆の帰省だけは同意させることができたのだが、子供がトイレに入る時には必ず妻が付き添った。しかし、それもシカゴ駐在に出たのを機に、いつの間にか毎年だったのが二年に一度になり、ロンドン駐在を終えてからは、逆に両親が東京を訪れ二、三日、夏の一時を過ごすようになっていた。

もちろん、そんな田舎でも最近では水洗トイレを備え付けているところもないではない。しかし、下水道と、し尿処理場が完備されていない町では、自家用の浄化槽を備え付けなければならず、そのコストは一軒あたり百五十万円にもなる。両親には、その程度の金なら自分が出すからいっそトイレを水洗に替えたらどうかと申し出たこともあったのだが、「お前にしたところで、この家に戻ってくるわけじゃなし。それならこのままでいい」と言われると、返す言葉がない。

東京での生活の方が長くなり、先進国での快適な生活に慣れてしまうと、寂れる一方の田舎暮らしなど老後の住み処《すみか》の選択肢には入り得ない。言葉に不自由するわけでもなし、

いっそオーストラリアかニュージーランド辺りの国で、老後をのんびりと過ごすか。そうなれば、妻との間もかつてのようにうまく行くようにもなるだろう。そんなふうにも考えていた。

　飯田香奈のぽっとん便所の話に、思わず過剰とも言える反応を示してしまったのには、そういう経緯があったのに加えもう一つ別な理由があった。彼女と川口の間で交わされる会話が耳に入ると、不思議なことにその話題となったものが何らかの形で私の身の上に降りかかってくるのだ。それは部下同士の不倫であったり、人事の話であったり、時によって様々なのだが、必ず厄介《やっかい》な出来事が持ち上がる。

　今度はいったい何が起こるのか――。

「部長、何とか二月積み三万トンのオーダーがまとまりました」

　赤塚の声で我に返った。

「日東《にっとう》オイルが一万トンの積み増し、旭《あさひ》油《あぶら》が五千トンです。ミシシッピ川の凍結を聞いて、先さんも慌てているようです。三月分についてはこれからただちに検討に入り、午後一に結果を入れてくれるそうです。多分三月出しも大丈夫でしょう」

「よし！　赤塚、すぐに運輸部に連絡を入れろ。ニューオリンズ近辺で空いている船を探すんだ。おそらくどの船会社も、ニューオリンズからの荷物はないと踏んで他に船を回す手配を始めているに違いないからな。それからシカゴの藤島君にワイオミングで三万、三月積みだし分として確保させるんだ」

私は次々に指示を出した。ニューオリンズに大豆が入ってこないとなると、順調に荷積みができないと踏んだ船会社は貨物船を他に回してしまう。岸壁を使用すれば、毎日何十万円という停泊料を取られるし、沖で停泊させておくにしても、荷積みがいつになるか分からない船を遊ばせておくわけにもいかないからだ。タイミングを逃せば、へたをするとせっかく大豆を確保できても、肝心の足がないという事態にも陥《おちい》りかねない。

忙しい一日になりそうだった。始業開始のチャイムが鳴った。それを見計らったように、机の上の電話が鳴る。

「四井商事、山崎です」

会社の電話はダイヤルインだ。微《かす》かに深夜寝酒に飲んだスコッチの臭《にお》いが鼻をつくのを感じながら、元気よく答えた。

「鉄ちゃん？　俺、クマケン」

「クマケンって、熊沢《くまざわ》か？」

「んだ」

「おう、クマケン、久しぶりだな」

クマケン――熊沢健二《けんじ》は中学時代の同級生である。最後に会ったのは四十二歳の厄払いを兼ねた中学の同窓会以来のことだから、話すのは十三年ぶりのことである。

「鉄ちゃん、今話して大丈夫だべか」

私はずらりと並ぶモニターの前に座って、仕事を始めている部下たちの様子を見た。赤塚は運輸部に配船の依頼をしている。他の部員たちも、いつものように忙しく働いている。いまのところ私の出番はないようだった。

「ああ、少しなら構わんよ」

「突然で申し訳ねえんだけんどもさ、今日時間を貰えねえべか」

「今日？　そらまた急だな」

「急なことは分かってる。だけんど、どうすても聞いて欲しいこと、いや頼みがあんのす」

「頼み？　頼みって何だ」

「いろいろと込みいった話でっさ。ちょっと電話では……」

「そら、構わんが……しかし、日中は無理だぜ。夕方からなら何とか……」

「そしたら、午後の新幹線でそっちさ向かうから、飯でも食いながら聞いてけねえべが」

「えっ！　お前まだ緑原町《みどりはらちょう》にいんの？」

「んだよ」

「じゃあ俺に会いにわざわざ出て来るってのか。そんな大事な用って何だ」

「とにかく会ったら話す」

クマケンは肝心の用件を話す様子はない。彼とは中学の三年間一緒だっただけだ。まさか借金の申し込みというわけでもあるまいが、東京まで足を運んだ上で話さなければならない用事とはいったい何なんだろう。思いを巡らしても私に思い当たる節はない。

「時間はどれくらい必要なんだ」

「三時間ほど貰えると有りがてえんだけどもね」

「よし、分かった。新幹線の最終は何時だ」

「九時半だ」

相手が三時間必要という時に、時間通り話が終わることはまずない。一時間は多く見ておくべきだろう。

「じゃあ、五時半にしよう。東京駅の八重洲《やえす》口に『ひな』という料理屋がある。そこの個室を押さえておくから、現地で会おう。そこまでの地図は店に電話をすればファックスを送ってくれる。昼飯もやっている店だから十時には繋《つな》がるはずだ。番号は――」

私は『ひな』の番号を告げると、電話を切った。

目をやった先に飯田香奈の姿があった。

こいつがぽっとんか――。

私は彼女の姿を見ながら、心の中で呟《つぶや》いた。

＊

『ひな』には、約束の時間より十五分ほど早く着いた。

「山崎さん、お連れ様が先ほどからお待ちですよ」

入り口の引き戸を開けると、和服を着た女将《おかみ》が丁重に礼をしながら言った。

「ちょっと長い話になるが構わないかな」

「何を水臭いことを。閉店時間までならどうぞご存分に」

「料理はいつものやつでいい。それから最初にビールを二本ほど出してくれ。後はその都度《つ ど》頼むよ」

「かしこまりました」

女将は先にたって奥の個室へと私を案内する。個室の前に来ると、

「失礼いたします。山崎部長がお見えです」

畏《かしこ》まった声でいい、障子を開けた。

十三年ぶりに会うクマケンがいた。明らかに吊《つ》るし、それも量産品の安物と分かる紺のスーツの下に臙脂《えんじ》のチョッキを着込み、焦げ茶色のネクタイを締めた彼の服装は、コーディネートなどという言葉を超越したちぐはぐさだった。前に会った時よりも、彼は遥かに

太り、白髪こそないものの、前髪が大分後退し、額が頭頂部近くまで広がっていた。そのせいもあって、実際の年齢よりも十近く上、どう見ても六十半ばのおっさんである。

こいつがあのクマケンねえ……。私は年月というよりも、環境が人を変えるものだということをしみじみ感じ、この男と初めて会った時のことを思い出した。

クマケンと実際に言葉を交わしたのは、中学に入ってクラスが一緒になってからのことだったのだが、その名前を耳にしたのは、それよりも二年ほど早い小学校五年の時だった。当時、緑原町には五つの小学校があり、秋になると各小学校の中から選抜された生徒による町内陸上競技会が開かれるのが毎年の恒例行事の一つとなっていた。

「白羽《しらは》小学校にクマケンっていう、凄くかっこいい男子がいるんだっつ」

どこで誰がそうした情報を仕入れてきたものかは知らないが、陸上競技会を前にして、そうした噂《うわさ》が町内の中心部にある私の母校、緑原小学校の女生徒の間に流れ始めたのだ。芸能人の誰がかっこいいというような話が交わされることがあっても、今の時代ならいざ知らず、身近な男子生徒を名指しでかっこいいなんて話が公然と交わされることはあり得ない時代のことである。

「白小のクマケンって知ってっか」

小学生とはいえ、五年生ともなれば女子生徒の噂は気になるものだ。男子生徒の間でも、その名前が囁《ささや》かれるようになるまでにさほどの時間はかからなかった。しかし男子生徒の誰に聞いても、当のクマケンの実物を見た人間はいなかった。

そして迎えた陸上競技会の当日、白羽小学校の選手が姿を現した途端、会場となった緑原中学の階段状になった観客席を埋めた女生徒の間から、黄色い歓声が上がった。

「クマケン！　クマケ〜ン！」

興奮の色を露《あらわ》に声を限りに叫ぶ女生徒たちの視線の方を見ると、一人だけ他の選手と違った格好をしている男子生徒の姿があった。もちろんユニフォームは一緒だったから、違っていたのは履いていたソックスとシューズである。膝下《ひざした》まである野球用の薄く白いハイソックス、白いオニツカラインの入ったブルーのナイロン製のシューズ。ちょいと生意気な格好をしていたのがクマケンだった。

正直言って拍子抜けした。何しろ当時はフォーリーブスの全盛期だ。女子生徒は、やれター坊がいいとか、コーちゃんがいいとか、学校にブロマイドを持ち込んでは休み時間となると騒いでいた時代である。ところがクマケンときたら、千昌夫《せんまさお》を数倍イモ臭くした田舎者まるだしの顔だったからだ。確かに体型は見るべきものがあったことは認めるにしても、これほど女生徒が騒ぐ理由が分からなかった。

出場種目は私と同じ百メートル徒競走。スタート枠は私の隣だった。間近で見ると、クマケンは当時にしては長く伸ばした髪にしっかりと櫛《くし》を入れてヘアスタイルを整えており、そこからは仄《ほの》かにＭＧ５の匂いが漂ってきた。

何だよ、ただのキザなやつじゃねえか。こいつだけには負けたくない。

それが私の闘志に火をつけた。

ところがいざ走り始めると、クマケンの足の速いことといったら……。

私はあっと言う間に置いていかれ、クマケンは見事に優勝した。

中学になると、町内にあった五つの小学校のうち、四つが一緒になる。クマケンと私は同じクラスになったのだったが、女生徒の人気は相変わらずだった。休み時間となると、他のクラスの女生徒が教室のドアから彼の姿を一目見んと覗《のぞ》き込む。音楽室への移動となると、女生徒が彼を取り囲み、黄色い声を上げる。まるで大人気の芸能人がやってきたかのような光景が繰り広げられる騒ぎとなった。もっとも、半年を過ぎた辺りになると、そうした騒ぎも無かったかのように自然消滅してしまった。理由は分からないが、とにかく女生徒のいずれもが、突然クマケンには何の関心も抱いちゃいなかったかのように、極《ご》普《く》通の男子生徒と同じように接するようになったのである。

そしてもう一つ、クマケンについて印象深いのは、彼は足が速いばかりでなく、勉強もかなりできたということだ。中学の三年間、私は一度もトップを譲ることはなかったが、クマケンもまた学年で十番を下ることはなかった。生徒会でも会長は私、副会長はクマケンが務めた。

中学を卒業すると同時に、私は越境、それも県を越えて岩手の名門盛岡一高へと進んだが、クマケンは家庭の事情もあって地元の緑原高校に進学した。その後、彼とは休みで帰郷した折りに、何度か会うことがあったのだが、当時人気の新設学部であった情報処理学科のある東京の大学に進み、コンピュータプログラマーになりたいとしきりに言っていたことは覚えている。だから志望校に無事入学したと聞いた時には、てっきりその道に進むものと思っていたのが、四十二の厄払いの際に二十余年ぶりに再会し、緑原町役場に勤めていると聞かされた時には、その容貌《ようぼう》の変化に加えて心底驚いたものだった。

「鉄ちゃん。忙しいのに申す訳ねえね」

クマケンはでっぷりとせり出した腹を折り曲げ頭を下げる。

「何を改まって……。まあ固い挨拶《あいさつ》は無しにしようや」

私は、手を振りながら言うと、座りざまに女将に向かって目配せをした。

「鉄ちゃん、この店よく来んの」

「ああ、ちょくちょく」

「高《たけ》えんだべ」

どうやら、誘った手前、自分が勘定を持たなければならないことを心配しているらしい。

「勘定のことなら心配すんな。お前は宮城からわざわざ訪ねてきた客だ。今日は俺が払う」

「いや、ほんでや申し訳ねえ。今夜は俺が呼び出したんだから……」

「この店は現金払いは受け付けない。勘定は月纏《まと》めで会社に送られてくることになっている。だから、いい」

私は嘘《うそ》を言った。勘定が月纏めで会社に送られてくることは事実だが、それでは一見《いちげん》の客は受け付けないということになる。京都の祇園《ぎおん》辺りならともかく、東京でそんな店は探す方が難しい。

「失礼致します」

障子が開くと、女将がビールの中瓶を二本とお通しを持って現れた。

「まあ、一杯行こうや」

私はビールをクマケンのグラスに注《つ》いでやった。クマケンが私のグラスにビールを注ぐ。

「ここからは手酌だ。まず乾杯と行こう」

グラスが、硬い音を立てて鳴る。双方のグラスが空いたところで、

「それで、俺に話ってなんだ」

私はおもむろに切り出した。瞬間、飯田香奈の顔が脳裏に浮かんだが、どう考えても今度ばかりは私に害のある話ではないだろう。精々、息子か娘、あるいは親類縁者の就職依頼でもあるのだろう。それなら合否は保証できないまでも、有能な人物であれば人事に紹

介すれば良し、経歴を聞いただけで駄目だと分かれば、縁故採用は一切受け付けてはいないと言えばいいだけだ。

「実はさ、鉄ちゃん。いま緑原の町が大変なことになってるの知ってるべ」

クマケンは予想もしなかった言葉を返してきた。

「大変なこと？」

「市町村合併だよ」

「いや、俺はとんとそっちの方には関心がなくてな。緑原の町がどんなことになってるのか全く分からんのだ。親父やお袋にはたまに電話をしても、地元の話題はぜんぜん出ないし……」

「ほんでや、一から話さねえとなんねえな……」クマケンは溜息《ためいき》を一つ吐《つ》くと、「今回の市町村合併で、東松岡《まつおか》と西松岡、二つの郡が宮川《みやがわ》市に合併されることになったのす。まあ、そごさ至る過程にはいろいろとごたごたもあったんだけんども、とにかくそうなったのす」

「へえ、それじゃ緑原も、宮川市に合併されるってわけか」

「俺だづもてっきりそうなるもんだと思ってだのっさ。それが東西両郡の緑原を除く四町二村、宮川市も揃って、緑原だけは合併させるわけにはいかねえ。そう反対したんだ」

「何でまた」

「借金だよ」

「借金？」

「今の町長は、現職さ就いで、今年で九期三十六年にもなるべ」

「へっ？　町長って、あの只野《ただの》さんか？　あの人まだ町長やってたの？　確か町長になったのは四十歳の時だったから、今では――」

「七十六だ」

「しかし、驚いたな。確かにあんな町じゃ、対抗馬なんて立てるのは共産党くらいのもんだもんな。しかも連中は駄目元で出してくるんだ。現職が退《ひ》かない限り新候補が出てこないのは分かるけどさ。それにしても九期三十六年ってのは長過ぎるよな。それで」

私は先を促した。

「とにかく、只野町長が在職中に莫大な借金を町は抱えちまったのっさ」

「借金って幾らあんだよ」

「約百五十億――」

「ひゃあ、そらまた大変な借金を抱えちまったもんだな」

「それが合併の障害となってしまったのっさ。とにかく、他の町村に比べて、緑原の借金は極端にでかい。もし、このままの状態で、緑原と合併すれば他の市町村がその借金を抱え込むってことになるべ。それで、緑原だけは絶対に新生宮川には入れることはできねえ。一緒になりてえんだったら、身をきれいにしてからにすろ。そう言われてけんもほろろに突き放されたのっす」

「返す目処はあんのかよ」

「返す目処があんだら、誰も合併に反対するわけねえべっちゃ」

「そらそうだわな」

「大体、町の財源は減る一方だ。鉄ちゃんも気づいてはいると思うげんと、あんだが町を出た頃には二万三千はあった町の人口も、今では一万五千を切っている。しかもその半数以上は、六十歳を越えている。まともな職について、きっちり町民税を払っている人間は、残りの三分の二、つまり五千人そこそこつどこなのしゃ。町には幾つかの中央資本の工場もあるげんと、規模が小せえ。そこからの税収なんてたかが知れてるし、年寄りが増えるばっかりで、入って来る者なんていやすねえ」

「しかし、そんだけの金、何に使ったんだよ」

「そら、いろいろ――」

「いろいろじゃ分かんねえよ。思いつくもんだけでも挙げてみろよ」

「いちばん大っきなのは、やっぱ公共事業だべ。なんせ、この三十六年の間に、農道整備をしまくったべ。それに河川整備に病院も建てた。町民ホールに図書館、雇用促進住宅に大規模な工場誘致用地整備事業もやった。農園どかの第三セクター事業も幾つかやった。

それから……」

「もういい」肩から力が抜ける。「要は金が出て行くだけで、収益が上がらない公共事業に湯水のように金を使った。その結果残ったのが百五十億もの負債ってわけだ」

そう言われてみれば、たまにしか帰省しない私にも思い当たる節がある。かつて舗装道路は周辺の各市町村を結ぶ幹線道路だけだったものだが、今では田畑の広がる中を立派な道路が網の目のように走っている。私が中学三年になるまで、町内にプールはなく泳ぎといえば川と決まっていたものだったが、今では各小学校、中学校に加えて、四季を通じて水泳ができるスイミングセンターもある。川はほじくり返され、昔遊んだ淵《ふち》はすべて埋められ、コンクリートの水路と化した。町民ホールにしたところで、こんな立派なものを建ててどうするつもりだ、と思わず首を傾《かし》げるような立派なものが町の中央に鎮座している。

「そういうわけだ」クマケンはがっくりと肩を落とす。「んだげんと、しかたのねえところもあんのす。人口は減る一方。若い人を町さ留めておくには、やっぱ働き口を確保してやんねえばならねえべ。そのためにはインフラと工場用地がねえことには話になんねえ」

「どっかの田舎代議士みたいなこと言うんじゃねえよ。日本中に高速道路と新幹線を走らせれば、中央との距離は縮まる。そうなれば産業は地方に分散し、地方が活力を取り戻す。そんな謳《うた》い文句に踊らされて、新幹線や高速道路を整備してどうなった？　結果はまったく裏目に出たじゃねえか。確かに高速道路や新幹線ができて中央との時間的距離は縮まったさ。俺が東京に出た頃には、在来線の特急電車を使っても、仙台から東京まで四時間半。それが今じゃ一時間半だ。緑原から三十キロ離れた宮川まで車で行こうとしても三時間かかったのが、バスでも四十分で行けるようになったもんな。だけどそのお陰で今まで町に留まらざるを得なかった人間が、より仕事を得るチャンスのある大都市に出て行っちまったじゃねえか。インフラ整備は、人を増やすどころか流失していくことに拍車をかけちまうもんなんだよ。まさに玉突き現象。栄えるところは更に栄え、寂れるところはさらに寂れるもんなんだ」

「鉄ちゃんの言う通りだ。実際、俺が通った緑原高校も、来年で閉校が決まっちまったもんな。俺が卒業した頃には、一学年一クラス四十二人で四クラスあったのが、ここ七年ほどは一学年一クラスたった二十五人だ。昔は宮川高校さ行くには、成績も良くなけりゃならなかった上に通学は無理で、下宿しなけりゃなんなかったべ。だげんと、今ではバスでも楽に通学できんだもんな。それに宮川高校も、昔のように成績が良ぐねえと入れねえっつもんでもねえ。宮川市の中学で成績のいいやつは皆仙台の高校さ行ってしまう。今では緑原中学で普通の成績を収めていれば、簡単に入れちまう。だから、緑原高校さ入るやつは、はっきり言って箸にも棒にもかからねえ、カスばっか。ここでも、鉄ちゃんの言う、玉突き現象が起きてんのっす」

「そして残ったのは、老人と、不釣り合いに立派な上に、使い道のない施設ばっかりというわけか」

「まあ、そういうことだ」

「大変だなお前も……町の財政がそんだけ逼迫《ひっぱく》してりゃ、公務員の数だって減らされちまうんじゃねえのか」

クマケンが実際の年齢よりも十も老けて見える理由が分かったような気がした。町が抱えている莫大な借金を減らそうとすれば、真っ先に目が行くのは固定費の削減というのは公も民も変わりはない。おそらくいま、緑原の役場ではリストラの嵐が吹き荒れているのだろう。東京でさえ、五十を過ぎた人間が新たな職を得るのはよほどのキャリアが無い限り、困難であることは言うまでもない。ましてや、ろくな産業のない緑原のような町で再就職口を見つけるのは絶望的だ。仮に、首尾よく新たな働き口を得られたとしても、そもそもあんな過疎地に工場を建てるのは、人件費が極端に安く済むからにほかならない。良くて今の収入の半分、へたをすればそれ以下かも知れない。

「役場も、ここ五年、新規の採用は控えているんだけんども、自然減だけでは追っつかなくてっさ。事実上の肩たたきが始まってんのす。職員の数を三分の二にするのが当面の目標なんだが、たぶんそんでは済まねえと思うよ」

果たしてクマケンは私の推測を裏づけるように肩を落とす。

「リストラの対象には町長は入らねえのかよ。こんだけの大借金を残して町を危機に陥《おとしい》れたんだ。責任取るのは当たり前だよな。まさか九期三十六年分の退職金を貰って、優雅な老後を過ごすっててんじゃないだろうな」

何気なく言った積もりだったが、クマケンはいきなりグラスをテーブルの上に置くと、

「鉄ちゃん。実は今日こうして東京まで出てきたのは、まさにその件なんだ」

姿勢を正した。

いやな予感がした。町長の退職金話に私がどう関係するのかは分からないが、とにかく何かとてつもなく厄介な話を持ち掛けられる。そんな気がしてならなかった。

「な、何だよ。クマケン。そんな改まって」

「お願いだ。鉄ちゃん、あんだ、町長さなってけねえべが」

「ちょうちょうだあ！　この俺が？」

予感的中。私の声が情けないほどに裏返る。

「町長はさ、こうなったのも自分の責任だって言って、ここ何年かは給料も五割カットを自らに課してんのっす。そんだけでねえ。退職金も返上するって言ってんのっす」

「自分で蒔《ま》いた種だ、当たり前の話だ。それに責任を取るって言うんなら、最後まできっちりやればいいだけの話だろ」

「町長はもう七十六だよ。もう一期やれば八十だ。体力的にも精神的にも限界だべ」

「だからって、何で俺が町長なんかやんなきゃなんねえんだよ。やりたいってヤツならなんぼでもいるだろうが」

「それが、誰もなり手がいねえからこうして俺がやって来たのっす」

「選挙になれば、黙ってたって駄目元で共産党が候補を立てんだろ。まあ、田舎の話だ。町民に共産党アレルギーがあることは知ってるけど、他に候補がいねえってんならそいつにやらせりゃいいじゃねえか」

「どうも、共産党も今回は候補を出さねえみてえだよ。つうか、やっぱりなり手がいねえんだよ」

「苦労すんのが目に見えてっからだろ。んなの俺だって同じだよ。何で返すあてもない借金を抱えてどうしようもならなくなってる町の町長に俺がなんなきゃなんねえんだよ。そんな馬鹿、世の中のどこを探してもいるわけねえだろ」

「鉄ちゃん、盛一（盛岡一高）出てるよな」

「ああ」

「大学は町始まって以来の慶應《けいおう》だよな。それも看板の経済学部出身だよな」

「そうだよ」

「大商社の四井商事の部長だべ。シカゴとロンドンさ駐在した国際派だべ」

「それがどうした」

「こんだけの高い教育受けて、世界を回って見聞を広げている人間は、緑原にはいねえ。ましてや、ビジネスの最前線で働いている人間も、緑原町出身者ではあんだだけだ。これまでに身に付けた知識と大企業のノウハウを以てすれば、町の財政を建て直してくれることができる。俺は本気でそう思ってんだ」

「あのな、確かに民間企業は官と違って、赤を出すことは許されねえ。金の使い道もシビアなら、金を稼いで来ない人間は即座に左遷だ。へたすりゃ馘《くび》だ。だけどな政《まつりごと》とビジネスは別物だ。何か思い切った手を打とうにも、いちいち議会を通さなきゃなんねえし、俺が全責任を持つから好き勝手やらしてくれなんて言える世界でもない」

「議会のことなら、心配することはねえよ。俺がここさ来て、こうして頭を下げてんのは、個人の意思じゃねえ。少なくとも、町議全員の同意を取り付けた上でのことだ。だから鉄ちゃん。この通りだ。何とか緑原を助けてくれ。あんだの力で何とかしてけれ」

クマケンはいきなり正座をすると、畳の上に額を擦《こす》り付けた。

＊

予定通りクマケンは最終の新幹線で帰って行った。

はかばかしい返事を貰えなかったクマケンは、かなり落ち込んでいる様子で、悄然《しょうぜん》と

肩を落とし、駅へ向かう道すがら何も喋らなかった。別れ際に一言、

「この話、鉄ちゃんの頭の隅さ留めでおいでけらいね。町長選挙までまだ五カ月ある。その間に気が変わったら、すぐに連絡してけらいね」

そう言い残すと、東京駅の雑踏の中に消えて行った。

私は無言のまま肯《うなず》いてはみせたが、どう考えても膨大な負債を抱えた町の町長になる気はなかった。たとえ負債がなくとも、私の人生においてそんな選択肢はあり得ない。第一、政治というものにまったく関心がないのだ。いや厳密に言えば、政治の当事者になることに、と言った方が当たっている。

穀物に拘《かか》わらず、相場商品の価格は世界情勢に大きく左右されるものである。たとえば、銅の相場を例に取っても、アフリカの名もない国の、さらにその奥地の地域でゲリラ活動が活発化したという、世界のどのメディアも報じない情報が市場関係者の間に流れただけでも相場は高騰する。

鉱山から積み出し港までの輸送ルートの安全が確保されなければ、供給量は減る。あるいは従業員がいつものように、通勤できない可能性が予想されただけでも同様の事態が起きる。ましてや、産出国の政権に変動があれば大変なことになる。総合商社が世界中に支社、あるいは駐在員事務所を置いているのは、単に新しい商売を拾うためばかりではない。生の情報をいち早く摑《つか》む。それが利益を上げることに直結しているからだ。

そう、情報。メーカーが力をつけた今の時代においても、商社があらゆるビジネスに介在し続けていられるのは、世界中に張り巡らせた情報ネットワークがあるからにほかならない。

だから、私も国内、海外を問わず新聞、雑誌、あらゆるメディアに目を通すのが日課である。しかし、それはまさに生き馬の目を抜くビジネス戦争を勝ち抜くためであって、政に自らの身を置くためではない。

それにもう一つ、クマケンの話にはどうしても乗り気になれない理由があった。それは他でもない、緑原の町政に携わる人間の資質である。

あれは高校二年の時だったろうか。春休みで帰省した折り、暇に任せて家に設置された有線放送に耳を傾けていると、そこから町議会の中継が流れてきたことがあった。名を呼ばれた議員が町長に向かって妙な質問を始めた。

「私が住んでいる近くの鎌ケ谷《かまがや》の公園さ、公衆便所がねえのはどういうことだべ。何が便所をあそごさ造ってはなんねえという理由でもあんのすか。造ると祟《たた》りでもあるどいう言い伝えでもあんだべが」

次の瞬間私は腹を抱えて笑い転げていた。

いかに寒村とは言え、町議会で議題に上げるような話ではないだろう。しかも祟りでもあんだべがときた。こうなると馬鹿馬鹿しさを通り越し哀れでさえある。

国会議員にしたところで、わけの分からぬスポーツ選手や芸能人、はたまたプロレスラーが当選してしまう国だ。それを考えれば町会議員のレベルなど推《お》して知るべし、町政にさしたる政策など持っているわけもなければ、ただ議員という肩書きに魅せられた俗物中の俗物の集まりに決まっている。

そうした思いを裏付ける出来事があったのは、その翌年、町を離れる直前に執り行われたダムの起工式だった。ダムと言っても発電を目的とする大規模なものでもなければ治水目的のものでもない。農耕地に安定して水を供給するためというのが、町の言い分だったが、少なくとも私が記憶している限り、緑原町で水不足が起きたことはないから、真の目的は公共事業による雇用拡大にあったことは間違いない。またそのダムというのが傑作で、川を単に塞《せ》き止めるものではなく、二十キロも離れた大きな川からはるばるパイプラインを引き、ポンプで水を汲《く》み上げ貯水するのだというから恐れ入る。

もっとも、ことこの事業に関して言うならば、山崎家の一員としてあからさまに批判をできない立場にあったことは事実である。と言うのも、当時私の父は県会議員をしており、町の意向を受け、ダム建設に奔走したという経緯があったからだ。東京では都議会議員と言っても、特別敬意を払う人間もいなければ、だから何だと言われるのがオチかも知れぬが、田舎では違う。町議と県議の間には、歴然とした格差があり、まさに地域の名士中の名士でなければ就けないものだった。

父がそうした職責につけたのは、山崎家が代々続く造り酒屋であったことに起因する。『伊達《だて》の川』というブランドの日本酒は、全国区にはほど遠かったが、地域では広く愛飲されていたもので、その財力を以て県議を長く務めていたのだ。しかし、それも私が大学に進学する頃に、全国的な焼酎ブームが沸き起こると、家業はあっという間に左前になった。麦や芋といった乙類の本格焼酎に押されたのではない。甲類、つまり合成焼酎に客を奪われてしまったのだ。

まあ、それも考えてみれば無理もないことかも知れない。何しろ、合成焼酎は日本酒に比べて嵩《かさ》がある上に格段に価格が安い。経済力がない地域の酒飲みにとっては酒の味などどうでもいい。要は酔えさえすればいい代物に過ぎない。酒屋の店頭には、尿瓶《しびん》のようなペットボトルに入った合成焼酎が並び、『伊達の川』は片隅に追いやられ、それから数年後には家業は廃業、父もそれと期を同じくして県議の職を降りた。今ではかつて醸造蔵として使用していた建物を農協が販売する農機具のショウルームとして貸し、そこから上がる家賃で生計を立てている。

それはともかく、起工式である。ダムの建設は、当時としては町始まって以来の大公共事業であったから、知事を始めとして県のお偉方が来賓としてずらりと顔を揃えた。現場には紅白の幕が張られ、黒塗りの車がずらりと並んだ。そしてお決まりの祝辞、鍬《くわ》入れと儀式は粛々と進んだ。ここまでは良かった。ここまでは……。

事件は一連の儀式が終わり、祝宴に入ったところで起きた。『伊達の川』の薦被《こもかぶ》りが割られ、酒が行き渡り宴たけなわとなった頃、突然一同の前にスパンコールのタキシードに身を包んだ、いかにも業界風の男が現れたかと思うと、スピーカーからけたたましい音楽が鳴り響いた。

「緑原町の皆様。おめでとうございます！　ダム起工をお祝いする宴はこれから本番！　それでは参ります。遥か南国からやって来たフィリピン娘のダンスをお楽しみ下さい！　ゴーゴーレッツゴー、フィリピンダンサーズ！」

勇ましい掛け声と共に、体にピタリと貼り付くようなミニのワンピースに身を包んだフィリピン娘がなだれ込んで来るや、体を激しくくねらせて踊り始めた。

目を丸くして呆《ぼ》けたように口を開けてそれを見詰める知事や県のお偉方を尻目に、やんやの喝采《かっさい》を送る町議たち。

おい、いくら何でもこりゃやり過ぎだろう。少しは場の雰囲気ってもんを読めよ。第一、このネエちゃんたち労働ビザ持ってんのかよ。不法滞在者、いや不法就労者じゃねえのか。そんなもんを町の公式行事に呼んだら、どんなことになるか分かってんのかよ。

当時はフィリピン女性の不法就労がメディアを賑《にぎ》わせた時代である。大学に上がる寸前の私でさえもすぐにピンと来たのに、町議の連中はだらしなく目尻を下げ、ダンスを食い入るように眺めている。おまけに、ダンスが終わるとフィリピンダンサーは来賓や町議の間に入り酌をして回り始める。

「シャチョサン、ドーゾ」

「おらは社長でねえ。町会議員だ」

呼び方を聞いただけでも、彼女らが日頃どんな仕事をしているか気づきそうなものだが、そんな気配は少しもありはしなかった。宴はますます盛り上がる一方で、その間にさすがにあきれ果てた表情を露に、知事を始めとする県のお偉方がその場を立ち去って行くのすらまったく気がつかない始末である。

幸か不幸かこのことは列席した新聞記者も報じることなく、表沙汰にはならなかったが、所詮緑原の町議といってもこの程度の人間の集まりである。クマケンは私が町長になることは、町議の同意も取り付けてあると言ったが、こんな連中を相手に町政を取り仕切っていくのは考えられるものではない。

「あり得ねえ。クマケン。悪《わり》いがこの話には金輪際《こんりんざい》乗れるわけがねえ」

私はそう呟くと、コートの襟《えり》を立て、タクシー乗り場に出来た長い列の最後尾に並んだ。

＊

それから一月の間、私はクマケンの話を思い出すことはなかった。

ミシシッピ川の凍結は、相変わらず続いてはいたが、手当てが早かったせいで取引先に納入する大豆の確保は万全。仕事はすべて順調に行っていた。むしろ、四月分の納入品まで確保してしまったために、深夜の電話や、ロイターの携帯端末に注意を払う頻度は以前よりもぐっと少なくなっていた。クマケンと会った一週間後には、今年の作付け状況の確認のために、シカゴ経由の三泊五日の日程で、大穀倉地帯の視察という強行軍の出張に出た。

しかし、波風の立たない時に限って、想像もしなかった大きな出来事が起きるのが世の常というものである。それは二月に入ってすぐの、一本の電話から始まった。短い間隔を置いて二度ずつ鳴る着信音は内線のものだ。

「山崎です」

受話器を耳に押し当てながら、応えたところに、

「八代《やしろ》だがね」

直属上司の取締役食料事業本部長の甲高《かんだか》い声が聞こえてきた。

「ちょっと君に折り入って話があってね」

八代はいつになく妙に持って回った言い方をする。

「何でしょうか」

「うん、電話ではちょっと話しにくいことなんだ。すまんが君、これから私の部屋に来てくれんかね」

嫌な予感がした。この歳になるまで、海外駐在はともかく、関連会社に出向を命ぜられることなく本社に残り、部長のポストを射止めるに至ったのは仕事の実績ばかりのせいではない。企業が組織で成り立っている限り、ポリティックスは付き物である。ゴマを擂《す》るとまではいかずとも、上司の機嫌を損《そこ》ねないようにするのは当たり前。将来自分を引き上げてくれると目した人間にはそれ相応の敬意を払って接する。それがサラリーマンの処世術というものだ。

ところが、出張の直後、私は一つのミスを犯していた。この時期、四井商事では、再来年度の新入社員の採用試験がピークを迎える。最近では三年生になると、採用試験が始まる中にあって、随分と悠長な話かもしれないが、何しろ私が入社する遥か以前から今に至るまで、学生の就職人気ランキングでは十位以下になったことはない人気企業である。四井を志望する学生は幾らでもいたし、内定を出せばすでに決まっている企業を蹴《け》って入社してくるのが当たり前だ。

それに二年を修了した時点で内定を出してしまえば、学生は安心しきって勉強をあまりしなくなる。大学教育に決して幻想を抱いてはいないが、それでも二年までは学業優秀、三年からは「可」ばかりというのはいかに何でも具合が悪い。せめて三年の前期の成績を見てから採用を始める。それが四井の新入社員採用方針となっていたのだ。

一次試験は書類審査。もっともこれはインターネットを通じての応募であるから、公《おおやけ》にはされてはいないが、事実上の学校指定がある。二次は筆記試験。三次は一般社員の面接。四次は部課長クラスの面接。そして五次の役員による最終面接を経て晴れて採用となるのだ。もっとも、役員面接ともなると、志望者はほぼ採用予定数まで絞られており、選んだ面子《めんつ》を役員に確認してもらう、いわば儀式であるから、四次の部課長面接が事実上の最終面接となる。

私も、職務上その面接の場に試験官の一人として列席したのだったが、そこに現れたのが桑原友樹《くわばらともき》という学生だった。彼を面接室に呼び入れる前に履歴書に目を通すと、東京の有名私立大学附属小学校から一貫教育を受けてはいたものの、大学の成績はほとんどが「可」ばかり。「優」は皆無、「良」も数えるほどしかない。通常では書類選考で落とされて当然のレベルだが、そこにでかでかと押された『E』のスタンプを見ればそれも納得がいった。『E』とは、縁故を示す暗号であったからだ。

応募してくる学生は知らないことだが、面接も四次になると、入社後配属されることになるであろう部門の部課長が当たることになっている。一口に総合商社と言っても、実態は部門ごとが完全に独立したまったく異なる会社の寄り集まりだ。四井商事という社名は、それらを一纏めにした総称に過ぎない。つまりこの面接は、将来自分たちと机を並べて食料事業部で働く社員を選ぶ場なのだ。

縁故採用は、いつの世にも、どこの会社にもあることだ。それ自体は何ら珍しいことではないが、四井においては、縁故採用は紹介者のいない部門に廻されるというのが不文律となっていた。そうでもしなければ、本来落としてしかるべき人間を、不本意ながら採用しなければならなくなるからである。

こいつはペケだな。

成績証明書に次いで筆記試験の成績を見るなり、私は即座に判断した。何しろ一般教養は四十二点、英語に至っては二十点という悲惨なスコアである。高校なら赤点、よくて追試だ。それに加えて、履歴書に貼られた写真の中に写ったこいつの頭髪ときたら、ヤマアラシのようなツンツン頭ときている。普段はともかく、就職試験の履歴書に用いる時には、不本意でもきちんとした格好をするのが社会人になろうとする者の常識と言うものだ。

しかし、面接をせずに彼を追い返すわけにもいかない。

「次、入れて」

私はドアの傍に座る人事部の男に向かって言った。

桑原が部屋に入ってくる。身長百八十五センチはあるだろう、それにも増して冷蔵庫のようにがっしりした四角い体をしている。まさに見上げるような巨体である。

「立東《りっとう》大学から参りました桑原友樹と申します。宜しくお願いいたしますっ！」

どうやら、最低限の礼儀だけは心得ているらしいが、ヘアスタイルは写真通りのツンツン頭だ。彼は椅子の脇に直立不動の姿勢を取り、大声で名乗った。

「そこに掛けて」

「失礼しまっす」

桑原が腰を下ろす。

「しかし、でかい体だね。何かスポーツやってんの？」

私はおもむろに切り出した。

「アメリカンフットボールをやってました。ポジションはオフェンスのセンターですっ」

なるほど、頭の中まで筋肉でできているというわけか。私は納得し、次の質問を放った。

「じゃあ体はさぞかし丈夫なんだろうな」

「はいっ！　体力には自信がありますっ！」

胸を張る桑原。こういうやつを見ていると、なぜか苛《いじ》めたくなる。

「しかし、それにしても成績が今一つだね。学校の成績を見ると「可」ばかりじゃないか。銀行だったら門前払いだ」

「はい！　だから商社を志望しましたっ！」

苛《いら》っときた。どこの誰が言い始めたものかは分からないが、昔から商社マンは体力勝負という伝説が学生の間に根強く囁かれていることは知っている。だが、それは明らかに間違いだ。数学的に言えば必要条件かも知れないが十分条件ではない。いや、正確にいえば体力と知力の双方を兼ね備えていなければ、商社の激務は務まりゃしない。

「筆記試験の成績を見ると、英語もあまり得意じゃないみたいだね」

「はいっ！」

「はいって、商社マンにとっては語学は必要不可欠なものだよ。まあ、駐在すればある程度は身につくものだが、それにしたって基礎ができていないんじゃね。第一、駐在は語学の習得が目的じゃない。即戦力として行くものだ」

「入社まで、必死に勉強しますっ。体力と根性はありますからっ」

これからじゃ遅いんだよ。と私は内心で悪態をつく。二十歳《はたち》を過ぎるまで満足な勉強をしてこなかったやつがどうして一年足らずの間にビジネスレベルまでとは言わないまでも、それに準ずる語学力を身につけられるというのか。そんなことが不可能に近いことは馬鹿でも分かる。

「それにしても、君、面白い頭してるね。いつもそんななの」

「はい。今日は特別気合い入れてきましたっ」

皮肉を言っても通じる気配もありはしない。屈託のない笑顔を浮かべて、桑原は答えるだけである。

どうせ、どこか他の事業部のお偉いさんが、採用を頼み込んできたのだろうが、事業部が違えば会社が違うのと同義語だ。こんなやつに無駄飯を食わしておく余裕は、いかに大四井といえどもありはしない。

引き続き、質問を投げ掛ける課長たちを尻目に、私は評価の欄に、思い切り×をつけてやった。おまけにその下の欄にある五段階評価は1。『絶対に採用したくない』に○をつけてやった。

面接官の中ではいちばん高いポジションにある私の評価は、この時点での最終評価でもある。△ならば、課長連中が下した評価を加味する余地はあるが、×に限ってそれはない。つまり桑原は、不採用ということだ。翌々日には、面接の結果を記したペーパーが人事部から回って来、五次試験に進む十人が確定した。当然その中に桑原友樹の名前はない。飯田香奈を呼び、「これを課長に回しておいてくれ」そう言った直後に事件は起きた。

「部長、桑原友樹の名前がありませんが……」

面接に立ち会った林原《はやしばら》が青い顔をして机の前に立った。

「ああ、彼ね。だって俺、×つけたもん」

「えっ、部長×つけたんですか」

林原は念を押すように訊《たず》ねてくる。

「あったりまえだろ、それとも何か、お前は○つけたのか」

「ええ」

「どこをどう見たらあんな出来損ないのツンツン頭に○つけられんだ。新入社員は三年丁《でっ》稚《ち》。その間に仕事を覚えりゃいいなんてのは、昔の話だ。即戦力にならねえ人間を飼っておくだけの余裕なんて今どきどこの会社にもありゃしねえ。そのくらいのことはお前だって知ってんだろ」

「それはそうですが……でも……」

「でも、何だよ」

「八代本部長があれほど宜しく頼むと言っていたじゃないですか」

林原は一瞬周囲に忙しく視線を向け、囁くように言った。

「えっ？」今度は私が青くなる番だった。「そんな話は聞いてないぞ」

「先週、わざわざここに来て言ったじゃないですか」

「だって、俺は先週はアメリカ出張でいなかったんだぜ」

「じゃあ、何も聞いていなかったんですか」

「聞いてりゃ×なんかつけるかよ」

「何でも彼は本部長の妹さんの息子らしいですよ」

「ちょっと待て。縁故枠は紹介者とは無縁の事業部に廻されるのが決まりだろ。それが何で……」

「彼を見たら分かるじゃないですか。今どき体力と根性を売り物にする体育会馬鹿を採用する一流企業なんてどこを探してもあるわけないでしょ。それに本部長はあの通り、社内に敵も多い。だから、ルールを曲げて人事部に捻《ね》じ込み、ウチの事業部に入れようとしたんですよ」

八代は、昨年取締役本部長に就いたばかり。年齢は私と四歳ほど離れている。平取ではあるが、役員の中では最年少だ。四井の歴史の中で食料事業本部出身者が、社長に就いたことはないものの、このまま下手を打たなければ副社長までは行けるのではないかともっぱら下馬評の高い人物である。社内に敵が多いというのは、彼の性格によるものではなく、役員間の激烈な競争を勝ち抜き、もう一段高い地位に昇る人間だと目されていたからだ。

さらに悪いのは、私は事業部では自他共に認める八代派の一人と見られていることだ。入社してこの事業部に配属され、仕事のイロハを教えてくれたのも彼ならば、シカゴに駐在していた時分にはダウンタウンから南に行ったオークブロックという高級住宅地に住み、家族ぐるみの付き合いをしたものだった。街で酒を飲めば帰宅のハンドルを握るのは私だったし、クリスマスやサンクスギビング、夏の屋外でのバーベキューパーティは、私の自宅を会場にし、すべての準備を整えて彼の一家をもてなしたものだ。今の私の地位があるのは、そんな過去の献身的ともいえる働きと、彼の引き立てがあればこそのことである。

いかにアメリカ出張で、事情を知らされていなかったとはいえ、その私が八代の血族に連なる人間に×をつけたなどということが知れれば、彼にしてみれば飼い犬に手を嚙《か》まれたも同然と映るだろう。

私は慌てて受話器を手に取った。人事部の採用担当の番号をプッシュする。

「城戸口《きどぐち》です」

「穀物取引部の山崎だがね。先日の新人採用面接の件で話があるんだが」

「どんなことでしょう」

「判定にミスがあってね。桑原友樹という学生なんだが……」

「ちょっとお待ち下さい」ファイルを捲《めく》る音が止んだかと思うと、「ああ、『E』の学生ですね。部長の判定は×。しかも評価は1となっていますが」

「それを○、評価を5、いや4と変えて欲しいんだ」

「4というと、『採用したい』に変わりますが、どうなさったんです。今頃になってまったく正反対の評価を下すなんて」

「他の学生と勘違いしたんだよ。なにしろ四次試験では、最終面接に進む学生を十人まで絞り込まなきゃならないだろ。それで比較しているうちに――」

「勘違いなさったとおっしゃるなら、桑原君につけたこの評価、誰につけるつもりだったんです」

私は答えに詰まった。何しろ面接した学生の数は二十人からいる。受験者の名前など唯《ただ》の一人たりとも覚えてはいない。

「誰かは忘れちまったけどさ、４評価なら最終面接に行かせることができるだろ。合否の判断は、役員に任せたいんだがね」

「それは無理ですね」

城戸口はあっさりと返事を返してくる。

「何で?」

「もう昨日のうちにメールで結果を送ってますからね。いまさら通知は間違いだったなんて言えませんよ。それに、四次試験の合格者リストは役員室に廻してしまいました。最終面接のスケジュールと一緒にです」

「いつ」

「今日の午前中の社内便でです」

「今から訂正は利《き》かんのか」

「人事本部長の承認印がついた正式なドキュメンツです。どうしようもありませんよ」

入社試験に補欠枠はない。もちろん内定を貰っても辞退する学生はいるだろうが、補充はあくまでも五次試験に進んだ中から選ばれる。この時点で桑原が選から漏《も》れたことは確定し、二度と四井に職を得ることはできなくなった。これを八代が黙って見ているはずがない。そう思っていたところにこの電話だ。

私はロッカーの中から上着を取り出すと、役員室へと向かった。

上階に行くエレベーターが止まる度に、乗り合わせた社員が一人、また一人と降りて行く。最上階の二十階に辿り着いた時には、籠《ケージ》の中は私一人となっていた。ドアが開き、床に絨毯《じゅうたん》が敷き詰められたエレベーターホールに足を踏み入れる。その先には役員一人ひとりに与えられている秘書が構えるガラス張りのブースがずらりと並んでいる。

「八代本部長に部屋に来るようにと仰せつかったんだが……」

「伺っております。中へどうぞ」

秘書が笑顔を向けながら答える。

ぶ厚いドアをノックする。中から八代の、入りたまえ、という声が聞こえた。

「失礼します」

私はドアを開け、八代の部屋に入った。大きな窓ガラスを後ろにして、執務机に座る八代は穏やかな笑みを湛《たた》えて私を迎えた。嫌な予感が確信へと変わり始める。

「そこへ掛けたまえ」

八代は、中央に置かれた応接セットを目で指すと、ゆっくりと腰を上げ、

「忙しいところすまないね。ちょっと君に話したいことがあってね」

私の前のソファに腰を下ろした。

「はい……」

「率直に聞くが、君、この辺で社長をやってみる気はないかね」

来た……と思った。やはり八代は甥を落としたことを根に持っているのだ。

「社長と申しますと」

私は上目遣いに八代を見ながら訊ねた。

「実は、来年日東オイルの子会社の日東フーズの社長の椅子が空くんだよ。いまさら君に説明することでもないが、日東オイルは我が社の重要取引先の一つだ。日東フーズは我が社と折半で立ち上げた子会社でもある。今まではあのポストは日東本体の役員が天下るのが慣例だったんだが、このところ業績がいまいちでね。この辺りで新しい人材を起用して、業績の挽回を図りたい。それで適任者が我が社にいないかと日東オイルの社長自ら打診されたんだよ」

日東フーズは、親会社である日東オイルが大豆油を搾った後のカスを使って、食用の大

豆蛋白《たんぱく》を製造する会社である。大豆蛋白は、亜硫酸ソーダ水溶液や、甘味料、着色料、合成香料を添加してやると、人造肉へと変身する。それを正肉に混ぜ込んで、餃子、ハンバーグ、シュウマイなどの加工食品にする。年商は百億、資本金三千万円。紛れもない中小企業そのもので、社長といえば聞こえはいいが、天下りとはいえ、四井本体の部長が就任するようなポストではなかった。

「日東フーズですか」

「不満かね」

「いや、そういうわけではありません。ただ、私は入社以来食料事業本部に籍を置いてきたとはいっても、相場商品しか担当したことはありません。食品となるとまったくの門外漢ですから」

「だから、君に行って欲しいんだよ」

「と言いますと」

「分からんかね」八代は獲物を摑んだ猛禽《もうきん》のような光を目に宿すと、「君はこのまま四井の部長で終わるつもりかね」

目つきとは裏腹に穏やかな声で訊ねた。

「そりゃ、私にも上を目指せるなら目指したいという気持ちはありますが……」

「だろう。部長の次は副本部長、その次は取締役本部長だ。そうなれば相場商品だけしか知らんというわけにはいかんじゃないか。食料事業部全般に亘《わた》る知識がなければ上の職責は務まらんよ」

そう言われると、返す言葉が見つからない。私は思わず押し黙った。

「私はねえ、常々今までの君の処遇を心苦しく思っていたんだ。入社以来、一貫して相場商品を担当させ、他の仕事を経験させないでしまった。正直言って、今の私のポストを継ぐのは君だと思っていたんだが、今のままじゃ、本部長はおろか副本部長にも推挙できない。少なくとも事業部内で三つの部を歴任しないことには更に上のポストを任せることはできないからねえ。そこに日東オイルからこうした申し出があった。まあ本社の部長が就任するには、格下の会社という印象は否めないが、日東フーズの社長を経験すれば、大豆カスの他に、加工品の原材料となる正肉、生鮮野菜、それに穀物食品のキャリアを積めることになるだろ。それならば、短期間で三つの部門を経験できることに繋がるじゃないか。これは君にとってもチャンスだと思うがね」

「お心遣いは有りがたい限りですが、果たして会社の経営が務まるでしょうか」

「務める自信がないというのかね」

「会社の経営を担うということは当然結果を出さなければなりません。それも短期間のうちにです。経営の最前線に立つ人間が、これから勉強しますというのでは、ご満足いただける業績をすぐに出せるとは思えませんが……」

「おかしなことを言うものだね。君はたった今、上を目指せるものなら目指したい。そういう気持ちがあると言ったばかりじゃないか。このまま本社にいて、相場商品しか知らないまま、副本部長になり本部長になっても、職責はまっとうできると考えているのかね」

「いえ、決してそうは思っておりません」

「だろ？　それなら、石に齧《かじ》りついてでも日東フーズで結果を出してご覧に入れますと、どうして言えないんだね」

日東フーズの業績が低迷している理由は分かっていた。大豆蛋白そのものは人間の口に入る食料として立派に通用するものだが、問題はそれを人造肉として加工するに当たっての食品添加物にある。かつては、そんなことに注意を払う人間はさほどいやしなかったが、このところの健康志向ブームに乗って俄《にわか》に注目を集め始めたのが食品添加物だ。これをマスコミが取り上げるや、消費者は食品の原材料はおろか、製造過程にまで注意を払い始め、肉の加工食品に大豆蛋白、食品添加物の表示があるだけで、購入を控えるようになったのだ。それでもまだ、内容表示が消費者の目に触れない業務用途の食品には大豆蛋白を使用した製品は溢《あふ》れ返っているが、マスコミの目がそちらに向くことは時間の問題というものだ。

添加物なしでは大豆蛋白は人造肉にはなりえない。つまり今後どう逆立ちしても、大豆の搾りカスを使った食品の需要は伸びっこないのだ。そして結果を出せなければさらに上のポジションに就くことはおろか、四井に戻ってくることなどできはしない。早ければ二年。遅くとも三年のうちには移籍、へたをすれば社長解任とともに職を失うことになる。

私は、一瞬泣きを入れることを考えた。この人事は、八代の甥である桑原を落としたことに起因しているのは間違いない。アメリカ出張に出ており、彼が本部長の甥だとは知らなかった。そう言うことも考えた。

だが、それを言ったところで、事態が好転しないことは分かり切っている。

八代は、この人事は自分に上のポジションに就くための経験を積ませるためだと言っている以上、桑原を不採用にしたなど何の関係もない話だと言うに決まっているからだ。

進退窮《きわ》まるとはまさにこのことだ。

「本部長、一つお訊《き》きしてもよろしいでしょうか」

「何だね」

「もし、私が今のポジションに留まりたいと申し上げた場合は？」

私は苦し紛れに訊ねた。

「それもいいだろう。だが、我が社の規定は知っての上でのことだろうね。部長のポジションに留まれるのは四年が限度だ。それまでに昇進できなければその時点で、君は今のポストから外れて貰うことになる。その時、今回のような話があるかどうかの保証はないよ」

あっと私は胸中で叫び声を上げていた。確かに四井では課長職以上のポジションにある人間の就任期間が内規として定められている。一定期間内に昇進できなければ、肩書きは外されないが、ラインからは外され『部長』の肩書きの次に『待遇』という一語がついてしまうのだ。部長のポジションにいられるのは四年。すでに一年が経っているから残りは三年ということになる。もし、その時までに副本部長に昇格できなければ、当然給料は劇的に下がり、良くてその時点でポストに空きのある子会社に転出、へたをすれば定年まで飼い殺しだ。そして、その人事権を握っているのは誰でもない八代だ。この時点で、明らかに左遷、それも片道切符の人事を告知してくるような彼のことだ。おそらく、子会社への転出など許しはしまい。そうなれば待ちかまえているのは早期退職だけだ。

私は今まで築き上げてきたすべてのキャリアが、そして将来への階段が音を立てて足元から崩れ去って行くのをはっきりと感じた。

「本部長……。突然の話で何とお返事していいものか、すぐには考えが纏まりません。少し時間をいただけませんでしょうか」

私はかろうじての言葉を吐いた。

「いいだろう。一週間時間をやろう」

八代は満足したように穏やかな笑いを浮かべる。

私は立ち上がると、一礼し部屋を出た。

ドアを閉めた向こうから、彼の高笑いが聞こえてくるような気配を感じつつ……。

＊

その夜、私はしこたま酒を飲んだ。久々に一人で銀座《ぎんざ》に出掛け、接待で使っている馴染《なじ》みの寿司屋で焼酎の四合瓶をオンザロックで一本空けた。それからクラブを二軒回ったまでは覚えている。もちろん勘定は会社に回したことは言うまでもない。会社の金で飲めるのも長くともあと三年。それにどうせ接待交際費の六割は社内接待で消えてしまうのだし、決済は私が伝票に判子《はんこ》を捺《お》せばそれで済む。

気がついた時には、家のベッドの上でスーツを着たまま朝を迎えていた。酷い二日酔いだった。胸がむかつき、頭がガンガンする。吐く息は焼酎とウイスキーが入り交じって、熟柿《じゅくし》のような臭いがした。それに酷い眩暈《めまい》がし、天井がぐるぐる回る。ベッドサイドの時計に目をやると、時刻は六時半になろうとしていた。

くしゃくしゃになったスーツを脱ぎ、下着だけになった私は、バスルームに向かい熱いシャワーを浴びた。体中の毛穴が開き、アルコールが汗と一緒に噴き出してくる。気分は少し楽になったが、とても朝食を摂る気にはなれなかった。妻は例によって別室で寝ていて起きてくる気配はない。

こんな朝は早く会社に出るに限る。

私は、新しいスーツをクローゼットの中から取り出し、着替えをすませると家を出た。

会社に着いたのは午前八時半。オフィスでは、早くも海外の駐在員たちとやり取りを交わす部下たちが電話に齧りついている。私の姿を見ても、誰もこれといった報告を上げて来ないのは、相場が安定しており何の問題も発生していない証拠だ。やがて、飯田香奈が出社してくると、私の机の上にぶ厚い新聞の束を置いた。普通紙が四紙、経済紙が二紙、英字紙が三紙、それに業界紙。まだ酔いが醒めやらぬ頭で、それらに目を通し始める。

電話が鳴ったのは、時計の針が午前十時ちょうどを指した頃だった。

「四井商事、山崎でございます」

「鉄ちゃん？　俺、クマケン」

受話器からクマケンの声が聞こえてきた。この間とは打って変わって、彼の声は心なしか弾んでいるような気がする。

「ああ、クマケンか……」

町長選出馬の件ははっきりと断ったことだし、この間の礼の電話か。私はとっさにそう思ったが、クマケンは急に声のトーンを上げ、奇妙なことを言い出した。

「鉄ちゃん。昨夜はありがとね。今朝役場さ出て話したら、皆も本当に喜んでね。さっそくあんだの後援会を結成するごとになったのっす」

「後援会？　何だそりゃ」

「決まってっぺ。町長選挙さ出て貰う限りは、なんぼ対立候補がいねえつたって、後援会の一つもねえごどには格好つかねえべ」

「ちょっと待て。誰が町長選挙に出るんだって」

「あんだに決まってっぺさ」

「俺が？　だってあの話なら、この間会った時にはっきり断っただろ」

「冗談言うのは止めてけろ。昨夜家からあんだの携帯さ電話入れたら、いいよ、やってやる。俺が緑原の町を建て直して見せる。はっきりそう言ったでねえすか」

「そんなこと言ったか？」

そう言われてみれば、デロ酔いになったところで携帯電話が鳴ったような気がするが、誰と何を話したのかまでは記憶にない。私は慌てて携帯電話を取り出すと、着信履歴をチェックした。ギクリとした。そこには確かに昨夜十一時に緑原の市外局番から一本の電話が入ったことが表示されていた。

まずいことになったと思った。四井での将来を閉ざされ、やけくそになって酒を呷《あお》っていたところにクマケンから電話があり、私は酔いに任せて町長選出馬の件を、確約してしまったらしい。

しかし、ここでは部下たちの耳がある。そんな話をするわけにはいかない。

「クマケン、いま役場か。悪《わり》い。すぐこっちから折り返し電話入れるから、電話番号を教えてくれ」

「いがすよ。電話番号は――」

私はクマケンの電話番号をメモすると、席を立ちフロアの片隅にある会議室に入った。中から鍵をかけ、誰も入ってこないようにしたところで、改めてクマケンの番号に電話を入れる。

「もしもし、俺だけど……」

「悪いね。忙しいどこ」

「そんなことはどうでもいい。それよりクマケン、町長選挙のことだけど。正直に言うよ。俺、昨夜は酷く酔っぱらっててさ。お前から電話があったことは確かなようだが、何を話したか覚えてねえんだよ」

「そんなふうには思えながったけんどもなあ。口調もしっかりすてたす、あんだが町長やるごどを決意したっつ理屈も納得が行ぐものだったすね」

「俺、何言った」

「本当に覚えてねえのすか」

クマケンはあからさまに疑いの言葉を吐く。

「覚えてねえから訊いてんだよ」

「あんだ、会社で上司から睨《にら》まれで、子会社さ飛ばされることになりそうなんだべ。もちろん断るごどはでぎっけんども、そうなれば部長のポジションさは長くとも三年しかいられねえ。実力が足りねえっつんだらまだすも、恣意《しい》的な人事でそんな目さ遭うのはたまらねえ。俺は四井に未練はねえ。心機一転、故郷の建て直しさ邁進する。そう言ったよ」

「んでも、そもそも、そんなことを軽々しく口にすること自体、俺が酔っぱらっていた証拠だ」

「そいづは鉄ちゃんの本音だべ」

言葉に詰まり、思わず押し黙った私に、クマケンは畳みかけてくる。

「上司と対立すて、子会社さ出されようとしてるっつのは嘘すか。このまま四井さいでも、将来はないっつのも嘘すか」

「……いや、それは本当だが……」

「んだべ。なんぼ酔っぱらってだって、根も葉もねえ嘘はそう簡単につけるもんでねえものね。むしろ、人間つのは酔っぱらうど、思わず本音を漏らすもんだ」

「しかしな、俺は町長になる気なんてこれっぽっちもありゃしねえ。それは本当だぞ」

「あんだ。男に二言はねえつこど知ってってっぺ」

「それを言うなら武士だろ。サラリーマンには二言も三言もあんだよ。もう一つ付け加えればだ、泥酔状態にある時は、心神喪失状態で罪一等を免じられる」

「そいづあ、一昔前の話だ。今は自己責任が厳しく問われる時代だ。酒飲んでだって、自分の言ったごどには責任を持たねばなんねえ」

「とにかく、町長なんて御免だよ。第一クマケン、お前失礼だと思わないのか」

「何が？」

「なり手がいねえから、俺に町長やれなんてさ。それじゃただの穴埋めじゃねえか」

「そんなごどはねがすよ。俺だづだって必死なんだぞ。このままの状態が続けば、町は破産すてすまう。そうなりゃ財政再建団体になって、中央から役人が派遣されできで、町はしっちゃかめっちゃかにされちまうべ。役場の職員だってなんぼ減らされっか分がんにゃあ。新規の事業だって当然全面凍結だ。そうなれば、職を失う町民だっていっぺえ出てくる。それを防ぐためには、今までにねえ、斬新な考え方と、確かなビジョンを持っている人間がトップさ立ってけねえごどにはどうしようもねえがすぺっちゃ」

「俺には、そんなビジョンなんてねえよ」

「そいづは、あんだが町の内情をよぐ知らねえからだべ。ここさ来で、緑原には何が必要なのが、何が欠けているのが、あんだが本気で考えてくれれば、絶対にオラだづが思いもよらなかった斬新なアイデアが浮かぶにちげえねえ。そう考えだからこそ、町長さなってけろど頼んだんだ」

「そりゃ、買い被《かぶ》りだぜ。大体、俺は穀物ビジネス以外の経験は何一つとしてねえんだ」

「ビジネスと政は違うもんだよ。政っつのは、社会造りそのものだ。そごさ四井のような企業が持っているノウハウが加われば、今までにない町の運営ができるつもんでねえのすか」

「しかし……」

私は思わず口籠った。確かにクマケンの言うことには一理ある。四井で役立たずの烙印《らくいん》を押され、関連会社や取引先の中小企業に転出していった人間でも、引取先の会社の社長から礼の言葉を言われることは珍しいことではない。大企業の中では当たり前でも、中小企業で働く人間にとっては目から鱗《うろこ》。追われるように去っていったかつての社員が、さほどの時を経ずして頭角を現し役員に抜擢されたなんて例は掃いて捨てるほどある。

「それに、さっきも言ったげんとも、もうこの話は役場の人間も、町会議員も、町長も皆知ってんだからね。その上であんだの後援会を立ち上げるっつ話になってんだがらね。ここまで町を盛り上げておいで、あんだ、なじょに収拾つける気すか。いまさら、あれは酔っぱらっていたからなんて言えんのすか」

「お前、まだ十時だろ。どうしてこんな短時間に話がそこまで行くんだよ」

「田舎の朝は早いがらね。それにちょっとした噂話程度のこどでも、話があっという間に伝わんのは田舎の常でねえすか」

クマケンの言うことに間違いはない。冬でも田舎の連中ときたら朝の五時には起き始める。それも爺婆《じじばば》にその傾向は顕著に現れる。

「とにかく、ここさ至ってもあんだが断るつんだったら、ここさ来て、自分の口で言ってけらい。オラの口からは、あれは間違いでしたなんて言えねえがらね」

クマケンは妙にドスを利かせた声で告げると電話を一方的に切った。

正に弱り目にたたり目。前門の虎、後門の狼とはこのことだ。

私は、一人の会議室で椅子に腰を下ろすと、頭を抱えた。

＊

私はその日珍しく午後四時に会社を出た。子会社への出向、しかも事実上片道切符の内示を受けたとあっては、さすがに仕事に身が入らない。大手町《おおてまち》から神田《かんだ》に向けて、夜の帳《とばり》が下り始めた街を三十分ほど歩き、駅前の路地の一角にひっそりと佇《たたず》むおでん屋の戸を開けた。まだ終業時間前だというのに、カウンター席のほとんどは埋まっている。銅の鍋《なべ》にはおでんの具が山となっており、早くもサラリーマンたちが徳利《とつくり》を前にして盃を傾けている。

客のほとんどは、定年間近といった初老の男たちばかりである。

こんな時間から酒を飲めるサラリーマンが、会社でどんな待遇を受けているかは、馬鹿でも察しがつく。いてもいなくても誰も気に留めない。仕事が滞《とどこお》る心配もない。古い言葉で言えば窓際族。リストラ候補に挙げられ執行猶予中の人間と決まっている。実際、カウンターに座る客は、いずれも一人で来ているらしく、誰一人として会話をするでもなく酒を飲んでは料理を口に運ぶという行為を繰り返している。

もっともこの店は、おでん屋としての歴史は古く、戦前から続く隠れた名店として大手町のサラリーマンに愛され続けてきた存在である。壁に掲げられた朱に金文字で『大入』と書かれた額の縁には、今や名だたる企業の社長、財界の重鎮となった人物たちの名前が千社札《せんじゃふだ》を模した図柄の中にずらりと彫り込まれている。彼らが新入社員の頃からこの店を愛し、功成り名遂げた後も通い続けた証《あかし》だ。

俺もいつかあそこに自分の名を刻んだ額を飾ってやる。

ここに来る度、何度そう思ったことか……。しかし、今となってはそれも夢のまた夢である。四井の頂点に上り詰めることなくしてその資格はない。その野望が潰《つい》えた今となっては、この時間に事実上サラリーマン生活が終わってしまっている連中に交じって、同類相哀れみながら酒を呷っているのが今日の私には相応しい。

たぶん、自然と足がこの店に向いたのは、そんな気持ちの表れであったのかもしれない。

自虐的と言われればその通りだ。女々しいと言われりゃ返す言葉なんてありゃしない。

しかし上司の逆鱗《げきりん》に触れたあげく、出向の内示までもらったとあっては、もはやこの人事を覆すことなんてできはしない。おとなしく関連会社に天下り、中小企業の社長としてサラリーマン生活を全《まっと》うするか、それとも財政破綻《はたん》寸前の町の町長になるか。今の私にはこの二つの選択肢しかないのだ。

私は鍋の前に立つ女将にビールとおでんを注文すると、程なくして出てきたビールをグラスに注ぎゆっくりと口をつけた。

冷たいアルコールが空きっ腹で弾けると、自然と溜息が出た。それと同時に思考回路にスイッチが入る。

最初に考えたのは、私が子会社の社長に就任した場合のことだ。

規模は小さいとはいっても、社長は社長、一国一城の主であることには変わりはない。会社の運営は自分の思うがまま。そこで実績を残せるか否かはまさに腕次第ということになる。

しかし、問題は肝心の事業内容である。今どきどう知恵を絞っても、大豆カスを使った事業が飛躍的に業績を伸ばすことなどあり得ない。仮に画期的なニュービジネスを思いついたとしても、それが既存の工場機械を使って生産されるもので無い限り、新たな投資が必要となる。それが幾らになるのかは分からないが、あの会社の業績を考えると、それほどの額は見込めないのは明らかだ。

何しろ赤字こそ出してはいないものの、損益はかろうじてとんとんという線を辿っているのが現状で、その点からいえば四井にしても日東オイルにしても、油を搾った後のカスがなんぼかの金になればいいという程度にしか考えてはいない。

それにもしも業績を上げるビジネスプランを提出したところで、腹に一物ある八代がそれをすんなり通すとは思えない。何しろ彼は執念深いことでは人後に落ちないと来ている。加えて見切った人間にはあくまでも冷酷である。

事実、今までにも彼の不興を買い、子会社や発展途上国の駐在員事務所、あるいは地方の支店に飛ばされた部下は何人もいたが、そうした人間が画期的な業績を上げるや、本社に呼び戻すことはおろか、逆に子飼いの部下を送り込み、さらに格下の子会社や支店へと飛ばしてしまうのが常である。新たなビジネスプランの筋が良ければ良いほど、自分がさらなる窮地へと追い込まれることは間違いない。そう、子会社へ天下ったとしても、がばったところで報われることはなく、かといって現状維持では数年後には体《てい》よく解任されるのが落ちというものだ。

では、クマケンのプロポーザルを受けたらどうなるか。

町の財政がどれほど酷いものなのか、詳しいところは分からないが、合併に周辺の町村がこぞって反対したところを見ると、惨状を極めるものであることは容易に推測がつく。何しろ、田舎は都会と違って、血縁関係や人脈といったものが複雑に錯綜《さくそう》しているものだ。行政区が違うからといって、ドラスティックに切り捨てるなどということは通常あり得ない。そうしたしがらみを断ちきってまで、合併を拒んだということは、早晩財政は破綻し、財政再建団体となることは明らかと踏んだのだろう。

第一、そうでもなければ町長になり手がいないわけがない。町議でさえも町の名士、その地位に就くことを夢見ている連中はいくらでもいる。ましてや町長になりたいと言えばなれるという状況になれば、黙っていても手を挙げる人間の一人や二人出てくるのが当然というものだ。

私は脳裏に去年の夏、帰省した町の様子を思い浮かべてみた。

昼だというのに、人っ子一人歩いてはいないメインストリート。夏草が伸び放題のまま放置された工場を誘致するために整地された土地。そしてそこで働く人間を当て込んだ住宅用地。

なるほど、雇用のないところに人は住み着かない。町政を支える財源も生まれない。しかし、だからといって、用地を作れば中央資本がこぞって工場を建てるかといえば現実はそんなに甘いものではない。企業は田舎の人間が考えるほど、狭い視点でビジネスを考えてはいない。確かに田舎の人件費は都市部に比べて安いのは事実ではある。しかし、世界を見渡せばその十分の一以下で済む国はいくらでもある。

それにたとえ安い人件費で物ができたからといって、そこから消費者の手に渡るまでには物流費用がかかる。これにはガソリンの値段が全国ほぼ均一であるのと同じく、地方格差というものが存在しない。むしろ現実は物流費用だけを取って見ても、アメリカの東海岸から大陸を横断し、そこからコンテナ船に乗せて日本の港に運んでくる料金よりも、国内輸送料金の方が高くつく場合も少なくないのだ。

その点から考えても、町が期待するようなある程度の規模を持った企業が、今の時代わざわざ国内に工場を新設することなどあり得ない。仮にあったとしても、海外に進出する程の規模のない、零細企業が精々だ。そして雇用基盤のない町に、若者が居着くことはありえない。結果、職を求める若者は町を去り、高齢化に拍車がかかる。それは財政基盤をますます脆弱《ぜいじやく》なものにしていく……。まさに悪循環そのものである。

そんな町の首長になったところで、町政を建て直すことなんてできるわけがない。借金をどうやって軽減するか、解決のあてもない議論に日々を費やし、やがて財政再建団体となって地位を失うのが関の山だ。

どちらに進むにしても状況は最悪だった。

突然名を呼ばれたのは、ビールの大瓶が空きかけた頃のことだった。

「あれ？　山崎じゃねえか」

振り向くより先に、無遠慮に覗き込んでくる男の顔が目の前にあった。

牛島幸太郎《うしじまこうたろう》。私とは同期入社で、今は都市開発事業本部営業第三部で次長をしている男だ。都市開発事業部というと、何やら大層なビッグプロジェクトをしているように思えるかもしれないが、実態はマンションの開発と販売。まあ不動産会社に毛が生《は》えたようなものだ。

「何やってんだお前。こんな時間に」

こんな時間にというなら、お前だって同じだろ。自分のことを差し置いてよく言うよ。

思わずむっとして、言い返そうとしたが、

「今日は出先での会議が長引いてね。会社に帰るには半端な時間だし、たまには一人で酒を飲みたくなっちまってさ」

格好をつけても仕方がないことは分かっていても、私はグラスをビールで満たしながら答えた。

「一人酒は良くねえな。どうだ、久々に一緒にやるか」こちらの同意を取り付ける間もなく、牛島はカウンターに並んだ客に向かって、「すいませんね、一つずつ席を移っていただけますか」と言うと隣の椅子にどっかと腰を下ろす。

その無神経さが、ささくれ立った私の神経を逆撫《さかな》でする。

「一人酒は良くねえって、お前だって一人だろ」

私はグラスを干しながら、皮肉を込めて言った。

「一人には違いないが、俺は女将を相手に飲みに来てんだよ」

どうやらその言葉に嘘はないらしい。女将は何も聞かないうちからビールの大瓶と燗酒《かんざけ》が入った徳利を二つ並べて牛島の前に置く。彼はコップにビールを半ばまで注ぎ、そこにおもむろに燗酒を注ぎ込んだ。

「大丈夫かよ、お前。そんなもん飲んで」

さすがに驚いて訊ねると、

「どうせ胃の中で一緒になっちまうんだ。最初に混ぜたって同じだろ。それにこの方が早く酔えて経済的だもん。なにしろ、こちとら万年次長で部長の目はねえし、小遣い増やせったって稼ぎは知れてるし、老後の生活を考えりゃ強いことは言えねえしな」

牛島はがぶりとコップの中の金色の液体を飲み、手の甲で口元を拭《ぬぐ》った。

「良く来んのか、この店」

会社は同じでも、事業部が違えばまったくの別会社。共通の話題があるわけでもない。私は当たり障りのない話題を切り出す。

「ああ、ほとんど毎晩……。安い店は他にもあるが、さすがに居酒屋チェーンじゃ惨《みじ》めになる。その点ここなら、古くからの馴染みな上に値段も手ごろだからな」

「小遣いをセーブするってんなら、家で飲みゃいいだろうが」

「ウチは酒代は別勘定なんだよ。それに毎日晩飯を家で食うなんて言ってみろ。女房のやつが、面倒臭がるに決まってるし、小遣いのうち月に三万程度は手元に残しておかなきゃなんねえ理由があってな」

「理由って、どんな?」

「ゴルフだよ」

「ゴルフ?」

「そう、接待ゴルフ」

「接待なら交通費もプレイ代も会社の経費で落とせんだろうが」

「馬鹿だなお前。接待ゴルフだって握りのねえゴルフなんてするやついねえだろ」牛島は早くも最初の一杯を飲み干すと続けた。「ウチの商売は土建屋が相手だろ。これがまたヤクザなゴルフをすんだ。お前ゴルフやったっけ?」

ゴルフは私の数少ない趣味の一つだ。

「ああ」

私は即座に答えた。

「ならスキンズマッチは知ってるよな」

もちろんそのルールは知っている。参加者が十八ホールのそれぞれに予《あらかじ》め賭ける金額を決め、そのホールで一番いいスコアを出した人間が総取りしていくのだ。もちろん参加者が多くなれば同じスコアを出す人間がいて当たり前だ。その場合は賭け金は次のホールへと持ち越しとなり、次にベストのスコアを出した人間が持ち越し金を掻《か》っ攫《さら》う。ロトで当たりの人間がいないと賞金が次回に加算されていくのと同じようなものだ。

「お前、ハンデは?」

「六……」

「シングルじゃん。そんなら勝てんだろ」

「あのなあ、お前らがどんなゴルフしてんのかは分かんねえけど、こっちは接待する方、される側じゃねえんだよ。接待する方が客の金をかっぱいでどうする」

「だけど、お前らは施主だろ。客はでき上がった物件を買って貰う一般人。建設会社やその下請けにとっちゃお前が客だろ」

「気持ち良く仕事をしてもらうためだよ」牛島は二杯目のカクテルを作りながら言った。

「四井の社員は世間じゃ大変な高給取りだと思われてんだぜ。ボーナスシーズンになれば、必ず週刊誌が大企業の支給額を報じんだろ。もちろん実態はあんな額にはならねえんだが、そんなこたあ連中の知ったこっちゃない。金に飽かしてゴルフをやってると思われてんだ。その上、賭け金を根こそぎ持って行ってみろ。誰だって面白いわけねえだろ。ましてや連中にしたって、俺たちより遥かに劣る給料の中から賭け金を捻出してるんだ。そんなやつらから金取れるかよ」

なるほど言われてみればその通りかもしれない。

「大変だなあ、お前も……。それで商売の方はどうなんだ」

私は牛島の言葉に納得すると話題を変えた。

「ここに来て、ようやく持ち直してきたってところかな。都心部の大型物件の売れ行きが良くてね。さすがに即日完売というわけにはいかないが、それでも売り残しが出ることは滅多になくなったからな。それに加えて、来年からは新規事業に打って出ることになってさ。事業部の雰囲気は結構盛り上がってるよ」

「何だい、新規事業ってのは」

「老人ホームだよ」

「老人ホーム？」

「うん、もう少しすれば団塊の世代が定年を迎えんだろう。あの世代はいろいろな意味で従来の日本人のライフスタイルを変えてきたんだが、その最たるものは核家族化を日本社会に完全に定着させた最初の集団ってとこなんだな。つまり、生まれ育った故郷を離れ都会に職を求める傾向が顕著になったのもあの世代なら、独立した子供と親が離れて暮らすというライフスタイルが定着したのもあの世代なんだよ。そんな環境で育った連中の子供が、今になって親が老いたからといって同居して面倒を見ると思うか？　そんなこたあねえわな。子供は子供で家を構えちまってる。マンションなら３ＬＤＫがいいところ、一戸建てを買った人間にしたところで、同居させるだけのスペースはない。引退しても自分で動ける間はいいが、人間は必ず老いる。最後は誰かの手を借りなきゃなんねえ。そこに大きなビジネスチャンスが生まれるってわけさ」

「なるほど、素人の俺が聞いても、でかい市場になりそうだな」

「でかいね」牛島は力強く肯いたが、「しかし、俺がこのビジネスに関わるチャンスはないがね。なにしろ、俺には出世の目はねえ。このままで行きゃああと五年で引退だ。むしろ、会社が作った老人ホームで世話になる口さ。こんな時代がもう少し早く来てれば、俺ももう一花咲かせるチャンスがあったかも知んねえけどさ」

一転、苦い顔をしてグラスを傾け口を噤《つぐ》んだ。

牛島が言いたいことは分かっていた。

長いサラリーマン生活の中には、ピークもあればどん底の時代もある。実際、彼がいる都市開発事業部にしたところで、配属された当初は不動産ブームが日本を席巻し始める黎《れい》明《めい》期に当たり、業績は右肩上がり、まさに会社の稼ぎ頭の筆頭格だった。そしてそこに巻き起こったのが、空前の不動産ブーム、後にバブルと言われた時代である。いち早く課長に昇進した彼が任されたのは、リゾート開発。国内はもちろん、海外の目ぼしい土地を買い漁《あさ》り、次々に大型プロジェクトを立ち上げ、豪華な施設を建設したところで突然バブルが弾けた。都市開発事業部は、会社にとって莫大な負の遺産を抱えるお荷物となり、その中核にいた牛島は出世の道を閉ざされたのだった。

人の人生にも、ビジネスの世界にも、『もし』という言葉は存在しないが、もし、あのままバブルが続いていたら、こんな時間からおでん屋で奇妙なカクテルを飲む姿を見ることはなかったろう。おそらく、同期のトップを切って、早々に役員の椅子を手にしていたにちがいない。

「ところで、山崎。お前の方はどうなんだ。相変わらず業績好調か？」

自分の話を終えた牛島が訊ねてくる。

「まあ、可もなく不可もなくといったところかな」

私は曖昧《あいまい》な言葉を返す。

「人間万事塞翁《さいおう》が馬。可もなく不可もないってのは何よりだ」

「それがなあ――」

牛島に自分の身に降りかかった問題を話して聞かせる気になったのは、早くにしてサラリーマンとしての挫折を味わった彼ならば、目前に突き付けられた問題の答えに繋がるヒントくらいは与えてくれると思ったからかも知れない。

私は牛島に、すべてを話した。八代の逆鱗に触れ、子会社への出向を内示されたこと。故郷の町長になって欲しいと打診されていること――。

「なるほどねえ、そんなことになっていたのか」

話を聞き終えた牛島は、グラスを見詰めながら静かに言った。

「どっちの道を選ぶにしても、俺にとっちゃ茨《いばら》の道だ。まさに絶体絶命ってやつだよ」

「そうかなあ」

「そうかなって、そうに決まってんじゃんよ。それとも何か。お前なら迷わずこっちにするって決断できんのかよ」

「俺なら町長を選ぶね」

牛島はいとも簡単に断言した。

「何で?」

「簡単な話だよ。どっちが失うものが大きいかってことさ。考えてもみろよ。子会社の社長なんてのはさ、はっきり言って親会社の平社員以下だぜ。なにしろご本社様の下部組織だ。今まで部下として指図していた人間にも気を遣わなきゃなんねえ。しかも、解任するもしないも八代さんの腹一つ。お前は五年経って放り出されちまえば次はないって言うけど、話からすると八代さんは五年もお前をそのままにはしておかねえと思うよ。たぶん一期二年でお役御免にされちまうんじゃねえのかな。そん時ゃお前は五十七、八歳。それから次の職場を探すのはまず無理だわな。まあ、四井本社の現役部長ってならともかく、子会社の社長ってんじゃなあ。つまり、その時点でお前の現役生活は終わりってわけだ。だけど、町長は違うぜ。聞けば対立候補はいないっていうし、町議も皆、お前に全面協力するってんだろ。少なくとも、立候補さえしちまえば、当選は確実ってわけだ。町長の任期は一期四年。だけど、実績を残せば再選されることは間違いないだろうし、残せなくとも破綻寸前の財政を前にして火中の栗を拾おうなんて物好きな対立候補が出てくることはない。つまりどっちに転んでも町長の座はお前のもの、長期安定政権が約束されているわけだ。こんな美味《おい》しい話はないぜ」

「そんなにいい話かね。町長になれば町の財政を建て直す義務を負う。これだけ莫大な負債を抱えているのに、目ぼしい財政基盤は何もない。そんな町で何ができるってんだ。それに四井を追われても、年収と会社の知名度が落ちることを我慢すりゃ、再就職の口がないわけじゃないだろう。まったく未知の業界で一から出直すってんならともかく、勝手知ったる業界で、細々と小銭を稼ぐ方がまだ気が楽ってもんだ」

「難しく考えんなよ。お前、さっきから政《まつりごと》には素人だって言うけどさ。会社の経営に比べりゃ、んなもん、遥かに易《やさ》しいに決まってんじゃん。だってそうだろ。確かに建て直しができなかったら、財政再建団体に転落するかも知んねえけどさ、そん時ゃそん時で国が尻を拭ってくれるじゃねえか。もちろんそんなことになれば、町民は苦行を強いられることにはなるだろうが、何も全収入を町再建のために供出しろってことになるわけじゃない。その点会社は違うぜ。潰れちまえば翌日からは収入はゼロ。文字通りすっ裸になって社会に放り出されちまうんだ。同じ駄目元なら、自分の考え一つで絵を描ける町長の方がよっぽど夢があんのと違うかな」

「それがゼロからのスタートってんならお前の言う通りだろうけど、マイナスからのスタートじゃ事情が違うよ」

「へえ、そうかな。ゼロからのスタートなんてもんは企業にだってありゃしねえぜ」

「どういう意味だ」

私は牛島が何を言わんとしているのか理由が分からず問い返した。

「入社して給料貰い始めた時点から、俺たちゃ皆会社に借金抱えてんだよ。その金利は決して安くはない。その借金と金利を支払って余りある稼ぎを生み出したやつが上への階段を昇れる。それがサラリーマンってもんだろ」

牛島は、そこで私をじろりと見ると、

「山崎、受けろよその話。俺たちゃ世界を相手に切った張ったの商売をしてきたんだ。そこで培《つちか》ったノウハウを生かせば、赤字に転じた地方の町の財政を建て直すくらいのプランは必ず思いつく。地べたを這《は》いつくばって商売を拾ってくんのが商社マンだろ。儲《もう》けを産み出すのが俺たちの仕事だろ。赤字でどうしようもない会社を再生させた例なんて、なんぼでもあるじゃねえか。田舎に籠って小さな町しか見てねえやつには、到底思いつかねえネタがきっとあるはずだ。そう、これは商売なんだ。借金を返せるだけの商売をお前が生み出しゃいいんだよ」

力強く断言すると、私の肩をどんと叩いた。

＊

家に帰った時には午後十時を五分ほど回ったところだった。

帰りの電車の中でも、牛島の言葉が脳裏にこびりついて離れなかった。

なるほど言われてみれば彼の言うことにも一理ある。要はどちらの道に自分の可能性、生き甲斐《がい》を見出せるかという問題なのだ。それを考えればおのずと答えは決まってくる。もちろん町の財政を建て直すのは困難極まりないだろう。しかし、子会社に転じ、社長の椅子に座ったとしても、人造肉を売り、細々と商売を続けるだけだ。可もなく不可もない毎日。それはそれで意味があることには違いないが、町長の仕事は、駄目で元々、少しでもプラスに転じれば町の再生のきっかけとなり、ひいては住民の生活の安定に繋がる。考えてみれば、そちらの方がよほど夢があり、少しは人の役に立てる人生を過ごせるような気がするし、それが貧乏くじを引いたことになるのかどうかは、自分の能力次第というものだ。

八代に生殺与奪《せいさつよだつ》の権を握られ、いつ解任されるとも知れない子会社の社長の座に就くより、いっそ町長になった方がマシというものかも知れない。

そんなふうに考えるようになっていた。

玄関のドアを開けた。リビングに入ると、まだ早い時間とあって妻は居間でパジャマの上にガウンを羽織った姿でテレビを見ていた。

「あら、今日は随分早いのね」

ちらりとこちらを見ただけで、彼女の目は再びテレビ画面に向く。

「たまにはこんな日もあるさ」

「お食事は外で済まして来たんでしょ」

こんな時間に、飯の支度をしろと言われるのは迷惑千万という棘《とげ》が言葉の片隅に潜んでいる。

「ああ、済ましてきたよ」

「そう、なら良かった。お風呂は入れてありますからね。すぐに入ればちょうどいい湯加減だと思うわ」

「佳世子《かよこ》……」

妻の名を改まって呼ぶのはいつ以来のことだろう。私は決心しつつある町長就任の件を切り出そうとしたが、

「あっ、そう言えば、さっきお義父《とう》様から電話があったわよ。話があるから折り返し電話をくれって」

相変わらず、テレビを見たまま妻は言う。

「そうか……」

出鼻をくじかれた形になった私は上着を脱ぎ、ネクタイを外すと電話の子機を取った。

「今ドラマがいいところなの。話はあなたの部屋でしてね」

追い討ちをかけるような妻の声を聞きながら寝室に入り、ベッドの上に腰を下ろしながら番号を押した。

「山崎です」

今年七十七歳になる母の声が聞こえてくる。

「ああ、母さん、鉄郎だけど……」

「あんだ、今度の町長選挙さ立づっつのは本当の話が！」

いきなり母は激しい声で問うてきた。

「いや、まだ決めたわけじゃないけど……」

「こっちではその話で持ち切りだ。何でも役場のクマケンが、そっちさ行ってあんだを説得すて、町長さなってもらうことを受けでもらったって、朝がら町長は来るわ、町議は来るわ、こっちは何も聞かされてねえがらびっくりしちまってさ。何がの間違いだべ。あんだ町長さなるごとを引き受けたりしてねえべな」

「母さん、これにはいろいろと理由があってね……」

突然受話器の向こうから「かせ」という野太い声が聞こえたかと思うと、

「鉄郎、俺だ」

父の声が聞こえてきた。女よりも男の方が、こうした話題は冷静に話し合えると思いきや、

「おめえ、馬鹿なことをするもんでねえ。何を考えてこんな赤字でにっちもさっちも行かなくなった町の町長を引き受けねばなんねえのや」

早くも町長就任が既定の路線であるかのように問い詰める。

「確かにそういう話をクマケンから持ちかけられたことは事実だけど、俺は何もはっきりと引き受けたわけじゃなくて……」

「すかす、こっちではお前が就任を快諾したっつ話になってっつお」

「それは、昨夜俺がしこたま酔っぱらっているところに、クマケンが電話入れてきたらしくて、どうもその時に俺がやると言ったと……」

「そんならやっぱ、おめえ受けたんでねえか」

「受けたと言っても、酔っぱらってる時の話ですからねえ」

「おめえはそう言うげんとも、こっちでは、次の町長が決まったって大騒ぎだぞ。普通の町ならいざ知らず、今この町がどんな状況にあっかは知ってっぺ。町の人口は減る一方。税収が増加する目処はまったくねえ。しかも借金は百五十億もある。普通の家庭でも、年収三百万の人間が、八千万からの借金を抱えていたらどんなことになるか分がっぺさ。自

己破産するしか手はあんめえ。緑原は数年のうちには、間違いなく財政再建団体に陥る。そうなりゃ、仮におめえが町長に就任してもやる仕事は一つしかねえ。役場の職員の数を減らし、給与を下げ、これまで町が負担してきたサービスをことごとく廃止する。それが町を建て直す唯一の手だとすても、人はそうは取んねえぞ。能無しの烙印《らくいん》を押されて、恨みを買うだけだ」

「分かってますよ」

「分がってんだったら、なしてこんな話を受けだ」

「だからそれは酔っぱらって……」

「そすたなことは理由になんねえぞ。こっちでは誰一人として酔っ払いの戯言《ざれごと》だなんて思ってねえがらな。第一、会社はどうする。おめえは仮にも四井商事の部長だべ。歳がら言っても、上を狙える地位さいるんだべ。それを捨てて町長なんかさなって何の得がある」

思わず溜息が漏れた。こうなれば自分が置かれた立場を話して聞かせるしかない。

「実はね父さん、その部長のポストから、外されることになったんだよ」

「なすてそすたなごとになった」

私は、事の経緯を手短に話し、

「だからもう四井にいても、俺の将来はないんだ。子会社に天下っても、生かすも殺すも本社の意向次第。いつまで社長をやっていられるかは分からない。それなら、駄目元で緑原再生のために、今まで四井で培ったノウハウを生かして、町長をやるのも悪くはないかと思うんだ」

と結んだ。

「おめえ、やけくそになってんでねえのか」

「やけくそって言われりゃその通りだ。どっちに転んでも、ろくな目に遭わないことは分かってんだから」

「すかすな、おめえは四井で培ったノウハウど語っげんともさ、企業が新規のビジネスを立ち上げる時には、それ相応の資本は会社が出すてくれるもんだべ。今の緑原にはそんなものねえぞ。どこをどう突《つっ》いても、何が始める金なんかびた一文、出てきやしねえんだから。おめえ実質公債費比率っつのを知ってっか?」

「何ですそれ」

「知《せ》ねえべ。実質公債費比率っつのはな、地方自治体の財政状態を示す指標のことだ。年度ごとの町の収入に対する借金返済額がどんだけの割合になっかつうごどが、数字になって表れんのさ。それによっと緑原の実質公債費比率は二七・六%。一八%を超えっと、市町村の起債は都道府県の許可が必要になるす、二五%を超えっと町単独の事業の起債は制限されんだぞ。要するにだ、おめえが何が起死回生の一発を繰り出そうにも、肝心の元手はどこにもねえっつごった」

そんなことはクマケンは一言も言わなかった。

思わず押し黙った私に、父が追い討ちをかけるように言う。

「すかもだな、この実質公債費比率っつのはあくまでも表向きの数字でな、借金はその他になんぼあんのか、実のところ知っているのは町の限られた人間で、はっきりしたどこは分がってねえんだ」

「どういうこと?」

「ヤミ起債があんだよ。町の独断で金融機関から借りだ長期借入金がな。それに年度内に返す約束で借りだ一時借入金もあるべ。それを入れたら、二七・六%どころか、とんでもねえ数字になっぺさ。もし、それが三五%を超していれば、国の補助事業も制限されてすまうぞ」

資本のいらない事業などこの世にあり得ない。頭一つ、あるいは体一つでできると思われている商売、たとえば小説家とか俳優とかいう商売にしたって、寝ていて作品が仕上がるわけじゃない。拘束される時間そのものがコストであり、それに見合う収入がなければ赤字ということになる。ましてや表向きだけでも百五十億もの借金を返済するとなれば、資本なくしてそれだけの収益を上げることはできるはずがない。

私は受話器を耳に押し当てたまま唸《うな》った。

先ほどまで決意しつつあった町長就任など、どこかに消し飛んでいた。

「とにかく、こっちはおめえが町長になるってんで大騒ぎだ。こうなった以上、ほっ被りもできめえ。本人の口から、やっぱ町長就任の件は断ると言わねえことには収まるもんも収まんねえべ」

父の言うことはもっともだった。

「分かった。それじゃ、とにかくこの週末にでもそちらに一度帰って、みなさんに断りを入れることにします」

町長への就任、子会社への出向。どちらの道を選んでも地獄が待っていることに変わりはないが、町の惨状を聞くにつけ、やはり町長になる方が損である。

私は子会社への出向を決断して、電話を切った。

＊

再び八代から呼び出しを食らったのは、その翌々日の金曜日のことだった。

役員室に入った私を一目見るなり、彼は満面の笑みを浮かべた。

「山崎君、おめでとう！」

彼は椅子から立ち上がるなり、手を差し伸べてくる。

「はあ、何でしょう」

真っ先に脳裏に浮かんだのは、子会社への出向が確定し、小さいながらも一国一城の主になったことへの祝いの言葉に違いないということだった。間の抜けた返事を返しながらも、私はその手を力を込めることなく反射的に握り返した。

「水臭いねえ、君も。こんな道に進むなら、もっと早くに言ってくれればよかったのに」

八代はわけの分からないことを言う。

「いったい何のことですか」

「これだよこれ」八代は机の上に置いた一枚の紙を指先でこづく。「さっき仙台支店からファックスが入ってね」

それを見た瞬間、私は凍りついた。

『緑原町長選に現役四井商事部長山崎氏立候補へ』

何だこりゃぁぁぁぁ！

引っ摑むようにしてそのファックスを手に取り、目を走らせた。

見出しの上には『北部宮城日日』という文字がプリントされている。確かこの新聞は、地方紙中の地方紙で、地元のささいな事件、噂話でも記事にしてしまうミニコミ紙に毛が生えたような代物だ。それこそ、どこぞの町の農協組合長が死んだとなれば、一面トップ。紙面の半分以上を遺影が飾り、追悼記事で埋め尽くされてしまう。

そんな新聞ゆえに、国際情勢はおろか、日本国内の情報ですらさほど興味を覚えない地域住民には身近な情報が得られるとあって、それなりに購読者を獲得していることは知ってはいたが、当の本人に何の断りも入れることなくこんな記事を載せるのは乱暴に過ぎる。

私は怒りに駆られながら記事に目を走らせた。

今年六月に行われる緑原町町長選に、同町出身で四井商事食料事業本部穀物取引部部長、山崎鉄郎氏の出馬が確定的となった。同氏は盛岡一高から慶大経済学部に進んだ。四井商事に入社してからは一貫して食料事業畑を歩み、シカゴ、ロンドンへ駐在経験を持つ国際派。財政破綻の窮地に立たされている緑原町では、現職の只野氏が高齢になり現職を続けることが困難なことから後継者を探していたが、山崎氏が立候補の意向を固めたことで、後継者の問題はひとまず終止符を打つことになる。山崎氏は、県会議員を四期務めた山崎幸三郎氏の長男で——。

「いやあ、君も思い切った決断をしたもんだねえ。これまでにも、わが社から国政に打って出た二世、三世議員はいたが、赤字財政、しかも破綻寸前の故郷を救うために尽力するなんて、誰もができるものじゃないよ。実に立派なことだ」

敢《あ》えて国政に打って出た社員を引き合いに出すところからして嫌みである。左遷を言い渡された部下が苦し紛れに、なり手のいない町長選に出馬するとでも思っているのだろう。八代は愉快でならないといった口調で言った。

「本部長、これは間違いです。私は――」

「いいんだよ。何も会社に気を遣うことはない。まあ、君に会社を去られるのは、痛手には違いないが、同業他社に転ずるというならともかく、地方行政の首長として転ずるとなれば祝福してやらねばなるまい。我々の商売も地域の発展があってこそだ。民力が落ちることは企業の存続を危うくすることと同じだからね」

「だから違うんですよ！」

私は声を荒らげた。

「違うって何が？」

「私は町長選に出馬するつもりはありませんよ」

「だけど、こうして新聞が報じているじゃないか。何の根拠もなくして仮にも公器である新聞がだね、こんな記事を書くわけがないだろう」

「打診があったことは事実です。しかし私は――」

「断ったの？」

瞬間、泥酔していたとはいえクマケンに承諾の言葉を漏らしてしまったことが脳裏をかすめ、私は一瞬口ごもった。

「受けたの？　受けたんでしょ？」

八代は意地悪く迫る。

「これにはいろいろと誤解がありまして、事情を話していると込み入った話になってしまいますから、詳しくは言いませんが、明日田舎に帰って私の意思を改めて明らかにすることになっていたんです。第一ですね、この新聞は地方紙といっても、地域限定の、しかもたわいのない噂話だって記事にしてしまうような代物で、飛ばし記事だって当たり前に書いちまうものなんですよ。いちいちこんな記事を信用してたんじゃ、切りがありませんよ」

「だけど、記事にはこう書いてあるよ。緑原町は百五十億円の負債を抱えて苦しんでいる。町の財政を建て直すためには、厳しい競争を強いられる民間企業で培われたノウハウを取り入れた大胆な改革が必要不可欠である。その点、山崎氏の経歴は申し分なく、町民の寄せる期待も大きい。ここまで書かれて、私はやりませんなんて言えるの？」

「やるかやらないかは私が決めることでしょう」

「君はそう言うがね、仮にも四井の名前がこうして出てしまってるんだ。ここで、君が降りたらウチが引き止めたように思われるじゃないか。まるで、財政危機にある地方の町を四井が見捨てたように思う人だって出てくると思うよ。つまり、ここまでくるとだね、もはや君個人の問題とは言えんのだよ。事実、ここにはこうも書いてあるじゃないか。町議会も氏が町長に就任した暁《あかつき》には、全面的協力を惜しまないと、もろ手を挙げて歓迎している――」

「あのですね。本部長は田舎のことを知らないからそんなことが言えるんです。実際、伝言ゲームじゃないですけど、田舎では誰かが一つ何か情報を発すると、人の口を経る毎《ごと》に話に尾鰭《おひれ》がついていくもんなんですよ。実際私の父親なんか、何回死んだか分かんないんです。病院で人間ドックを受けるために一日入院したら、それが癌だってことになり、その日のうちに死んだってことになって、喪服を着て香典持ってくることだって何度もあったんですから。ガセ摑まされることには慣れてるんですよ。だから私が断ったところで、どうってことにはなりませんよ。そんな四井の問題だなんて大げさもいいとこです」

「その君のお父さんが死んだことにされたってのはいつの話？」

「私が中学の頃です」

「だろう。今と当時じゃ情報の伝達速度も違えば、精度も雲泥の差があるからね。今じゃそんなことは起こりえないんじゃないの？　それに最近じゃネットってもんがあるからね。どこの誰が君が断ったことを面白可笑《おか》しく書かないとも限らんだろう」

「そんなことまで考えていたら切りがありませんよ」

八代が、私を何が何でも町長に仕立て上げたいのは明白だった。だが、町の実情の一端を父から知らされてしまった今となっては、待っているのは地獄以外の何物でもない。たとえ、片道切符の出向であろうとも、ここは何としても会社にしがみつくことだ。

　私は荒らげた声を静めるべく、一つ息をすると、

「第一、私は日東フーズへの出向の内示を受けたばかりじゃありませんか。それを今になって、私が覆すわけがないでしょう。会社の人事というのはそれなりのビジョンがあってなされるものだと私は信じております。せっかく新たな職場で貴重な経験を積まさせていただこうと思っていたのに、町長になれとはあまりなお言葉ではありませんか」

　元より八代の情に縋《すが》っても無駄なことは知っていたが、懇願するような口調で言った。

「こりゃまた随分殊勝な言葉を吐くじゃないか。じゃあ何で、出向の内示を告げた時、すぐに受けなかったの？　何で時間をくれなんて言ったの？」

「それは……」

　痛いところを突かれて私は言葉を探しあぐねた。

「もしかして君、日東フーズの社長の椅子と、町長の椅子を天秤《てんびん》にかけたんじゃないの？　どっちが得か、情報集めてよーく考えちゃったんじゃないの？」

「そりゃあ、天秤にかけなかったと言えば嘘になりますよ。だってそうでしょう。私の歳で本社の部長にある者が、今の時期にたとえ子会社の社長とはいえ、出向を命ぜられるのはそこで骨を埋めろと言われたも同然じゃないですか。宮仕えのサラリーマンとはいえ、誰にだって出世の欲はあります。課長は次長に、次長は部長に、そして部長は取締役の座

に就くことを夢見て、骨身を削って厳しい仕事に堪《た》えているんです。その志半ばにして夢が潰える。これはサラリーマンにとって大問題以外の何物でもありません。気持ちを切り替え、自らを納得させるためにも、それなりの時間というものが必要なのは当然というものではありませんか」

「誰が君に日東フーズに骨を埋めろと言ったの？」八代は底意地の悪い目を向ける。「僕は相場商品以外の仕事を知らない君を副本部長には推挙できない。だから、一気に複数の職務を経験できるポジションを経験して欲しいといったはずだよ。それは覚えているよね」

「はい……」

「ということは何かい、君は私の言ったことを嘘だと取ったのかね？　片道切符で君を子会社に追い出し、そこで塩漬けにするとでも思っちゃったの？」

この狸《たぬき》ジジイ！

私は胸中で罵《ののし》りの声を上げる。

事業部の絶対的人事権を握るのは、誰でもない事業本部長である八代だ。彼の立場をもってすれば、部下の人事の理由など、何とでも言い繕《つくろ》うことができる。出向だってそうならば、本社に呼び戻せなくなった時だって、状況が変わったの一言で片が付いてしまう。会社の人事なんてものは、所詮そんなものだ。証文一つ出すわけじゃなし、しかも身内の縁故採用をぶっ潰した直後の内示を誰が信じられるもんか。

私は口から出かかった言葉を既《すんで》のところで飲み込み、歯噛みをしながら八代の顔を睨みつけた。

「やっぱりそうなんだね」八代は大げさに溜息をついて見せると、「私と君との関係もこれで終わりだね。せっかくもう一段上に昇るチャンスをやろうという親心を疑われたんでは、私の立つ瀬がない。そんなに厭《いや》なら日東フーズには行かなくてもいい。ただし、そうなると今のポジションにいつまでいられるかは分からないよ。出向を御破算にするということは、事実上部長止まりが確定したことと同じだからね。それなら将来ある人間に取って代わらせ経験を積ませるのが会社のためだ。まあ、実績のある君のことだ、そんなことになっても、本社の中でも引き受ける部署がないわけじゃないだろう。定年までそこで過ごすんだな」

事実上、事業部が違えば会社が違うのと同じなのが総合商社というところだ。入社以来所属してきた事業部を追い出された人間を引き受ける、いやこの場合押し付けられるといった方が当たっているが、そんな部署は数える程しかない。資料室、社史編纂《へんさん》室、総務部郵便課……。

刹那《せつな》、私の脳裏に滅多に電話の鳴ることのない、弛緩《しかん》した空気に包まれたそれらの部屋の様子が浮かんだ。いずれの部署も、仕事で大きなへまをしでかしたか、上司と対立して事業部を追い出された敗残者の吹き溜まりだ。金を稼いでこない人間、金を稼ぐための後方支援をしない人間に用はない。そして、そうした部署に回された人間には早期退職制度の恩恵に与《あず》かる権利さえもない。役立たずの烙印を押された人間に割り増し退職金を出してやるのは、会社にとって泥棒に追い銭のようなものだからだ。

肩書きこそそれなりの役職が与えられるが、その下には必ず『待遇』の文字が付き、名刺さえ与えられない。当然給料は激減し、ボーナスも平社員の、それも入社間も無い新人とさほど変わらなくなる。退職金は、会社を辞める時の基本給がベースとなるから、当然極めて低いものとなる。

そんなところに身を置くなど、考えられないことだった。

もともと八代は、私を体よく本社から子会社に追いやった上で、放逐するつもりだったのだ。その時が数年早くきただけの話だ。

私は腹を括《くく》った。

「そこまでおっしゃるのなら、いいでしょう、私、会社を辞めます」

八代は驚くふうでもなく、静かに肯《うなず》く。

「これから席に戻り、辞表を書きます。ただし、辞表は社内便で送らせていただきますが、よろしいですね」

「君、辞表をしたためるなんていうのはドラマの中の話だよ。人事部に所定の紙があってね、それに必要事項を記入すれば終わっちゃうから」

「それは何ともご丁寧なアドバイス、恐れ入ります」

私は精いっぱいの皮肉を込めて言ったが、八代は意に介する様子もなく、

「退職の時期は一月後ということにしてくれんかね。こちらも君が辞めるとなると、後任を決めなければならんし、引き継ぎや取引先への挨拶もしてもらわんとならんからね。立つ鳥跡を濁さずというじゃないか。それに、会社を辞めるとなれば、やはり町長選に打って出るんだろう？　だったら君はこれから公人となるわけだし、その辺はきちんとしておいた方がいいだろうしね」

飄々《ひょうひょう》とした口調で言う。

「町長になるかどうかは、私が決めることです。あんたにとやかく言われる筋合いはない」

語調の激しさに、さすがの八代も一瞬驚いた様子だったが、私は踵《きびす》を返すと部屋を出た。

こうなった以上、私に選択肢は残されていなかった。

収入基盤が乏しい上に、高齢化が進む一方の町を建て直すことは困難を極めるだろうが、こんな形で私を四井から追いやった八代に一矢報いる手だては一つしかない。

そう、町長になって緑原の町を再建するのだ。

会社というところは面白いもので、辞めて行った人間が新たな道で目覚ましい働きをすると、必ず何であんな有能な人間を手放した、という声が上がる。財政再建団体送り寸前の、町を再生したとなれば必ず大きなニュースになるはずだ。それは当然、四井社内でも話題になり、やがては八代への非難と繋がるだろう。彼は取締役本部長とはいってもまだ平取。口にこそ出さないが、常務、専務、そして副社長の椅子を狙っていることは知っている。その野心をぶっ潰してやるためにも、何が何でも町長に就任し、あの町を再建してみせる。

私は、役員室が並ぶ廊下を胸を張って前を見据えながら歩き始めた。

第二章

六月半ば――。私は町長になった。

街宣車もポスターもない。政策を争うわけでもない。立候補さえすれば、誰でも町長になれるというのに、クマケンの言った通り対立候補はついに現れなかった。それでも立候補したからには、選挙事務所だけは設けなければならないらしく、実家の家業の名残である酒蔵にテーブルと椅子を持ち込み、体裁《ていさい》を整えたのが唯一の準備だった。

大変だったのは家族である。立候補の意向を告げるや、町の惨状を熟知している両親は、「何でお前がわざわざ火中の栗を拾うんだ！」と激怒するわ、妻の佳世子は「そんな破産寸前の町の町長なんて、みっともない」と頭を抱え、暫《しばら》く床につき口を利かなくなってしまったほどだ。両親の反応は予想の範疇《はんちゅう》のことだったが、佳世子がかように過剰ともいえる反応を示したのにはわけがあるようだった。

彼女はどうやら密かに私が取締役の椅子を射止めるものと信じて疑っていなかったらしい。四井の役員ともなれば、平取でも大変な社会的ステータスである。地位にはそれに見合う責任が伴うものだが、そんなことは端《はな》から彼女の知ったことではない。役員夫人になる夢が潰《つい》えてしまった。そのショックに加えて、私が町長に就任すれば、当然妻も緑原に移り住まなければならない。それは佳世子の今のライフスタイルを根底から変えてしまうだけでなく、舅《しゅうと》姑《しゅうとめ》との同居を意味する。

父は七十九、母は七十七だ。私には妹が一人いたが、他家に嫁いでしまっているから両親の面倒を見るのは私の務めである。そろそろ老後の算段をしなければならないとは考えていたし、彼女にもそれなりの覚悟があるはずだと思っていたのだが、私の考えが甘かったらしい。役員になって定年が延びれば、たとえその間に両親に何かあっても、東京を離れずに済む。つまり義父母の面倒を見る役割から逃れることができるかも知れないと、密かに期待していたらしいのだ。

会社を退職したのが三月十五日。緑原に引っ越したのはその直後のことである。辞めた時期が中途半端だったのは、町長選挙に出馬するには選挙日から三カ月前には住民票を移しておかなければならなかったからだ。

佳世子の同意を取り付ける時間などありはしなかった。彼女がどうしても東京を離れないと言うのなら、単身赴任も覚悟して手続きを行ったのだったが、かえってそれが私の意志の固さと、町長になる以外の道が残されていないことを知らしめることになったのだろう。最終的にしぶしぶながらも佳世子は、緑原への移住を承知したのだった。

就任初日。私は予《あらかじ》め決められていた、関係各所への挨拶を終わらせると、午後からクマケンの案内で町の視察に出た。百五十億円もの負債を解消するのは並大抵のことではない。金を産まず、垂れ流すだけの施設なら即座に閉鎖しなければならないし、逆に金を産む可能性があるなら、有効活用すべく知恵を絞らなければならない。町にどんな不良資産があり、可能性を秘めた資産があるのかその見極めを真っ先にやらなければならない。

緑原町は広い。役場はちょうど町の中心に位置し、東西南北、それぞれ二十キロほどの距離がある。私が町を出て以来、農道整備の名目で道路を造り続けたせいで、対向二車線の立派な舗装道路が町中を網の目のように走っている。

「鉄ちゃん、どこさ行ぎゃあす?」

作業着の上着を着たクマケンが、運転席に座るなり訊《たず》ねてきた。

「そうだな。まず南から見るか」

私は町内に点在する施設の位置が記された地図を見ながら言う。そこには観光誘致施設の名目で建設された植物園がある。朧《おぼろ》げな記憶ながら、かつては緑原にあって、秘境中の秘境と呼ばれた場所である。つまり田舎の人間でも滅多に近づくところではなかったのだ。そんなところに観光誘致施設を造ったところで、集客効果は見込めないことは素人でもすぐに察しがつくが、実際に見てみないことには話にならない。

「分がりゃんした」

クマケンはエンジンをかけると、アクセルを踏む。白いライトバンは緑に覆われた山間《やまあい》の道を走り始める。擦れ違う車は全くないから渋滞の懸念はない。信号すらもない。ドライブならば快適そのもの、長く東京で過ごした身には夢のような話だが、これだけ人気《ひとけ》がないとなれば植物園の営業成績など詳細を聞かずとも察しがつこうというものだ。

およそ十キロを十五分ほどのドライブ。かつては舗装もされていない曲がりくねった急峻な山道を登らなければならなかったというのに、いつの間にか立派なトンネルができている。オレンジ色の明りが灯るトンネルを抜けると、途端に視界が開けた。初夏の日差しが目を射る。遥か先には奥羽《おうう》盆地が見え、なだらかな稜線《りようせん》に沿って両側にリンゴ園が、そして閉ざされて久しいと思われる人気のない蕎麦《そば》屋がポツンと路肩に建っている。

「クマケン、あれは?」

「あの蕎麦屋すか。東京で腕を磨いた町出身の職人が戻って来てあの店を開いたんだけんどもね。植物園ができた時には、結構流行《はや》ったのっす。蕎麦の実も地元で採れたものだったす、粉にすっ時も石臼《いしうす》で碾《ひ》いて本格的なものを出してだんだけんどもね。何しろ値段が高い上に、量が少ねえから腹の足しになんねえって語って、地元の人はあんまり行がねえようになったのす。それに、町の真ん中ならともかく、こごさ来んには車がなくてゃわがんねえすぺ。となっと、酒っこは飲めねえがら昼だけの営業。とても採算さ合わねえって一年くりゃあで閉店したのっす」

「高いって幾らしたんだよ」

「ざる蕎麦一つが五百円だったがな」

「五百円って……十割蕎麦だろ」

「んだ」

「石臼で碾いたんだろ」

「うん」

「それで五百円は安いだろう」

「鉄ちゃん。蕎麦一枚食って腹いっぱいにはなんねえよ。二枚三枚と食わねえごどには、ご飯になんねえんだもの」

「二枚三枚で腹がいっぱいになるってことはさ、標準程度の量じゃん。東京で同じ物を食ったら、最低でもその倍、いや下手したら三倍はすんぞ」

「東京と一緒にしたらだめでがすよ。『なかよし食堂』でラーメン取れば、大盛りで四百円だよ。やきとり一本四十円だよ。都会の感覚で商売やってもうまくいくわげねえべ」

　クマケンはしたり顔で言う。

　私は思わず溜息を漏らした。

『なかよし食堂』とは、実家のすぐ裏に古くからある食堂で、ラーメンやチャーハンといった日本式中華料理や、やきとりを出す小さな店である。いくら食べてもすぐ腹が減る育ち盛りの頃、特に中学の間は学校のクラブ活動が終わると夕食前によく駆け込んだものだったが、ある日を境《さかい》にぴたりと止めた。煮干し出汁《だし》の生温いスープは空腹を前にすれば我慢ができた。チャーシューの代わりに魚肉ソーセージが乗っているのも値段からするとそんなもんだろうと思った。何度堅めにと言っても、いつもぶよぶよの茹《ゆ》で過ぎの麵《めん》もさほど苦にはならなかったが、風邪を引いて鼻水を垂らしたオヤジが丼のスープの中に親指を入れてラーメンを差し出したのを見て、嫌気がさしたのだ。

「ここじゃ質よりも量ってわけか」

「んだ」クマケンは肯《うなず》くと続けた。「鉄ちゃん、『柔《やわら》寿司』って知ってっぺ」

「知ってるよ。寿司屋なんて、町に一軒しかないもん」

「あそこの大将も東京で修業して帰って来た人なんだけんどもね、店を開いた時はびっくりしたらすいよ」

「何で?」

「開店当初は評判が散々でっさあ。つうのも、大将、握りを東京の感覚で握ってたもんだから、ここの人には寿司をなんぼ食っても腹が膨れにゃあ、あれじゃ腹いっぱいなるまで食ったらなんぼになるか分がったもんでやねえって。んで、今じゃ握りの飯は開店当初の倍。そすたらば、店さ客が寄りつくようになったつんだが、握りってちっちゃくすんのは簡単だげんとも、おっきくすんのは難すいんだっつな。苦労したらすいよ」

「シャリの量を倍にしたんじゃ、握りじゃなくて、お握りだろ」

「んだがら、一時が万事ここでや東京の感覚で商売すては、うまぐ行かにゃあのっす」

クマケンの言うことはもっともだったが、じゃあ、緑原がこんな状態になったのはなぜなんだ。その田舎の感覚で数多《あまた》の公共事業や本来ビジネスベースで民がやるべき事業に手を出した結果じゃないのかと、私は言いたくなった。

しかし、そんな過去をほじくり返しても、いまさらどうすることもできない。私は既《すんで》のところで言葉を飲み込み前を見据えた。やがてフロントガラスの向こうに新たな丘の頂上が見え始め、ログハウス風の巨大な施設が姿を現す。

「あれが植物園か」

「んだ」

クマケンは車を砂利が敷かれた駐車場に乗り入れる。百台は入ろうかという広大な駐車場には、さほど車は止まってはいない。平日の昼とあって、来訪者が少ないのだろうと思ってナンバーを見るといずれも同じ地元ナンバーで、どうやら従業員のものであるらしい。

「降りて見るすか」

細部を見ずとも惨状は察しがつくが、経営実態を実際にこの目で確かめなければ話にならない。気が進まなかったが、私は肯き車を降りた。

オゾンをたっぷりと含んだ涼風が頰《ほお》を撫《な》でていく。たまの気晴らしにはもってこいの場所だが、それは都会からやってきた人間だからこそ。それに第一、この辺りは町の真ん中だって空気は奇麗なもんだ。

「クマケン。ここにはどんな人が来るんだ。東北ツアーの中に組み込まれていたりすんのか」

「う〜ん。そごが難がすいどこなんだな。他の観光地からは離れてるす、宿泊施設も、ほれあぞごさあんだけんども、定員が四十名つうどごだがらなあ。来んのは帰省者が、近隣の町の人がほとんどなのっしゃ。特に農閑期に入っと、温泉さ入る人が結構来んだよね」

「温泉？　温泉があんのか」

目の前が少し開けたような気がして、俄《にわか》にテンションが上がる。しかし、それは私の早合点だった。

「温泉ど語っても天然温泉でないよ。沸かし風呂さ入浴剤を入れたもんでね。宿泊者はもちろん無料。お湯さ入るだけなら五百円で済む。休息室もあっから、弁当背負って一日過ごす人も結構いんだよね」

クマケンはとぼけた口調で言う。

「そんなら、銭湯に毛が生《は》えたようなもんじゃん」

たちまち上がりかけたテンションが萎《な》えしぼむ。

「まあ、そう言われっと身も蓋《ふた》もねえげんともね」

クマケンは、先に立ってログハウスの方に歩き始める。

果たして施設の中は想像した通りの有り様だった。メインホールには、地元で作られた物産が整然と並べられ、テラスにはバーベキューセットが設置されていたが、客の姿は皆無である。窓越しに広がる広大な植物園に目を転じると、そこにも人の姿はない。

「クマケン、ここ、いつもこんな感じなの？」

「週末や夏休みの間はそれなりに客はいるすよ」

「植物園って、あの庭だけ？」

「そうだよ」

「温室とかはないの」

「ありません」

「じゃあ、冬の間は枯れ野原かよ」

「んだげんとも、秋になっと群生してるコスモスが一斉に咲いて、そりゃ見事なもんで……」

「そんなこと聞いてんじゃないよ。枯れ野原にこんなもん造って、本当に人が来ると思ってたの？」

「やるがらには、ちゃんと外部のコンサルタントも雇って意見も聞いたよ」

「コンサルタント？」

そんなコンサルタントがいたら是非お目にかかりたいもんだ、と私が言うより早くクマケンが言った。

「大手の広告代理店。東京の……」

大方そんなところだろうと私は初めてクマケンの言葉に納得した。海千山千の広告代理店の営業にしてみれば、純朴な田舎の人間を騙《だま》すとは言わないまでも、夢を抱かせその気にさせることなど朝飯前だっただろう。第一コンサルタントの話をまともに受けて、事業が成功するなら苦労はしない。連中の能力がそれほど高いというなら、世の中に潰れる会社なんてありゃしない。世の中に存在する会社で、少なくとも一流と目される企業でコンサルタント出身の社長が唯《ただ》の一人も存在しないのが何よりの証拠というものだ。

「で、ここにあんのが緑原の町が誇る物産のすべてというわけだな」

私はいささかの皮肉を込めて言ったが、クマケンはこちらの心情を斟酌《しんしゃく》する様子もなく肯き、

「鉄ちゃんは、町を離れて随分経ってっから知《せ》ねえもんもあっぺ。まあ、試食してみらい」

ショーケースに並んだ食品に手を伸ばし、最初に牛乳を差し出してきた。

瓶に入れられたそれは口に含むと、濃厚な香りと芳醇《ほうじゅん》なコクがあり、確かに美味《うま》い。

反応が顔に出たものか、クマケンはニヤリと笑うと、

「こっちは、地元で採れた大豆を使った豆腐、ベーコンやハムも工房をしてる人がいて、全部手作りだ」

次々に食品を奨《すす》める。

「うん、豆腐もスーパーで売ってるものとはちょっと違うな。それにハムやベーコンもなかなかの味だ」

「だべ?」

「しかしねえ、クマケン。美味くとも肝心の客が来ねえことには話になんねえだろ。それに、値段を見ると、スーパーで売ってるもんより随分高くねえ?」

「まあ、町の人は買わねえね」

自信を持って言うなよ、クマケン……。私は心の中で毒づく。

「んじゃ、その帰省者とか、近隣の町の人がこぞって買うってのか」

「あんまり……」

私は深い溜息を漏らしながら、ずらりと並んだ商品に目をやった。その中に陶器のコーナーがある。

「あれは?」

「ああ、あれね。ここ二十年ばかりかな、ほら諸県《もろかた》って地域があんべ」

「うん」

「あそこで、物凄く質のいい粘土が採れるっつごどが分がってっさ、陶芸家が一人二人ど集まって来て、そんだな、今では二十人ばかりの人が住み着いで陶器を焼いでんの。登り窯《がま》がある本格的なもんだ」

「へえ、そりゃ知らなかった」

「今じゃ、東京のデパートにもコーナーがあるらすいよ」

「ほう」

こんな田舎にも、少しばかり文化の香りがするものがある。私は思わず感嘆の声を漏らしたが、だからと言って、熟練の技を要する陶芸が町再生の起爆剤になるとは思えない。

「で、他には何があるんだ。この物産コーナーとバーベキュー、それに植物園で終わりか」

「動物ランドがあるよ」

「何だそりゃ」

「子供たちに様々な動物と触れ合って貰《もら》うっつうのがコンセプトなんだけんどもね」

コンセプトと来た。さして期待が持てない代物であることは想像がついたが、失望するなら早い方がいい。

「そこ、見れんの？」

「今日もやってるはずだべ。行くすか？」

「案内してくれ」

クマケンは先に立って外に出ると、三角屋根のついた料金所の中にいる老婦人に向かって手を挙げた。そこには『植物園入園料５００円』と書かれた看板が掲げられている。

あり得ねえ……と私は心の中で毒づく。

しかし、驚くのはそれからだった。植物園を抜けると、通路の傍らの椅子に座った老婦人がいて、地面に置かれた看板には『動物ランド５００円』と書いてある。

「クマケン……動物ランドは別料金なの？」

「んだ」

不吉な予感が脳裏を過《よぎ》る。

またしても顔パスで動物ランドへと入って行くクマケンの後に続いて中に入ると、大きな木に繋《つな》がれた馬がいた。かつてはこの辺りの農家なら、当たり前にいた農耕馬である。

馬糞の臭いが鼻をつく。息を止め、さらに進んで行くと、『触れ合いコーナー』があり、そこには至極当たり前過ぎるウサギがいた。そして小屋の中には、牛、豚……更には鶏……。

「クマケン……これって、この辺の農家なら当たり前にいる『家畜』じゃん……」

「まさが、熊どが大蛇なんか飼えねえべさ。ましてやライオンや虎なんて無理だ。何があったら大変だもの」

予感的中――。

「こんなもんに五百円も払って喜ぶやつが世の中にいんのかよ。一度来たら二度と来ねえ。誰もがそう思うんじゃねえのか」

私は声を荒らげた。

「身も蓋《ふた》もねえごど言いすな。造ってすまったものはしょうがあんめえ」

力なく呟《つぶや》くクマケンを見ているとそれ以上責める気にはなれなくなり、私は思わず沈黙したのだったが、植物園を後にして他の施設を見て歩くうちに、どうにも我慢がならなくなってきた。

なにしろ、さる財団法人の援助で建設された屋内町民プールには、年中使える状況にあるにも拘《かか》わらず、指導員以外の人間は一人もいない。それも道理、高齢者の健康管理を目論んで建設したという「コンセプト」はいいとしても、車なくして行けないような辺鄙《へんぴ》な場所にあるせいで、無料バスを運行しているのだが、利用する住人は稀《まれ》である。その他にも、どんな利用を見込んだのか分からないが、体育館は二つもあり、まだ真新しい町民ホールは東京のへたな同様の施設よりもはるかに立派、かつ豪華であるにも拘わらず、ピタりと閉じられて人気がない。聞けば、利用のある時には、町役場の職員が照明、音響を担当するのだと言う。しかも、利用の多くは、町民の演劇会とか、カラオケコンテスト、はたまた旅劇団の公演に使われるのが精々だと言う。

これにはさすがの私もキレた。

「クマケン……どこをどうついたら、こんな施設を建てる気になんだ」

さすがのクマケンも呆《あき》れるのを通り越して怒りに駆られている私の内心を察していたらしく、無言のまま俯《うつむ》く。

「あのな、この辺に映画館って、どんだけあんだ」

「宮川市に一つあるだけだ」

「東松岡と西松岡、二つの郡と、宮川市合わせて一つだろ」

「んだ……」

「それがこの辺りの適正商圏だってことだ。もっと分かりやすく言えばだ、各市町村に映画館があっても、ビジネスとしては成り立ちゃしねえって商売人はちゃんと分かってんだよ。クマケン、一つだけ教えておいてやる。民間企業は、儲けにならねえ事業には決して手を出さねえ。新規のビジネスを立ち上げる際には、徹底的にシミュレーションを繰り返す。もし、途中で目論見通りにプランが立ち行かなくなれば、それまで投じた金を捨ててもキャンセルする。なぜだか分かるか」

クマケンは俯いたまま言葉を返さない。

「事業を続ける方が損失がでかくなるからだよ。もちろん会社の上層部が決断したことはいえ、事業中断なんてことになりゃ担当者は責任を問われる。会社には代わりになる人間は幾らでもいる。よくて飼い殺し、へたすりゃ馘《くび》だ。映画館の商圏を考えれば、こんなでかい代物をぶっ建てたらどんなことになるか中学生でも分かんだろ。それを隣町には町民ホールがあるからウチにも。プールがあるからウチもなんて、次々に施設を造り続けりゃ持ち出す金が膨らんで行くだけに決まってんだろ。お前らには、根本的に欠如しているものがある。金を使うことに頭は回っても、金を稼ぐ苦しさ、事業をやることの怖さを知らない。金は黙っていて入ってくるもんじゃねえ。死に物狂いで、命がけで稼いでくるもんだ」

「鉄ちゃん……」クマケンがか細い声を漏らした。「前の町長だって、俺だづだって、何も失敗すべってやったごってねえよ。町民に豊かな暮らしをさせべって、都市部のような文化的な暮らしをすてもらうべってやったごったよ……。確《たす》かに結果がらすれば、そうした思いが裏目さ出たごどは認めっけんども、誰も悪気があってやったごってねえんだがら……」

クマケンを責めても仕方がないことは分かっていた。いや前任の町長を責めても仕方がない。悪気がなかったことは知っている。雇用基盤も脆弱《ぜいじゃく》で、若者の人口流出が続く町では、他に選択肢がなかっただけなのだ。それに過去をほじくり返して犯人探しをしたところで町が救われるわけでもない。

私は少し落ち着きを取り戻すと、クマケンにストレートに感情をぶちまけたことに、少しばかり申し訳ない気持ちになった。

「悪かった……」

私は詫びの言葉を吐くと、町民ホールがそびえ立つ傍らに広がる広大な工場誘致用地を見やった。

「クマケン」

「なに?」

「お前に頼みがある」

「何だべ」

「お前、本当にこの町を建て直したいと思ってるか」

「そりゃもちろん」

「だったら、俺に全面的協力を惜しまないか」

「できるごどなら何でもするよ」

「よし、そしたらお前、助役やれ」

「助役ぅぅぅ……。俺が!」

「俺は奴隷が欲しいんだ。文字通り俺の手足となって働く人間がな」

「したって、俺は……」

「町長命令、その一だ。町長に誰も手を挙げねえくらいだ。どうせ助役にだってなり手はいねえに決まってる。議会だって、お前が助役になることに異議を唱えはしねえだろ。それまでに町内の施設一覧、職員数、人件費を含む維持費、町の財政収支見通し、それにクマケンが必要と思われる資料を纏《まと》めておくこと。いいな」

答えを聞く必要などないとばかりに、私は踵《きびす》を返すとライトバンに乗り込んだ。

＊

「マジかよ……」

三日後、役場の町長室で、私は積み上げた書類から目を上げると、深い溜息を漏らした。

町の切迫した状況は予想を遥かに超えていた。町内視察に出た翌日、クマケンは早々に書類を山のように抱えてこの部屋を訪れた。中でも興味を引いたのは『緑原町新行財政改革大綱』と記されたファイルである。どうやら町の財政が早晩破綻することは、以前から懸念されていたらしく、そこには町内各施設の民間への売却や、役場職員の削減、行政サービスの停止といった、かなり大胆な歳出カットのプランがこと細かに記載されていた。しかし、問題はプラン通りにことを進めても町の財政が健全化するのかと言えば答えは否というところにあった。

なにしろ、これだけ勇ましいタイトルを付けておきながら、文書の冒頭には、「来年度以降も財源不足は、多額になることが見込まれる。特に三年後からは実質収支の赤字が標準財政規模の二〇％に達し、財政再建団体に転落する可能性が高く、歳出、歳入の両面から一層の財源対策を急がなければならない」と記されているところからも分かる通り、有効な対策を講じるガイドラインにはなっていないのだ。これじゃ私でなくとも、「だから、どうすんだよ！」と、思わず突っ込みを入れたくなろうというものだ。

私は受話器を取り上げ、内線ボタンを押した。番号は『１１４３』。クマケンのものだが、「俺の番号は語呂が良くってっさ。イイヨサン。覚えやすすがすぺ」と言った彼の言葉がこうなると悪いジョークに思えてくる。

「熊沢です」

受話器が上がった。

「クマケン。悪《わり》いけど、俺の部屋まで来てくれる」

「分がりゃんした」

程なくしてドアがノックされた。どうぞ、と言い返す声に険が籠《こも》った。

「何が用だべが」

「用事があるから呼んだんだよ。まあ、ここに座れ」

クマケンは執務机の前に置かれた椅子に腰を下ろす。

「クマケン……。お前から貰った資料には一応全部目を通した」

「さすが鉄ちゃん、早いね」

「歳出削減プランのあらましは分かった。町の財政が危機に瀕しているとあっては、ここに書かれたプランは実行せざるを得ないだろうが、お前に聞きたいのは、どうやったら町が財政再建団体に転落しないのか、つまり破綻を避けられるのか、その具体的な対策は論議したのか」

「それは皆で知恵を絞り合ったんだけんどもね。これといった策が出なくて……。こんでも削れるところは極限まで削ったんだよ。すかす、なんぼ削ったところで、入って来るもんがそれ以上減ってすまったら、どうしようもにゃあもんね」

生きるか死ぬかのビジネスの最前線でしのぎを削ってきた身からすると、クマケンの言葉は何ともまどろっこしい。まさに絶対潰れやしない、仕事でヘマをしでかしても刑事罰の対象にさえならなければ、一生涯安定した収入を得られると踏んでいる公務員の発想そのものである。

「町の歳入は昨年ベースで、六十億弱。収支はかろうじて黒字だが、来年はとんとん、再来年は歳入が四十億円台に減少する。にも拘わらず、こんだけの経費削減をやっても、効果は再来年ベースで十億にも満たない。しかも以降年を経る毎に一億強ずつ歳入は減る。完全な赤字、それも雪だるま式に増えていくってわけだ」

「何たって、地方交付税の減額と国県補助金事業の抑制が痛いのっさ。なにしろ、町の歳入の約半分が地方交付税だがらね。そいづが今まで通り入ってこねぐなってすまうす、高齢化はますます進む一方で、税収は確実に落ち込むべ。なじょしてもこんな数字になってしまうのっさ」

「無い袖《そで》は振れなくなっちまう。そう言いたいのか」

「そう言われっと身も蓋もねえげんとも……」

「お前、町が財政再建団体になればどんなことになるか分かってんのか」

クマケンは表情を堅くして、口を噤《つぐ》んだ。

「無い袖は振れねえなんて悠長なことを言ってられないんだぞ。何が何でも財政を黒字に転じさせなきゃなんねえ。問答無用で借金を返さなきゃならなくなるわけだ。町の状況を自分の家に置き換えてみろよ。仮に年収五百万の人間が、千五百万の借金をしたとします。だけど、来年からは年間四百万円の金を返さなきゃなりません。家には学校に行っている子供が高校三年、中学三年、小学六年と三人もいます。それに祖父《じい》ちゃんと祖母《ばあ》ちゃんもいます。さあ、そこでクマケン、お前ならどうする？　無い袖は振れないと言って開き直るか?」

「んなこたあできるわけねがすぺ」

「だよな。当然年間百万円で暮らす方法を考えるよな。まず高校生の子供は即退学、就職だ。中学生も卒業し次第就職。末っ子も義務教育が終わったら就職だ。食事だって毎日毎食納豆だ。住まいだって替えなきゃなんねえ。どんなことをしても、借金を返しおおせるまで四百万は返済に充《あ》てなきゃなんなくなんだろうが」

「それはそうだ……」

「じゃあ、どうしてこんな仰々しいタイトルを付けた代物が、赤字を前提にするような形で書かれてんだ。行財政改革が聞いて呆れるよ。これじゃ対策にも何にもなってないじゃん。いいかクマケン。もし、財政再建団体に転落すれば、お前らの半分は否応なしに首切られんだぞ。給料だって今の半分出れば御《おん》の字だ。町民への無料サービスなんて全廃。福祉だって無料は無し、全部有料だ。お前らは既雇用者の生活を守る、町民にはなるべく影響のない公共施設を削減することを念頭に置いてこのプランを立てたんだろうが、破綻が現実となれば絵に描いた餅《もち》だ。こんな程度で済むわけがない、もっと酷いことになんだぞ」

「削減計画が甘いってごどすか」

「赤字前提の再建計画があるかよ。だいたいこの役場職員の給与体系からしてどこをどうつついたらこんな数字が出てくんだ」

「んなごど語っても、ラスパイレス指数は九〇を切って、県でも最低だよ。役職者の削減額はもっと酷い。町長のあんだだってボーナスは無し、給料は五〇％カットだから、部長よりも安いっつうごどでねえすか」

ラスパイレス指数とは、国家公務員を一〇〇とした場合の給与レベルを示す指数である。そんな小難しい言葉がすんなり出てくるところがまた腹立たしい。

「九〇！　このままだと破綻することが分かっていて、まだそんだけ貰おうっての？　どっからそんな金が出て来ると思ってんの？」

「すかす、職員にも生活っつうもんがあっからね」

「だからあ、その生活の糧そのものが再建団体に転落すれば良くて半分、それももらえる職員は今の半分、残りはゼロになっちまうんだぜ。そうじゃないのかよ」

「したら、鉄ちゃんは、職員の給与を五〇％カットせねばなんねえっつのすか」

「職員の生活レベルを確保するってんなら半分を解雇。雇用を確保するってんなら給料五〇％カット。なにしろ、これっぽっちの町に役場の職員だけでも二百八十人もいんだろ。それにこの人件費の中には町会議員十五人も含まれてる。人件費総額は十五億にもなんだ。特に議員には町をここまで追い込んだ責任がある。なのに何だよこれ。議員の報酬カットはボーナス五〇％。月給に至っては一〇％だと。職業議員でもねえ人間に、何で月額三十万からの給与を払わなきゃなんねえんだよ。ここをばっさりやっちまえば、あと何億かの金が捻出《ねんしゅつ》できる」

「議員はともかく、職員の数を減らすと日常業務さ影響が出るよ」

「閉鎖する施設や、止めちまうサービスが山とあんだ。今まで通りの人手がかかるって考える方がどうかしてる」

「んでも、実際職員の年齢別分布を見っと、四十代に半分以上が集まってんのっす。一番金が要《い》る年齢で職場を失えば、こんな町じゃ次に行くどこねえよ。それに辞めろど語っても、手ぶらで追い出すわげにもいがねえべ。退職金を出せば、特別歳出が必要になる。それは、財政を悪化させっことになんでないの?」

そんなことはクマケンに言われなくとも分かっていた。仮に、退職金の出費を抑えるべく、職員の給料を半額にしたところで、自己都合で辞めると言われりゃ支払わないわけにはいかない。それに、何億かの金が浮いたからといって、ただそれだけでは、年間生じ続ける赤字の前には焼け石に水のようなものだ。

「じゃあ、どうやったら、赤字を補える金を捻出できんだよ。どうしたら歳出を抑えることができんだよ」

私は、思わず声を荒らげた。

「答えることができんだら、とっくにやってるよ……。俺だづに知恵が浮かばにゃあがら、鉄ちゃんに町長になって貰ったんでねえが……。せめて、あの工場誘致用地にでっかい工場でも来てくれればなあ……」

「雇用が生じ税収も上がるってのか？　無理だよそんなこと。労働市場がこれだけグローバル化したご時世、来るもんかよ。たとえ用地が三万坪あってもさ、世界に目を向けりゃ、もっと安い労働力はいくらでもあるんだから」

「流行りのショッピングモールなんつのはなじょったべ」

「駄目だよ、そんなの」

私は即座に否定したが、

「なして？」

クマケンは食い下がった。

「理由は幾つかある。その一は、確かに三万坪の整地済みの土地は魅力的だが、肝心の固定人口が少ない。もちろんこの辺りは車社会だ。巨大ショッピングモールができれば、かなりの広範囲から人は集まってくるかも知れない。しかしなあ、考えてもみろよ。近隣の町にしたって、高齢化が進んでんだろ。爺さんや婆さんが、自分で車を運転して買い物に出掛けてくると思うか？　若い人間は平日仕事を持っているから、来るとしたら週末に集中する。結果、平日は閑古鳥。週末は人でごった返す。これも本当になにもかもがうまく行った場合でだ。だが、それでも問題はある。特に生鮮食品や出来合いの料理なんかは、人出が安定していないと仕入れの量が読めない。当然平日はアイテムが減る。不意に人出が多くなれば、今度は欠品だらけになる。買いたいものがあるかどうか分からない店に消費者が魅力を見いだすとは思えない。だから自然と人は寄りつかなくなり、モールは空き家だらけになる——」

クマケンが何かを言いかけたが、私は構わず続けた。

「その二は民力だ。高齢化が進んだこの辺りの地域では、年金生活者が占める割合が都市部に比べて突出している。物を言うのは品質よりも価格だ。つまり売れるものは低価格商品だけ、高額商品はまず売れない。当然薄利多売の商売でなければ立ち行かない。しかし、この多売が見込めなければ、進出してくる企業はない。そしてその三は、モールなんか造ってみろ。地場《じば》で細々と商《あきな》ってる商店が軒並み潰れちまうだろ。そうなりゃ税収は落ち込む。モールに出店する店がその代わりになってくれるなら話は別だが、結局、プラスマイナスで相殺《そうさい》ってことになりかねない。下手をすれば、町の生活を荒らすだけ荒らして不採算店なので撤退ということだってありうるだろ。そんなことになりゃ、町の荒廃に拍車をかけるだけだ。よってやる意味なし！　ピリオド……」

「んでも、惜しいよなあ……。あんだけの用地を遊ばせておくなんて……」

クマケンはまだ諦めきれない様子で言った。

「これといった売りがねえのに、先にあんなもんを造っちまうからこんなことになんだよ」

「確かに、そう言われっと返す言葉がねえけどね」

「だいたいこの町になんか売りもんになるもんってねえのかよ」

「大したものはねえなあ……」クマケンは思案を巡らすように天井を見上げた。「んでもね、一つ一つはその道にハマってる人には大受けするものがあんだよ」

「何があんの？」

「まず陶芸でがすぺ。それに春になれば山菜が山ほど採れる。それごぞ、素人でも半日もあれば食い切れないほどね。その頃は町のどこの川でも山女《やまめ》や岩魚《いわな》が釣れる。世間では岩魚は山奥の渓流さ行がねえど釣れねえす、人影を見れば半日は出て来ねえって言われっけども、あれは出鱈目《でたらめ》だあ。あんただ馬鹿な魚はいねえよ。んだってご飯粒で釣れんだもの。夏は涼すがすぺ。海も今は道路が良くなったがら二十分もあれば渋滞無しで行けるし、三陸の魚がのっこり釣れる。秋はキノコ。この辺りの山は山毛欅《ぶな》や水楢《みずなら》だから紅葉はとてつもなく美すい。冬になれば狩猟ができて、雉《きじ》や山鳥、野鳥も獲れる……」

「住んでみりゃ、都ってわけか」

「んだよ。だがら数は少ねえげんとも、県外、特に東京とかの大都市から毎年決まった時期にやってくるリピーターは結構いんだよね」

「へえ、そりゃ初耳だ」

「陶芸家の先生のどこを訪ねる人や、ハンターとか釣り人とかね」

「何だか、リタイアした後の高齢者ばっかのような話だな」

「うん。なしてだか年寄りにはウケがいいんだよね。中にはこんな町で老後を過ごしたいって語る人もいるって話だからね」

「田舎暮らしの厳しさを知らないからそんなこと言うんだよ。第一、年取って病気にでもなったらどうする。医療施設ったって町民病院が一つあるだけだろ。それと老人養護施設が二つだっけ」

「鉄ちゃん、そう言えばあんだをまだ病院さ案内してながったね」

クマケンの顔が一瞬明るくなった。

「病院がどうかしたの」

「町の財政は苦しいげんと、病院だけは経営がうまく行っててんのっす」

「何で？」

「これも、あんださ言えば無駄な金遣ってって言われっぺげんとも、ここの病院は規模はちっちぇくとも、設備は多分東京のちょっとした病院にも負けねえほどのものが揃っててんだ。ＣＴやＭＲＩもあるす、最新鋭の機器がずらりと揃っててんのっす。ほんで、宮川市にはでっかい病院が二つもあっども、そごでいざＣＴやＭＲＩの検査だどなったら、予約した揚げ句二週間程度は待たされんのが落ちだべ。とごろが、ここの病院では即検査ができんの。それが口コミで伝わって、初診はここの病院でっていう患者が後を絶たねえのっさ」

「へえっ、そうなんだ」

目から鱗《うろこ》というのはこのことだ。

確かに東京の病院ではCTやMRIの検査となれば、二週間やそこらは待たされるのが常態化している。体の不調を訴えて医者に行ったはいいが、二週間後にまた来い、ましてやCTやMRIを撮るなんて言われれば、だれでもうんざりするだろう。ところがここにやってくれれば、即日検査は終了というのは大きな魅力には違いない。宮川市からは車で三十分ほど。しかも田舎の常で渋滞は皆無。初診で検査さえして貰えば、後は紹介状を書いて貰って、地元の医者に掛かればいい。機材購入時にそうした効果を見込んでいたわけではないだろうが、何が幸いするか分からないものだ。

「んだがら、年寄りがこの町さ移り住んだところで、困るごどはあんまりねえのっす。もっとも、都会で暮らしてだ人は家族と別れて過ごすことになんだべがら、寂しい思いはすんだべげんともね」

クマケンは寂しい笑いを浮かべた。

「いや、そうでもないんじゃないかな」

「なすて?」

「だって、都会に住んでたって引退した夫婦と子供が一緒に住むなんてケースは今の時代滅多にないじゃん。親は親、子供は子供で別れて暮らすのが当たり前になってんだぜ。それに、仮に子供の住まいと電車で十分とかいっても、頻繁に会ってる親子なんてどれだけいんのかね。嫁姑《よめしゅうとめ》の問題ってのは、古来、洋の東西を問わず永遠の課題だからね。離れた土地で暮らす方が、傍にいて会わないよりよっぽど穏やかでいられるんじゃないのかな」

「そういうもんだべが」

「そういうもんだ」

私は、一緒に暮らし始めた佳世子と両親の今後に思いを馳《は》せながら肯いた。

「んでも、引退して余生を過ごす人さ、家を世話したところでどうなるもんでもねえしなあ。何しろ皆年金暮らしだがらなあ」

「そうとは限らんさ」

「つうと?」

「俺、昔シカゴに住んでたろ」

「うん」

「そん時に、現地法人にチャイニーズの部下がいてさ、投資目的でカリフォルニアにタウンハウスを買ったって言い出したんだよ。で、カリフォルニアのどこさって訊《き》いたら、今まで一度も耳にしたことがない街の名前を口にしたんだな。それで、何でその街にしたのって訊いたら、返事がさすがというか、なるほどと言うか……、あいつこう言ったんだ。その街は、カリフォルニアで引退した年寄りが余生を過ごすために集まって来て、さしたる産業はないんだが、介護する人間に関していえば固定した人口がある。老人介護だけは手を抜けない。流行り廃《すた》りもない。だから、タウンハウスを買って貸し出しても、長期間空き家になることはない。結果キャッシュフローは良くなるってね」

「なるほどねえ。さすが中国人は目の付け所が違うねえ。介護人口ねえ。確かに年寄りが集まれば、若い手が必要になるもんねえ」

「これも、生まれた土地と働く土地、そして余生を過ごす土地は別だと考えるアメリカ人ならではのことなんだろうけど、アメリカで起きたことはいずれ日本にも伝播《でんぱ》してくるものだからねえ。それに核家族化が進んで久しい日本。加えて団塊の世代が退職を迎えるとなれば、同じような現象が――」

クマケンの目が探し求めていた宝物を見つけたように輝いた。

「て、鉄ちゃん……それ……」

「な、何だクマケン」

私は理由が分からず問い返した。

「あんだが今言ったそれ……ここで始めたらなじょったべ」

「何をやれって?」

「その年寄りを集めれば介護する人間が自然と集まってくるっつうこんせぷと、それそのまんまこの町で応用できねえべか」

クマケンは、熱に浮かされたように呟いた。

＊

年寄りを集めれば雇用基盤は急速に整備される。

クマケンが漏らした一言が私の何かに触れたことは確かだった。しかし、それを具体化すべく思案を巡らせる前に、私にはやらなければならないことが目前に控えていた。所信表明演説の内容を考えることである。

そもそも私が町長に就任できたのも、他になり手がいなかっただけ。マニフェストはおろか、町政再建に向けての公約の類《たぐ》いも一切口にしてはいなかった。それでも当選しちまうんだから、これほどふざけた話もないのだが、仮にも町長になってしまったからには、財政再建団体送り目前の町政を立ち直らせる何らかの方針を打ち出さなければならない。クマケンに命じて提出させた、『緑原町新行財政改革大綱』を叩き台にして新町政の方針を作成することにしたのだが、これがいざ取りかかってみると思いの外困難を極める作業だった。

前任の町長が役場職員と一緒になって作り上げた大綱が、緑原町がいま直面している危機を打開するには何の解決策にもならないことは分かっていた。赤字を前提として作り上げたプランなど役に立たないことが明白だからだ。町の財政を黒字に転じさせる妙案が俄に浮かぶのならば苦労はしない。いや、単に黒字にしろというだけなら話は簡単だ。借金を払い終えるまで支出の一切を断ってしまえばいいだけだからだ。

しかし、それはあくまで理論上の話であって、実現性はゼロである。そんなことができるものなら、この世に何十年ものローンを組んで家を購入するサラリーマンなんていやしない。全収入の数年分を購入費用に充てれば借金を払い終えることが分かっていても、日々の生活を維持していくための出費はどうしても必要になる。飲まず食わず、新しい衣類どころか教育費も使わない。車や家電製品といった耐久消費財も買わない。そんな生活を送れるわけがない。

町政にしたって同じことだ。町立の小中学校、老人ケア、役場職員の給与、道路整備、はたまた数多ある施設の維持費。固定費用として出て行く金を抑えるにしても限度がある。だが、これらの部分に大鉈《おおなた》を振るい、大胆な削減策を講じなければ緑原に将来はない。

そしてもう一つ、私を悩ませて止まないのが、町政を司《つかさど》る町議会議員の資質だった。

まあ、緑原に限らず、人の出入りがほとんどない町の議員になろうなんて人間は、大抵が生まれも育ちもその町の出身者。しかも勤め人では議会のために会社を休むわけにはいかないから、いくらでも時間の融通が利く自営業者と相場は決まっている。事実、町議の履歴を見れば、町で小商いを営んでいる商売人がほとんどときている。町を出て外で働いたこともない、住人は皆知り合い、というようなところで暮らしていれば、彼らにとっての世間とはこの緑原で、世界はここを中心に回っていると考えているような人間ばかりだ。

視察と称しては、国内どころか海外にまで足を延ばした結果、不必要に道路を整備し、次々に箱物を造り続けてきたのは彼らである。過疎化が進み、人口が減る一方の町では、公共事業は安定した雇用基盤を与え続けることによって確保されるというのが理屈であったが、本音はそこに従事する人間たちが地元の商店に落とす金にある。そう、公共事業によってもたらされる金は、巡り巡って地場で商店を経営する人間たちの貴重な収益となるのだ。だからこそ、将来の展望もないまま、延々と道を造り、川をコンクリートで埋め、巨大な施設を造り続けてきたのだ。

そうでなければ、新しい施設を建設すれば、あるいは道路網を整備すれば、維持費が乗算的に嵩《かさ》んでいくという簡単な理屈に気がつかないわけがない。

だから、もし私がここで一切の公共事業を行わない、稼働している施設の多くも閉鎖、役場職員、議員の数も減らし、給与もカットする、などと言い出せば、いかに全面的協力を惜しまないと言ってはばからない議員連中にしても黙っているわけがない。そして残念なことに、民主主義社会においては、たとえ首長とはいえ、議会の承認なくして何一つ自分の政策が実行できないのが現実である。所信表明をしたはいいが、議員全員から猛反発を食らったのでは話にならない。

思案に暮れた私はクマケンを呼び出した。議会の実態を探るためである。

呼び出しを受けたクマケンは、すぐに町長室に現れた。

「クマケンよう。いま所信表明演説を考えてんだけどさ、こいつをそのまま発表したら、議会の連中がどんな反応を示すか心配になってきちまってさ。お前の意見を聞かせてほしいんだけど」

「いがすよ。んで、鉄ちゃん、なじょなこと話すつもりなの」

クマケンは部屋の中央に置かれたソファに腰を下ろすと言った。

「ポイントは三つある。第一に、赤字が解消されるまで新規の公共事業は一切凍結する。第二は、赤字を垂れ流している施設はことごとく閉鎖。第三は、公共施設に従事する人員も含め役場職員、及び町会議員の大幅な人員見直しと給与削減。ざっとこんなところだ。閉鎖する公共施設のリストはここにある」

私はプランのあらましを書いたペーパーをクマケンに差し出した。

「鉄ちゃん。ほんとにこんなことをするつもりすか」

素早くそれに目を走らせたクマケンの顔色が変わった。

「当たり前だろ。金がなきゃないなりのことをするしか方法ないじゃん。ましてや、緑原は莫大な借金を抱えてんだぜ。こんだけのことをやったとしても、まだ赤字だ。足りねえくらいだよ」

「すかす、こんなもの突き付けたら、町会議員は黙ってねえと思うよ」

「何で？」

私は挑発するようにとぼけてやった。先回りしてクマケンの言わんとしていることを口にするより、その方が本音を聞き出せると思ったからだ。

「何でって……新規の公共事業は一切行わねえって語ってけんども、こいづを読むど、既存の道路の整備も制限するって書いでるよね」

「ああ、それね」

「ああ、それねって、そんたなごどでぎるわげねえべっちゃ。傷《いた》んだ道路をそのままにすておいで、事故でも起きだら責任問題になるよ」

「この町には道路が多すぎんだよ。田んぼの中を網の目のように立派な道路が走ってる。一日に何台走ってんのか分かんねえ道路を見直して、交通量の少ない道路は閉鎖しちまえばいいいじゃん」

「ほんでや、町民が黙ってねえべさ」

「だったら、その私道みたいな道路を利用する人間が維持費を払うってのかよ」

「ほんなごどあるわけねえべ」

「だったらしょうがねえな。造っちまった道路をぶっ壊すには金がかかるが、閉鎖すんのは簡単だ。バリケード一つで済むもん。財政の建て直しが終わるまでは、ずっと工事中ってわけだ。交通量の低い道路を整理すりゃ、メンテナンスコストは大分削減できる。渋滞があるわけじゃなし。五分やそこら余計にかかったとしても、町が破綻してさらに苦労を強《し》いられることになるよりはマシだろ」

「んでや、この公共施設の閉鎖はどうなんのっしゃ。このリストを見るど、町民ホールや屋内プール、植物園……上がってるだけでも十以上の施設がありすよ」

「利用者のいない施設を運営する意味が見いだせない。利用者がいない施設とは、もはや無用の長物である。ましてやそこで働く職員に支払われる給料は町の財政から出ている。つまり生活を保護してやってるだけのようなもんだ。給料とは労働の対価だ。そして利益を生まない施設で働いている人間にそれだけの金を支払い続けるのは、町の行政を預かる人間にとって納税者に対する背信行為である。ピリオド」

鰾膠《にべ》もない私の答えにクマケンの顔が引き攣《つ》る。

「役場職員、町議会議員の人員削減、給与カットも同じ理屈すか」

「そうだよ」

「あんだ、職員の生活権つものをどう考えてんのっしゃ」

「あのなクマケン。そもそもこの町には役場の職員が多過ぎんだよ。お前、世間じゃ地方自治体の公務員の適正規模がどの程度と言われてるか知ってっか？」

クマケンの視線がすっと落ちた。

「住民八十人に対して一人って言われてんだぜ。緑原の人口は今じゃ一万五千を切って一万三千人ちょっと。てことはだ、百六十三人が理論上の適正規模ってわけだ。それが二百八十人もいるんだぜ。百二十人近くもオーバーしているのは、いかに何でも多過ぎる」

「すかす、それは――」

「町が今まで色んな施設を次々に造って、職員として採用を続けた結果だろ」私はクマケンの言葉を遮《さえぎ》りさらに続けた。「お前、俺と一緒に植物園に行ったよな。プールにも行ったよな。町民ホールも見たよな」

「うん……」

「植物園に客がいたか？　プールが人でごった返していたか？　町民ホールで目ぼしいイベントが開催されていたか？　どこへ行ってもいるのは職員ばっか。皆、ただ閉館時間を待って、時間を潰しているだけじゃねえか。何でそんな仕事もねえ連中に、町が給料支払わなきゃなんねえんだよ。利用者がいないってことは、んなもんはいらねえってことだ。

やればやるだけ赤字、金が垂れ流しになるだけだ」

「雇用を確保するためだべさ。生活基盤を与えるためだべさ」

「んな理屈が通んのは、緑原くらいのもんだぜ。これがアメリカだったら、住民が黙っちゃいねえぞ。訴訟を起こされて、大変な騒ぎだ」

「鉄ちゃん。ここはアメリカでねえよ」

「ああ、ここがアメリカでなくて良かったな。納税者の意識がこんだけ低けりゃ、まさに行政側はやりたい放題だもんな。その結果がいまの緑原の惨状を生んだんだから、皮肉っちゃ皮肉だよな」

さすがのクマケンも、屈辱的な言葉を投げ掛けられて唇を噛《か》んで一瞬言葉を失ったようだったが、

「んだけんどもね、鉄ちゃん。あんだ、こんなことを所信表明で語ったら、町議は一斉に反発するど思うよ。全員が反対さ回るど思うよ」

不安気に言った。

「何で？　やつらの議席を減らした上に、給与を削減するって一項が含まれてっからか」

「そいづがあの人たちの一番面白ぐねえどこだけんども、そごさ焦点を当ててたんじゃ、我が身可愛さと取られてすまうべがら他のどごを突いてくんべね」

「ふ～ん。じゃあ、最大の論点はどこになると思う」

「それ以外の全部。特に役場の職員の削減を明言すれば、かなりの圧力がかかると思うよ」

「圧力って、誰からさ」

クマケンは何事かを躊躇《ちゅうちょ》するように口を噤み、目をせわしなく動かしていたが、やがて口を開くと、

「役場の職員がこんだけ増えたのには理由があんのっす」

深い溜息を漏らしながら言った。

「その理由ってやつを聞かせて貰おうか」

「これどいった雇用基盤のない町では、役場の職員は数少ない安定した収入を得られる職業だっつごどはあんだも分がってっぺ」

「ああ、知ってるよ」

「俺もそうだけんども、東京の大学さまで行って、Uターンして役場さ職を得た人間もいっぱいいる。あんだほど立派な学校さは行ってねくも、六大学を卒業して町さ戻ってきて、役場で働いている人間もいる」

「知ってるよ」

「あんだ、実力だけで町役場さ採用されると思うすか」

「どういうこと?」

「こんだけ狭い町だと、物を言うのはしがらみっつごどだ」

「コネってことか」

クマケンはこくりと肯く。

「俺は幸い実力で入った口でがすか、職員の決して少なくにゃあ人間は、議会のボスに口を利いて貰って採用されたのっす。もちろん口を利いて貰うに際しては、これは噂で確かではねえんだけんども、五十万程度の金は包んでいるらすいよ」

「本当かよ」

「最終的に採用の可否を決めんのは、採用担当であり、最高責任者たる町長なんだけんどもさ、町長にしたって議会を敵に回すたんじゃ何かと厄介だべ」

「町長も金を貰ってたのかよ」

「いや、それはねえど思うよ。あの人は金に関しては、クリーンな人だから」

「んじゃ、その議会のボスとやらが、その賂《まいない》を一人でポッケないないしてたってわけか」

「あくまでも噂でがすよ」

「本当ならひでえ話だな。それって立派な斡旋《あっせん》収賄じゃん。刑事事件だぜ。それにその金を申告してないとなりゃ、脱税にだって問われる」

「ここど同じ程度の町なら、どこでもそうなんでないの」クマケンは歯切れの悪い口調で言うと、「もっとも、そうやって入った人間の中には、やっぱ能力的に劣ってるのも結構いでね、四十半ばになっても課長はおろか、係長がやっとっつのも結構いんだから、採用されたはいいげんとも辛い思いをすてるのも少なくねえのっしゃ」

気を取り直したように声に力を込めた。

「へえ、ここじゃ年功序列はすでに撤廃されて、能力主義が導入されてるってわけか」

「採用に情実があっても、仕事となったら話は別だ」

「じゃあ、職員の削減は簡単じゃん。人事考課の悪い人間を狙い撃ちにしちまえばいい」

「んなごどしたら、口を利いてくれた議員さ泣きつくよ。議会がヘソを曲げれば、あんだがどんだげ理に適《かな》ったごどを語っても、何も決まらねえ。ましてや、町議の数は以前の二十五人から、十五人に減っている。その分だけボスの力は強くなってっからね」

「おかしいじゃねえか。クマケン、お前言ったよな。俺が町長になることは議員全員が承知している。全面支援する約束を取り付けてあるって。あれは嘘だったわけ。それとも何か、自分たちに都合の悪いことがあれば、前言を翻《ひるがえ》し敵に回るってのか」

「嘘は語ってないよ。んだげんともね、あんださ町長になってけろど頼んだのは、そんな誰でも思いつくような手段ではなく、今の町の体制を維持すながら財政を建て直してけんでねえがど、皆が期待したがらなんだよ。第一、こんだけの施設を閉鎖した上に、役場の職員を半分も減らすたら、町議会議員だけでなく職員、いや町民だって黙ってねえべさ」

クマケンは珍しく感情の昂《たか》ぶりを隠さない。

彼が怒り、所信表明演説の内容に異を唱えてくることは、予想していたことだった。それを承知で事前にその内容を打ち明けたのには私なりの計算があってのことだ。

地域のしがらみと慣習にどっぷりと漬かった町民が、大胆な改革など受け入れるわけがない。いや、それ以前に、自分たちの住む町がいまどれだけの危機に直面しているのか、それを承知している一般町民は皆無と言っていいだろう。それが証拠に、赤字を前提とした改革大綱がホームページ上にアップロードされても騒ぎたてる住民が唯の一人も出てきやしない。つまり町の政策について関心を持っている人間など、この町のどこを探してもいやしないのだ。役場の職員、町議会議員の連中にしたところで同じことだ。町が莫大な負債を抱えていても、それが自分たちの生活の破滅につながるわけがない。困れば誰かが救いの手を差し伸べ、何とかしてくれる。そんな他力本願の根性が染《し》みついてしまっているのだ。

そんなところに大胆な状況打開策を持ち出しても、協力が得られるわけがない。

実際、緑原には今にして思うと信じられない過去の事実がある。それは遥か昔の明治時代のことだが、宮川から太平洋岸に向けて鉄道の建設計画が持ち上がったことがある。緑原はそのルートに入っており、駅を設置することが町に打診されたのだが、住民は喜ぶどころか一斉に反対運動に走った。

理由は二つ。曰《いわ》く、

「鉄道ができると泥棒が来る」

「汽車から火の粉が飛ぶと、山火事が起きる」

まあ、百年以上も昔の話だから、しかたがないと言えばそれまでだが、お陰で鉄道のルートは不自然に緑原を迂回《うかい》するような形で建設され、十キロほど離れた隣町に駅ができた。あの時、もし駅ができていれば、緑原もこれほど寂れることはなかっただろう。

都会とは違い、新しい住民が入ってくるわけでもなく、時が止まったような町の住民の意識などそう簡単に変わるものではない。起死回生の一発とばかりに、画期的なプランを提示して見せたところで返ってくる反応は分かっている。理由なき拒絶。それだけである。理論、理屈の問題じゃない。自分たちの尺度を超える話には、瞬間的に否定するという行動原理が本能として身に染みついてしまっているのだ。

それを打開する手だてはただ一つしかない。自分たちの生活が激変するという恐怖を突き付けてやり、それが厭《いや》なら私が考えたプランを飲むしかないことを思い知らせてやるのだ。まあ、手っ取り早く言ってしまえばショック療法を施すということだ。

「でもさあ、クマケン。どう考えたって、無い袖は振れねえぞ。このまま行けば早晩町の財政は破綻。そうなりゃ俺の首はもちろん、役場職員、町議会議員だって無事でいられるわけがねえ。まあ、町長のなり手がいねえんだったら、他から誰かがやってくることになんだろうが、しがらみがない分だけ俺以上にドラスティックな手段に打って出てくることは間違いない。どっちにしたって結果は同じだ。その議会ボスとやらが、どんなに頑張ったところでどうしようもねえ」

「何が方法はねえのすか。職員や議員の首を切ることなく町を建て直す方法は」

「あったら、俺に全面的に協力するってのか」

「そりゃそうだべ。あんださ期待してんのはその一点なんだから」

果たしてクマケンは私の読み通り、首を縦に振り縋《すが》るような目を向けてきた。

「よっしゃ分かった」

「いいアイデアあんだね」

「無いわけじゃないが、その前にその議会のボスってやつは誰だ。名前を聞かせてくれ」

クマケンは困惑した表情で口を噤んだが、

「鎌田《かまた》武造《たけぞう》……町議五十年。今年八十三歳になる古ダヌキだ」

しぶしぶといった体でその名前を口にした。

「鎌田武造って、カマタケのことか！　ウチの三軒隣の？」

「んだ。そのカマタケだ」

「あのオヤジ、まだ生きてんのか」

「生きてるも何も、バリバリの現役だ」

よりによってあのカマタケかよ。

私は頭を抱えたくなった。

議員歴からしても分かる通り、私が子供の頃にはカマタケはすでに町議になっていた。本当の職業が何であるのかは知らないが、幼い頃は実家の周りで遊んでいると、ぶらぶらしているカマタケの姿を良く目にしたものだ。カマタケの家の裏庭には、この辺りでは『ちゃごみ』と呼ばれる俵ぐみの木があり、初夏になると赤く熟した実がたわわに実った。甘酸っぱいちゃごみの実を摘《つ》んでは頬張りするのは、幼い頃の楽しみの一つだったのだが、それを手にするためにはカマタケの目を盗み、短時間で収穫を済ませなければならなかった。たかが小さな木の実。しかも大木の枝に無数に生《な》ったものである。子供が食べる量など、野鳥に啄《つい》ばまれる比ではなかったろうに、カマタケに見つかると大変なことになった。一度など、木に登りちゃごみの実を摘んでいるところにカマタケが突然現れたかと思うと、鬼のような形相で、しかも手に鎌を持って「こりゃ、このワラス！」と叫ぶや、追いかけてきたほどだ。

その時は何とか逃げおおせたものの、以来カマタケは私が高校に入り町を出るまで、人の顔を見ると、

「鉄！　おら家《い》のちゃごみを盗ってやわがんねえぞ」

まるで泥棒を見るような目を向けて言うようになった。とにかく、強欲を絵に描いたよ

うな男で、生涯二度と会いたくはない人間の一人であることは確かだったのだ。

そのカマタケがまだ存命で、しかも議会のボスとして君臨しているのは私にとって、まったく予期していないことだった。しかし、そんな経緯を知らないクマケンは、

「まあ、悪運が強いっつうのがねえ。あの人も随分前に選挙違反で捕まったりもすたんだけんども、そんでも一期議員職を離れただけで、それ以降も現職をずっと続げでんだからねえ」

呑気《のんき》な口調で言った。

「選挙違反って、こんな町の町議の選挙で違反しなきゃ勝てねえのかよ」

ずいぶんつまんねえやつだな、と言いかけたのをすんでのところで飲み込んだ私に向かって、

「町議の選挙で捕まったんでねえよ。ここの選挙区出身の衆議院議員、高瀬膳太郎《たかせぜんたろう》先生の選挙で捕まったんだ。んだがらあの人の後ろには高瀬先生がついてんのっさ。緑原がこんだけの施設を引っ張ってこれだのも、町長の力もさることながら、カマタケの力もおっきくてね。もっとも、それに関すてもカマタケには何がと良くねえ噂があんだけんどもね」

クマケンは眉を顰《ひそ》めた。

「職員の斡旋だけじゃなく、公共事業でも賂を取ってんのか」

「こいづも噂だけんともね、状況的には真っ黒だ。何すろ、カマタケの孫娘の嫁ぎ先つの

が宮川さある吉竹《よしたけ》建設なのっさ。今の社長が初代で、ブルドーザー一台から始めた会社なんだげんともね。この三十年の間に、緑原の公共事業、特に土木事業をことごとく落札して、今では市内さ五階建ての自社ビルを構えているほどなのっさ。大型案件の設計、建設まで請け負うようにもなったすね。その裏では、カマタケがいろいろ動いだごどは、まず間違いねえべね」

「利権誘導と金のためなら何でもするってわけか」

「んだ」

それだけ聞けば充分だった。

「いろいろ参考になったよ。ありがとう、もういいよ」

私はクマケンに礼を言った。

「鉄ちゃん。お願いだから、役場職員の削減だどが、議員を減らすなんてことは言わねえでけらいね。とにかく、狭い町のごったがらいたずらに住民を刺激すっと大変なごどになっからね」

「俺は構わねえよ。だって矢面《やおもて》に立つのは俺じゃねえもん。助役になるお前だもん」

「そんなあ……」

クマケンは本当に泣きそうな顔になった。

「冗談だよ、冗談。とにかく悪いようにはしない。俺を信じろ」

クマケンはそれでも、最後の一言によほど不安をかき立てられたのか、私に疑いの目を向けながら、悄然《しょうぜん》と肩を落とし部屋を出て行った。

ドアが閉まって一人になったところで、私は緑原の電話帳を取り出した。そして鎌田武造の名前を見つけ出すと、受話器を持ち上げ番号を押した。

＊

その夜、私は一人で柔寿司に出掛けた。

時刻は七時になろうという頃である。引き戸を開けると、「いらっしゃい」と言う店主の声が上がり、カウンターに座った三人の男が早くも酔った目を向けてくる。

「予約した山崎だけど」

「はい、席は用意してあります。どうぞこちらへ」

接客を担当している店主の妻が丁重な口調で言い、奥へと案内する。

障子が引き開けられると、そこは十畳ほどの座敷になっていた。床の間にはこの辺りの山で捕れたものらしいガラスケースに入れられたイタチと雉《きじ》の剝製《はくせい》が置かれている。

「随分広い部屋だねえ。今日は僕の他に一人しか来ないんだが、もっとこぢんまりした部屋はないの」

「申し訳ありません。ウチではこの部屋が一番小さいんです」

店主の妻が済まなそうに言う。

無いと言われりゃしょうがない。私は座敷に上がると、上座を空け入り口からすぐのところに座った。

「お飲み物は何をご用意しましょうか」

すかさず店主の妻が訊ねてくる。

「連れが来てから改めて頼むよ。それから美味《うま》そうなところを見繕《みつくろ》って、刺身を二人前用意しておいて下さい」

「分かりました」

店主の妻が障子を閉めて下がり、一人になると改めて部屋の広さが気になった。空間の広さは、人との距離に比例するものだ。せめて衝立《ついたて》の一つでもあればいいのだが、それもない。がらんとした部屋の中でカマタケが来るのを待っていると、障子の向こうから店主の「いらっしゃいませ」という声が聞こえ、足音が聞こえた。無遠慮に障子が開いた。

「やや、町長、お待たせいたしやした」

町を離れて以来初めて会うカマタケの様相は一変していた。

襟足から側頭部に残った頭髪。それ以外の部分は禿げ上がり、スキンヘッドになっている。ぎょろりとしたドングリ眼《まなこ》、でっぷりと太った体。海坊主、いや妖怪である。一目見ただけで、腹に一物《いちもつ》も二物も持っていることを窺《うかが》わせる妖気が漂ってくる。

カマタケは靴を脱ぐなり、はっとした表情を大仰に浮かべ、

「町長、俺が高い席さ座るわげにはいがねえっす。どうぞ、そっちの席さ……」

私が座る反対の席を勧める。

「いや、とんでもない。今日は私がお呼びだてした席です。鎌田さんはお客様です。どうぞそちらへ」

「そいづあ、困ったなあ……」

カマタケは脂《あぶら》が光るスキンヘッドをてろりと撫で、

「ほんでゃお言葉に甘えて……」

満更でもないといった体《てい》で正面の席に座った。

「鎌田さん。先に飲み物を注文しておきましょうか。何を召し上がります」

「最初はビールにすべが」

開かれたままになっている入り口には店主の妻が控えている。

「じゃあ、とりあえずビールを二本。つまみはすぐに出してくれていいよ」

「分かりました」

程なくしてビールと大皿に盛られた刺身が運ばれてきた。

マグロの赤身、タコ、コハダ、それにイカが大根のツマとシソの葉をあしらった上に並

べられている。東京で美味《おい》しいところを見繕ってといえば、高価なネタが並ぶものだが、値の張るものを仕入れても買い手がいないのでは仕方がない。目の前に並んだ品々がこの町の民力の象徴というものだ。

「鎌田さん。まず一杯……」

私はカマタケのグラスにビールを注《つ》いでやった。

「やや、こいづあすんませんね」

カマタケは満たされたグラスを置くと、すかさず私のグラスにビールを注ぐ。

「それじゃ、まずは乾杯……」

グラスが触れ合う硬い音が部屋に響き、カマタケは喉を鳴らしてビールを一息に空けた。

「ここからは手酌でいきましょう」

「んだね。その方が気楽でいいすぺ」

カマタケはニヤリと笑うと、今度は自分でビールを注ぎながら、

「ところで、改まって俺さ話ってなんだべ」

こちらの腹の内を探るような目を向けてきた。

「一つは助役の人選、もう一つは一週間後に控えた所信表明演説の内容について、鎌田さんからアドバイスをいただきたいと思いましてね」

私は直截《ちょくせつ》に切り出した。

「俺さすか？　俺は町議とは言っても何の役さもついでいにゃあんでがすよ。そんなに大事なごどだら、議長どか他の人さ相談した方がいいんでにゃあすか」

一応は謙遜《けんそん》してみせるものの、カマタケの顔には自尊心を擽《くすぐ》られ、満更でもないといった色が浮かんでいる。

「いや、鎌田さんは町議歴五十年の大ベテランです。いわば町政の生き字引。是非ご意見を拝聴したいと思いまして」

「まあ、確かに議員歴だけを見れば、俺が一番長いんだけんどもっさ。どんだけ町長の役さ立てっか」

「私は政治に関しては、まったくの素人ですからね。それにこの町の生まれだとは言っても、離れて生活している期間の方が長いんです。所信表明をしたはいいが、著しく実現性に乏しいと皆さんに判断されるようなことになれば、町政は混乱するばかり。町議の皆さんにしたところで、困惑するだけじゃないですか。ですから是非、鎌田さんのお知恵を拝借したいんです」

「まあ、そごまで言われれば、俺どすても出せる知恵は出しすよ」

カマタケは箸を取ると、早くもマグロの切身を口に放り込み、

「んで、助役さは誰を立てるつもりなの」

ぺちゃぺちゃと口を鳴らしながら訊ねてきた。

「熊沢君にやってもらおうと思っております」

「ああ、役場職員のね——。いいんでねえすか。あの人なら町のごどは良く知ってるす、あんだのいい片腕さなってけっぺさ」

やはり思った通り、助役などどうでもいいといった体で、カマタケは即座に同意し、

「んで、所信表明演説はなじょなものをすんの」

と訊ねてきた。

「この数日、私は町の公共施設を見て回り、財政内容に関する資料、それから『緑原町新行財政改革大綱』と銘打った改革計画を子細に検討しました」

私はそれから暫《しば》しの時間をかけて、クマケンに話したのと同じ内容をカマタケに話して聞かせた。

カマタケは何も話さず、ビールを飲んでは刺身を口に運ぶという行為を黙々と繰り返し、私の話に聞き入っている。表情一つ変えやしない。そこが半世紀にも亘《わた》って町政の中枢に携わり、裏も表も知り尽くした男の得体の知れなさをことさら私に印象づける。

「要するにだ。町長が言いでゃあごどは、改革大綱どは銘打ってはいでも、赤字を前提どするものである限り、やっても意味がねえ。支出を抑えで借金を減らすごどを考えねばなんねえ。そういうごどだべ」

話がひと区切りしたところで、カマタケがようやく口を開いた。

「そうです」

「理屈は分がっだ。議員の報酬をなんぼ削減するつもりなのがは別どすて、町の財政をここまで追い込んだ責任は議員さもある。減らすのはすかたねえとすてもっさ、役場職員の削減つうのはなじょなもんだべね。職員は皆、代々この町さ住んで来た者ばがりだ。職を失っても、他さ出るわけにはいかねえ。ましてや公務員以外の仕事はすたごどもねえ人間が、こんな雇用基盤の脆弱な地域で新しい仕事さつけるわけがねえべ。町のために生活の糧を断つごとはできねえすぺ」

カマタケは箸を置くと、初めて正面から私を見据えてきた。

「しかしですねえ、緑原の役場職員の数は、一般的に言われている適正人員数を遥かに上回っている。まあ一割二割ならまだしも、七割以上となるとこれは無視できないでしょう」

「適正人員数っつのは、事務職の数字だべ。緑原は施設の数が多いんだから一概には言えねえべさ」

「だから不要な、いや赤字を垂れ流している施設を閉鎖すれば――」

「町長……不要な施設ど語ってもね。どの施設も公金を使って建設したものだよ。閉鎖、閉鎖と簡単に言うげんとも、公金をドブさ捨てるようなごどになれば、誰が責任取んの」

「責任云々《うんぬん》は二の次の話です」私はすかさず言葉を返した。「言い忘れましたが、私はこの町にある数多の施設を建設するに当たっての計画書にもあまねく目を通しました。正直申し上げて、長く民間企業に身を置いてきた者からすると、どの施設も計画段階での目論見の甘さには目を疑うものばかりです。たとえ計画が承認されたとしても、建設途中で中断を余儀なくされてもしかたがないか、実際に稼働した後、予想を遥かに下回る利用率であることが判明した時点で施設を閉鎖し、損切りをしてしかるべき。そうした大胆な決断をしなかったことが、今の緑原の窮状を生んだと思っています」

「政治つのは、必ずしも利益を追求するものでねがすよ」カマタケはビールをグビリと飲むと、「んだら訊きすが、貧すい地域で暮らす人間は、そごさ住んでるっつだけで、快適な生活を享受する権利がねえっつのすか。確《たす》かに東京のような大都市に住んでれば、黙っていでも民間企業がスポーツジムを建でだり、映画館を建でだり、あるいは遊園地も造ってくれっぺさ。一流の芸人の公演だって毎日どごがで開かれる。すかすね、こんな田舎では、行政機関が先さ立って施設を建設し、文化的生活基盤を作らねえごどには、何にもねえ、ただ古ぼけた家があるだけの寂すい町になってすまうだげでねえすか。そすたな町さ若い人が居着くと思うすか。快適な生活、文化的匂いのする環境さ惹《ひ》かれで若い人は町を出て行き、残るは老人ばかりになってすまうんでねえすか」

「おっしゃることは分かりますよ。ですがね鎌田さん。もう無い袖は振れないところまで、この町は追い込まれているんですよ。このままいけば、数年の内には間違いなく町の財政は破綻し、財政再建団体送りになることは目に見えています。そうなれば、私がやらなくとも次にこの町の首長に就任する人間は、否応なしに同様の手段に打って出なければならなくなるのは目に見えてます。血を流すのが数年延びる。ただそれだけ。結果は同じです。いや、財政状況が悪化するだけもっと酷いことになるかも知れない」

「あんだはそう語っげんども、仮に役場の職員を適正数にすたら、百人以上の人間が路頭さ迷うごどになんだよ。たった百人ちょっとと言わねえでけらいよ。そんだげの数の人間が職を失えば、町の経済さ与える影響は甚大なものがある。ただでさえも経営が苦しい商店は、軒並み潰れてすまうべす、中には町を出て行く人も出るべ。そうなれば、税収も下がって町の財政はますます苦すぐなるばかりだ。それだげでねえ。施設を閉鎖すても、そのまま放置すておぐわげにもいかねえべ。たとえば、交通量の少ねえ道路は閉鎖すて維持費を削減するど語ったげんともさ、そすたなごどをすても、バリケードを壊すてでも使い続ける人間はなんぼでも出てくるに決まってっぺ。そうでなくとも、荒れた道路さ小っちゃな子供が入って、事故でも起きたらなじょにすんの？　行政の責任問題になんでねえの？　要するに、造ってすまったものはすかたねえ。閉鎖すたどごろでかかる金はそれほど違いはねえっつごどになんでねえの」

カマタケは初めて私を町長とではなく「あんだ」と言い、反論に出た。思わず幼い頃の記憶が脳裏に浮かび、背筋が反射的に伸びた。

「それなら、財政再建団体送りはしょうがない。いずれ大鉈を振るわれても甘んじて受ける覚悟がおありだということでしょうか」

「俺だづがあんださ期待すてんのは、まさにそごさ。今の町を維持しながら、何とか財政を建て直す斬新なアイデアを思いついでけんでねえがど、縋るような思いで町長になって貰ったんだ」

カマタケは早くもどろんとした目を向けながら、語気を荒らげた。

やはりクマケンが言うように、いきなり町の財政支出や役場職員の削減に大鉈を振るうなどと言い出せば、議会から猛反発を受けるのは間違いのないことのようである。政《まつりごと》は規模の大小にかかわらず、議会の承認なしでは何事も進まない。最初から対立してしまったのでは、すべてのことが停止状態に陥《おちい》ってしまう。

実現可能かどうか、ここは一つ大きな夢を見させてやらなければなるまい。

「方法がないわけではありません」

「ほう、なじょな」

悲観的な話ばかりでうんざりしていたのだろう。初めて前向きな言葉を聞いて、カマタケは気を取り直したように身を乗り出してきた。

「いっそ、この町を年寄りばかりの町にしてしまう――」

その時私の脳裏に閃《ひらめ》いたのは、クマケンが言った、例の老人が増えれば雇用が増える、という一言だった。

「年寄りばかりの町にする？　年寄り集めて何すんの。収入のほとんどが年金。そんな人間を集めたどごで、何の足しにもなんねえべさ」

カマタケは顔をしかめ即座に否定してきた。

「これからの時代、言葉は悪いですけど、年寄りは金を生む貴重な財産になるんですよ」

「なすて？」

カマタケは理解に苦しむといった体でビールを飲みながら小首を傾《かし》げた。

「ただし、十人や二十人というのでは駄目です。何百人、何千人という単位で集めないことには話にはなりませんがね」

私は謎をかけるように、初めてニヤリと笑ってみせた。

「なじょなごどだべ」

「簡単な理屈ですよ。年寄りが増えれば、介護する人間が必要になる。増えれば増えるほどね。つまり、黙っていても若い介護をする人間、それも収入を得、税金を支払ってくれる人口が増加するってことです」

「話としては面白いげんともねえ……そんなにうまぐいくもんだべが。俺も町議をやって五十年。これまで過疎に悩む町は幾つも視察すたよ。中には移住すてくれれば、土地をただでやる、家まで用意するっつう町もあったどもさ。確《たす》かに、中には移住すてくる人もいだげんとも、そりゃ物好き以外の何者でもねえ。やって来ても夫婦二組や三組が精々だ。町の財政復活の起爆剤となるにはほど遠いっつうのが現状だべ。それに介護保険なんかへの町の負担額が増えるべ」

「戸建ての家を用意するなんて発想がそもそも間違ってるんですよ」

「つうごどは、他にアイデアがあるっつごどなんだね」

「私は早晩、介護が必要になる年寄りだけを集めると言っているんじゃないんですよ。むしろ逆です。この町の豊かな自然環境の中で、現役を引退した後の余生を何の心配もなく楽しく暮らせる環境を整えたらどうでしょう。人間は必ず老いるものです。誰でも体が思うように動かなくなった時のことを考えれば、不安に駆られるものです。そうなれば、一戸建てよりも年齢や体調に適した住環境を望むに決まってます」

「ウチの町さ、そすたな建物はねえべさ。まさが雇用促進住宅を使うっつわげでもねえんだべ」

「雇用促進住宅は老人向けにはできていませんからね」

「んでや、なじょにすんの」

「老人向けの町を造る……新しくね」

「事業をやるっつのすか！」

深い考えがあったわけではないが、一旦口にしてしまうと、アイデアが泉のように湧いて出てくるから不思議なものだ。加えてやはり箱物をぶち立て、そこから生じる利権の甘い汁を吸ってきたというクマケンの言葉は本当だったらしい。カマタケの目が爛々《らんらん》と輝き始めた。

「町民ホールの隣に、工場誘致用地として放置された土地が三万坪ありますよね」

「あるある」

「あそこに、一から老人向けに設計したコミュニティを造ったらどうでしょう」

「確かに、そんなごどができれば夢のような話だげんどもさ……すかす、新すい公共事業なんて、どう逆立ちすたってびた一文出てこねえよ。アイデアとすては面白すが。肝心の資金がねえんじゃ、なじょにもなんねえべ」

「公共事業と捉《とら》えればその通りでしょうね」

「えっ？」

「やるからには、公共事業ではなく民間企業の力なくしては不可能です」

カマタケはグラスを置くと、ふっと人を小馬鹿にしたような笑いを浮かべる。

「あんだ、俺だづが企業誘致のためになんぼ苦労すてきたが知らねえがら、そすたな夢物語を簡単に語れんのだ。町長や俺だづ議員が、どんだけの企業を回ったど思う。百や二百の話でねえぞ」

「企業って、工場を誘致するために動いたんでしょ」

「当たり前だべ。工場が来ねえごどには雇用の促進には繋がんにゃあんだがら」

「少なくとも関東に基盤を置く企業からすれば、魅力は感じないでしょうね。そんなことはやる前から分かってますよ」

「何い」

カマタケの顔色が変わるのが分かったが、私は構わず続けた。

「工場を建設したところで、そこで生産される製品の消費地は日本全国。あるいは海外にも及ぶかもしれない。こんな東北の田舎に工場を造れば、当然輸送コストがかかる。トラックに積み込める量は十トンが精々。ましてや、海外に向けて製品を出荷しようと思えば、港に運ぶまでに莫大な輸送料がかかる。横浜からアメリカの東海岸に運ぶ料金よりも、ここから横浜に運ぶ輸送料の方が何倍も高い。そんなことは企業じゃ常識です。人件費が都市部に比べていくら安いといっても、何の魅力も感じませんよ」

「すたら、老人だらこの町さ魅力を感じるっつのが」

「それはやり方次第でしょうね」

「ほんだら、そのやり方っつうのを聞かせてみろ」

カマタケはほとんど喧嘩《けんか》腰である。

「いいでしょう」

私は、カマタケの顔を正面から見据えると、まだコンセプトの域を脱していない、プランのあらましを話し始めた。多少なりとも厳しいビジネスの現場で経験を積んだ者なら突っ込みどころ満載の代物であることは分かっていたが、そんなことは気にならなかった。何しろ用地さえ用意すれば、企業の誘致が可能だと考えている程度の頭しか持ってはいないのだ。小難しいビジネス理論よりも、夢を持たせてやることが議会を纏めるには近道であることは間違いない。どちらにしても、計画を実現させるために動ける人間は、私をおいて他に唯の一人もいやしない。少なくとも、それを邪魔しなければそれでいいのだ。そして、計画が失敗に終われば、町が再建団体送りとなる。うまく行けば良し、最悪のケースでも座してその時を待つだけと思えば、気楽なものだ。

カマタケは時折ビールを舐《な》め、私の言葉に聞き入っている。その姿を見ながら、私はその時、脳裏に牛島幸太郎の顔を思い浮かべていた。

＊

カマタケへの根回しの効果は絶大だった。

本来なら、町内にある十以上もの施設の閉鎖、役場職員の百人を超える削減などと言い出そうものなら、町中が顔見知りどころか、数代遡《さかのぼ》ればどこかで血縁関係にあるような緑原のことである。大変な騒動に発展するところだが、居並ぶ町議からは表立ってこれといった反発は見られなかった。議員報酬の減額も、言いたいことは山ほどあったであろう。しかし、これだけ厳しい財政下にあって、兼業議員が自分たちの既得権益を守ろうとすれば、いかに町政に無関心な町民とて黙ってはいまい。吊《つ》るし上げに等しい事態に遭《あ》う事は明白である。結局は、渋い顔をしながら私の話に聞き入るばかりで、抵抗を示す議員は一人もいなかった。クマケンの助役就任に関しても、全くの無反応である。

所信表明演説の最大の目玉である『終身型老人ホーム建設計画』にしても、議員たちの反応は似たようなものだった。演説の半分の時間、およそ三十分ほどを費やしてプランのあらましを話して聞かせても、居並ぶ議員たちは眠そうな目を机の上に広げた書類に向けるだけで、何の反応も示さない。プランが理解できているのかいないのか、それすらも伝わっては来ない。

「やりたきゃ、どうぞ」

「んなこと、できるわけねえべ」

とばかりに、演説が終わると「何だかなあ」と小首を傾げながら、薄ら笑いを浮かべる議員が数人いただけである。まばらな拍手を聞きながら、演壇を降りようとしたその時、一際《ひときわ》大きな拍手が議場に流れた。

見ればカマタケである。どうやら彼は私が打ち出したプランが実現すれば、孫娘の嫁ぎ先の建設会社に特需が舞い込み、ひいては自分の懐《ふところ》が潤うと目論んでいるらしい。

もちろん、元より私にそんな気持ちは爪《つめ》の先ほどもありはしない。地方、いや国家レベルの事業でも、規模が大きくなればなるほど、そこから生ずる利権という甘い汁を吸おうとする人間が出て来るものだ。世の中とはそんなものだと言ってしまえばそれまでだ。確かに、総合商社のように世界を股にかけた仕事をしていれば、一つの商売を物にするに当たっては、その国の役人、政治家へ賄賂を贈ったなんて話はごろごろしている。特に、発展途上国と言われる国でのビジネスは、賄賂なくして成り立たないというのは常識ですらある。いや、先進国でのビジネスだって同じようなものだ。オリンピックなんて代物はその典型的な例と言えるだろう。

誘致のために、何十億という公金を使い、派手なプレゼンを繰り広げた上に視察に訪れたＩＯＣの理事を接待する。確かに、開催地として指名されれば、数多の施設の建設、ホテルや交通網の整備と経済的波及効果には計り知れないものがある。しかし問題はその後だ。分不相応な施設をぶっ建てたら最後、今度はその維持費に莫大な金が食われて行く。数週間の開催期間が終われば、街はまた元の静けさを取り戻す。まさに祭りの後の寂しさ――。いや、普通の祭りなら、また一年経てばやって来るが、この祭りは二度とやっては来ないのだ。

結果潤うのは、立派な施設の建設を請け負った建設業者と、その裏で蠢《うごめ》くウジ虫のような政治家とは名ばかりの斡旋屋ばかり。地元の経済にしたって一時は潤うだろうが、これまた祭りが終われば元に戻るだけ。いや、一旦甘い蜜の味を知った分、反動は大きい。

真の公共事業とは、一時のカンフル剤であってはならない。恒久的に利益を生み、雇用を確保するものでなければならない。だからこそ、終身型老人ホームの建設は何が何でも成功させなければならないのだが、それに際しては特定の団体、個人に特別な利益を与えることがあってはならない、と私は決意していた。

カマタケ、おめえにはびた一文、銭はやらねえ。

私は議場に一際大きく響き渡るカマタケの拍手を聞きながら、心の中で毒づいた。

町長室に戻った私は、クマケンに助役就任が認められたことを告げ、そのまま東京の四井商事に電話を入れた。番号はダイヤルインで、受話器が持ち上がると、

「四井商事でございます――」

押し殺した男の声が聞こえてきた。牛島幸太郎である。

「山崎だ」

「おお、山崎久しぶりだな。元気でやってっか。言い遅れたが、町長就任おめでとう」

牛島の声に被さって、ひっきりなしに鳴る電話の音や、応対に追われる社員の声が聞こえてくる。町長室の窓の外には深い緑に覆われた山並みが見える。広大な皇居の向こうに広がる東京の街を見下ろしながら、仕事に没頭していた頃のことを思い出すと、その落差

の大きさを改めて感じ、四井にいた頃のことがことさら懐かしく思えてくる。

「ったく、大変なことになっちまったよ。人生何が起こるか分からねえ。まさか俺が本当に町長になるなんて考えてもみなかったぜ」

「赤字でにっちもさっちも行かねえ町とは言っても、町長は町長。四年間は職が保証されたんだ。こっちはこのまま いりゃあ後五年で定年。それを考えりゃお前の場合、再選されりゃ、役員になったのと変わりはねえ。羨《うらや》ましい限りでござんすよ」

牛島は、おどけた口調で言う。

「んなこたあ、この町がどんなに困難な局面にあるか知らねえから言えんだよ。俺の月給知ってっか？　四十万だぜ。四井にいた頃の四分の一だ。しかも、ボーナスなしだ。それで、町の財政を建て直すためにこれから奔走しなきゃなんねえんだぜ。こんな損な役回りがあるもんかよ」

「そりゃ、お気の毒——。でもさ、町長って本来は、パブリックサーバントだもんな。ここは一発、起死回生の案を打ち出してさ、赤字を解消した暁にはそれまでの損をドーンと取り返せばいいじゃねえか」

「お前、他人事だからそんなこと言えんだよ。税収もねえ、雇用基盤もねえようなこんな町で、百五十億もの借金をどうやって返すってんだよ」

「それを考えんのが、お前の仕事だろ」

牛島はいとも簡単に、言葉を返す。私は、一瞬むかっとしたが、

「今日電話したのは外でもねえ、その起死回生の一発をぶっ放すためにお前の力を借りてえんだ」

直截に切り出した。

「俺に？　俺に何をしろって言うんだ」

牛島は虚を突かれたように問い返してきた。

「お前、例のおでん屋で俺に言ったよな。都市開発事業本部はこれから老人ホーム建設の新規事業に乗り出すってさ」

「ああ、言ったよ」

「団塊の世代はすでに退職期に入っている。彼らが歳を取るに連れて今住んでいる住居じゃ住みにくくなる。年齢に合った設備を持った環境が必要になる。そこに巨大な市場が生じる。そう言ったよな」

「うん……」

「一つ訊くが、お前、その歳取った人たちがさ、住宅の間取りを変えただけで快適な老後を暮らせっと思うか？」

「まあ、確かに間取りを変えたり、リフォームやってバリアフリーにしただけじゃ、充分とは言えねえだろうな。多少体がいうこと利かなくなっても、自分で身の回りのことがで

きるうちはいいだろうが、人間、そう簡単にポックリいくわけじゃねえからな。寝たきりになったり、あるいは惚《ぼ》けちまって介護が必要になるケースの方が多いに決まってる」

「だわな。じゃあ、お前らが考えてる老人ホームって、そうした介護が必要になった人間を最期まで面倒みる施設なのか」

「俺は、そのプロジェクトに直接関わっているわけじゃねえから何とも言えねえが、ケースバイケースだろうね。中にはそうした機能を持った施設も建てんだろうし、介護が必要になったら、他の施設へってもんもあんだろうな。何しろ、終身型の老人ホームを建てようとしたら、入居料だってそれなりのもんを貰わなきゃならなくなる。しかし、都会でそれだけの機能を持った施設に入れる人間はそれこそ、団塊の世代の中でもほんの一握りさ。何たって先立つもんが必要になるからな」

「って、ことはだ、多くの人間は、お前らのぶっ建てる老人ホームに入ったところで、肝心の最期のところは、面倒みてくれる施設を改めて探さなきゃならなくなるってわけだ」

「しょうがねえだろ。体がいうことを利かなくなった老人の面倒をみるとなりゃ、介護士の数を増やさなきゃならねえ。それもいつ何が起きるか分からねえ人間が相手だ。二十四時間対応できるよう、シフト制の勤務態勢を敷かなきゃなんねえ。当然、人件費は嵩む。それだけじゃねえ。医者も常駐させなきゃならねえし、医療設備も整えなけりゃならねえ。そんな機能を持った老人ホームをぶっ建てようもんなら、入居費がばか高くなっちまうだろ」

「いよいよ医者の助けが必要になった時には、病院へ行けってことか」

「それが、今の老人ホームの実態だよ。介護と医療は別物だからね。中には医師が二十四時間常駐することを謳《うた》い文句にしてる施設もあるけど、実態はあくまでも何かあった時には応急処置を施せる、といった程度のことでね。その場で対応ができないとなりゃ救急車を呼んで、しかるべき機能を持った病院に送るってのが実態だ」

「それで入院ってことになったら、そっから先の費用は入居者が別途持つことになるのかい」

「当たり前だろ」牛島は、言わずもがなといった口調で続けた。「どれだけ生きるか分からない、治療の内容だって千差万別なら費用だってなんぼかかるか分かんないんだ。入居費の中に、医療費まで入れ込むのは無理だろうさ。そんなことができるなら、どこの老人ホームだってとっくの昔にやってるよ」

　牛島の言うことはもっともである。通常の生活、あるいは多少の介護が必要な程度にかかるコストは予測できても、入居者が亡くなるまでの医療費は計算できるはずがない。

　しかし、老人ホームに入居する人間にしてみれば、最も気掛かりになるのは、むしろその部分だろう。日常生活を自分自身で送れる、あるいは多少の手助けを必要とするうちはそれほど心配はない。それが本当の意味の介護が必要になった時点で、放り出されたのでは老人ホームに入る意味がないというものだ。

「お前の言うことはもっともだが、それじゃ老人ホームってとこは、老後の、それも健康な間を同年代の人間と楽しく暮らす場所ってことにはならないか」

「手っ取り早く言やあその通りだ。まあ、定住型のホテルと思ってくれればいいよ。金に不自由しない人間は、そりゃ素晴らしい設備が整った施設でゆっくり余生を送ることができもすれば、いよいよ最期の時が近づいても、大病院の個室に入ることもできる。金がなければ、それなりの施設に入るしかない。残念ながらそれが現実というもんだ」

私はいささかの皮肉を込めて言ったつもりだったが、牛島はあっさりと言ってのける。

「もう一つ訊いてもいいかな」

「何でもどうぞ」

「お前のところで始めようとしてる老人ホームだけど、ターゲットにしてる層はどの辺りなんだ」

「俺は、そのプロジェクトのメンバーじゃないから分からんが、富裕層をターゲットにしていないことは確かだと思うよ。ウチがこの分野の事業に乗り出すからには、都市部に一つや二つってわけにはいかないだろう。おそらく、全国規模で展開する事業になることは間違いない。その時、ターゲットになるのは、間違いなく団塊の世代の、極めて平均的な経済力を持った人間。つまりマスが主体となるだろうね」

「そうなると、例えば東京辺りでそうした施設を建てようと思えば、用地だって纏まったものを見つけるのは難しいよな。結局、街の真ん中にこちらに一つ、あちらに一つといった具合に分散していかざるを得なくなるんだろうな」

「だろうね」

私は牛島の言葉に肯きながら言った。

「となるとだぜ、基本的な建設コストは随分高いものについちまうんじゃねえのか。上に建てるもので土地代が変わるわけじゃないもんな。結局賃貸マンションを借りて住むのと何の変わりもないってことになるじゃん」

「そうだな。もっとも、家族何人かが住むってわけじゃない。夫婦二人が精々。広くとも1LDK、ワンルームだってありだろうから、今まで住んでいた家を売り払えば、それほどの負担にはならねえと思うよ」

「そうかな」私は受話器を改めて持ち直すと、いよいよ本題へと話を向けにかかる。「お前は、まだ現役だからそんなこと言えんだよ。なるほど四井のような大企業の人間には、都会でワンルームや1LDKのマンションを借りるって感覚で老人ホームに入れんだろうが、世の中そんなに恵まれた人間ばかりじゃねえだろ。一旦定年を迎えたら、次の仕事にありつけるのはまずないと考えていい。大体、働き盛りの人間にしたって、今じゃ派遣が当たり前になって正社員になれりゃめっけもんってとこまできてんだ。この傾向はこれから益々《ますます》顕著になるだろう。なにしろ、派遣なんて欧米じゃ随分前から当たり前の話だったからな。それが何十年も遅れて来ただけの話だもんな。これから十年、二十年スパンで考えれば、まともに退職金さえ貰えない人間ばかりってことにもなりかねないだろ」

「う〜ん。そう言われりゃそうかも知れんな。お前の言うように今の日本じゃ、すべての業種で派遣が大流行だ。俺も最近知ってびっくりしたんだが、ゴルフ場のキャディだって派遣だもんな。日によって業務量が違う職種や、単純労働、お天気商売なんて、皆派遣になっちまうだろうな」

「って、ことはだ。同じ広さ、同じクオリティの物件に住むなら、安いに越したことはねえ。そう考える人間が圧倒的多数を占める時代が来ると思わねえか」

「そりゃそうだ……ろうな」

さすがに牛島も気配を悟ったらしい。

「お前、何考えてんだ」

警戒するような口調で訊ねてきた。

「俺が言いたいのはさ。どうしたら安く快適、かつ医療の心配もない老人ホームを建てられんのかを考えるべきだってことなんだよ」

「ってところを見ると、何か考えてることがあんだな」

「あるからこうしてお前に電話してんじゃないか」

「俺に言っても無駄だよ。老人ホームのプロジェクトは俺の職務の範囲外。組織にいた人間なら知ってんだろ。他人の仕事に口出しできるわけねえって」

「そんなこたあ百も承知で言ってんだ。まあ俺の話を聞くだけ聞けよ」

私は宥《なだ》めるように言うと、続けた。

「改めて言うまでもないことだが、都市部の家やマンションの値段が地方に比べて馬鹿高いのは、土地の価格が高額だからだ。上物の建設費は、日本全国どこでもそう変わりはねえ。加えて、都市部、特に東京のような大都市と、地方とでは人件費にも雲泥の差がある。つまり、同じスペックで老人ホームを地方に建てりゃ、土地代金と建設に従事する作業員の差額分はまるまる安くなるというわけだ」

「ははーん。分かった、お前自分の町に老人ホーム建てようとしてんのか」

「その通りだ」

「意外とつまんねえこと考えんだな。お前の町が財政破綻寸前まで追い込まれたのは、公共事業で無駄な上物建て続けた結果だろ。その間違いを町長になった途端に繰り返そうってのか？　それじゃ破綻に向かってるのに拍車をかけるようなもんじゃん」

「そうじゃねえよ。人の話は最後まで聞けよ」私は、苦笑いを漏らした。「ここ数年、これから退職して老後の生活に入る人間たち、手っ取り早く言やあ団塊の世代をターゲットにして、様々な業種が老人ホームや介護施設を建設してるよな。四井もその事業に乗り出そうとしてる」

「そうだよ。団塊の世代は六百八十万人とも、八百万人とも言われてんだ。しかも、日本人の平均寿命は延び続けていて、男が七十八・五、女は八十五・五歳だ。つまり、七十歳で老人ホームに入ったとしても男で八年。女なら十五年は施設にいるって計算になる。まあ、老人ホームを長期滞在型のホテルと考えるなら、これほどありがたい客はいねえ。しかも人間は必ず老いるものだからな。客が途絶える心配もないってことだ。ビジネスとして捉えれば、有望な市場だよ」

「でもな、それはビジネスを展開する企業の理屈だよな」

「どういうことだよ」

「入居する人間にしてみりゃさ、様々な会社がてんでばらばらに老人ホームをぶっ建てたって、居心地のいいホテルに滞在できるか、あるいは夜露を凌《しの》げる程度の木賃宿《きちんやど》のようなところに入らざるを得ないかは、それこそ金のあり無しによるってことになるじゃねえか。唸《うな》るほど金を持ってる資産家はいいだろうさ。でもな、大方の場合、現役を終えた後は、退職金と年金で暮らしていくしかない。粗末な施設に押し込まれて、余生を送るのは豊かな老後とはほど遠いってことになる」

「しょうがねえだろ。これはビジネスなんだ。民間が乗り出す限り、儲けにならねえことをするわけねえだろ」

「お前、さっき俺が施設の入居価格を決めるのはロケーションによるところが大きいって言ったこと覚えてっか？　都会の真ん中にマンション建てりゃ、イニシャルコスト、つまりこの場合土地の代金が高ければ入居価格も高くなる。それに間違いはねえよな」

「ああ、そうだよ」

「建物の規模も価格に影響するよな」

「もちろん。簡単な理屈だよ。広大な敷地に一軒屋敷を構えんのか、高層マンションをぶっ建てんのかの違いだもん。一概には言えないが、規模がでかくなればなるほど一戸当たりの建設コストが低くなると考えていい」

牛島は私の予想していた通りの言葉を吐く。

「老人ホームとなれば、入居者を介護する人間の人件費もかかるよな。それだって都市部と、地方とでは雲泥の差がある」

「だろうな。都市部の物件の入居価格が高くなるのは、イニシャルコストに加えて、オペレーションコストが高いってことも影響するからな」

「実はな、牛島。ウチの町には三万坪もの整地済みの土地があんだよ。工場誘致用地として町が用意したもんなんだが、蓋を開けてみりゃどこの企業も来やしねえ。草ぼうぼう、使い道の全くねえ土地が、眠ったたままになってんだ」

「そこに、老人ホームを建てろってのか」牛島の嘲《あざけ》るような笑いを含んだ声が聞こえてくる。「無理だよ。無理」

「何で?」

「だって、お前。そんだけの用地を用意したにもかかわらず、企業の一つもやってこねえってのは、そこに工場を建てても何のメリットもねえって判断されたからだろ。交通の便が悪いとか、事情は様々だろうがよ」

「確かに、工場をこんな町に建てませんかって持ちかけられても、俺が経営者だったら首を縦には振らんさ。人件費にしたって、中央への物流経費にしたって、中国辺りに工場建てた方がよっぽど安くつくもんな」

「だろうね」

「でも、これが人が定住する、豊かな老後を送る場所となれば別だと思うんだ」私は一気《いっき》呵成《かせい》に話を進める。「産業に適したロケーションと人が本当に豊かな生活、特に老後を過ごす場所は全く違うとね」

「お前、豊かな老後って簡単に言うけどよ。都会に住み慣れた人間と、田舎でしか暮らしたことのねえ人間とじゃ、その豊かさの定義に大きな違いがあんだよ」

「どんな?」

「例えばだね、引退してもたまには繁華街に出て食事や買い物もしたいだろうし、文化的香りのするイベントに出掛けたりもしたくなるだろうさ。多分、お前の町には豊かな自然もありゃ、物価も都会に比べりゃ安く済むんだろうが、それだけじゃ退屈しちまうのは目に見えてる。それだけじゃねえ、お前のコンセプトには決定的な欠点がある」

牛島はきっぱりと言い放った。

「欠けてるもんって何だよ」

「家族だ」

「家族？」

「都会に住んでる人間が、老後を暮らす物件を都市部に求めるのは、同居はできないけれど、電車ですぐのところにいる息子や娘、孫にも会おうと思えばいつでも会えるからだよ。それが宮城の田舎に移り住んじまえばいかに東京から新幹線を使えば三時間程度と言っても、金と手間を考えりゃいつでももってわけにはいかねえだろうが。老人は誰でも寂しいもんなんだよ。老人ホームに入らなきゃならなくなっても、子供や孫と好きな時に会いたいと思ってるんだよ」

確かに牛島の言うことには一理ある。しかし、これも私にとっては予《あらかじ》め想定していた返答だった。

「お前、確か宮崎の出だったよな」

私は反論に出た。

「そうだけど……」

「両親は健在なの？」

「ああ、二人とも達者でいるよ」

「子供連れて、両親の元を年に何回訪ねる？」

「年に何回も行けるわけねえだろ。家族四人で一回帰省すれば、飛行機代だけでも二十万以上が吹っ飛んじまうんだぜ。それに手ぶらで帰るわけにもいかねえ。土産も持っていかなきゃなんねえし、小遣いだってやらなきゃならねえ。数年に一回がいいとこさ」

「大四井の次長は世間相場からすりゃあ、飛び抜けて高額な給料貰ってんだ。それでもその有り様だ。一説には東京の人口の六割は地方出身者で占められてんだ。盆暮れには民族の大移動と言われる勢いで、東京から各地に向けて人が出て行く。おそらく、毎年家族で帰ることは叶《かな》わず、お前のように数年に一回って人間だって少なくないだろうさ。現実を言えば、家族が傍にいるかいないかなんて気分的なもんで、実際のところは離れて暮らしていても同じこったろう」

「現実はそうだろうが、その気分が問題なんだよ。最も大切なんだよ」

牛島は苛立《いらだ》ちを隠そうともせず、声を荒らげる。

「じゃあ、お前は老後は宮崎の田舎に戻って、両親の傍で暮らすのか。その文化的生活とやらを捨ててさ」

「俺？　俺かぁ――」

牛島はいざ自分のこととなると考えてもいなかったらしく、口籠って次の言葉が見つけ出せないようである。

「お前だって、今のままなら後五年で定年だ。そろそろ先のことを考えとかなきゃなんねえんじゃねえのか」

「そうだなあ……。まあ、その頃には家のローンは払い終わってるし、親に万一のことがあれば、とりあえず田舎に帰って親の面倒をみることになんだろうなあ」

「その後は？」

「親を看取った後、東京で生活するとなりゃ家をバリアフリーに改造しなけりゃなんねえだろうな」

「家をリフォームするには、結構な金がかかんぞ。第一その頃には家そのものが、結構ガタがきてて死ぬまで住めるって保証はないんじゃないのか」

「まあ、そういうこともあんだろうなあ」

「じゃあ、有り金使って、老人ホームに住むって選択肢も当然出て来るよな」

「可能性としては否定できないね……」

誘導尋問である。牛島の声が俄に沈んでくるのが分かる。それを裏付けるように、

「何だか、俺、気分が暗くなってきた……」

牛島はポツリと漏らす。

「退職金には限りがある。入ってくるのは年金だけだ。それでいつまで生きるか分かんねえ余生を送らなきゃならねえ。当然奥さんのことも考えなきゃなんねえわな」

「そらそうだよなあ」

「お金は大事だよぉ。お前の言うところの文化的生活を送るために狭い部屋に住んで、高い月額利用料を払い続けんのか？　それとも、同じクオリティの部屋やサービスをもっと安い料金で享受できる方を選ぶか、どっちが得か考えないか？」

「うーん」

牛島は唸り声を上げ沈黙する。

「お前のところは子供何人いたっけ」

「二人……上の娘は一昨年大学を出て都内で就職してるし、下の息子は来年大学を出て、東光《とうこう》商事に就職が内定している」

「娘さんはともかく、息子さんの勤務先が同業の大手総合商社ということなら、当然海外駐在だってあんだろ」

「多分……」

「発展途上国への駐在なら、一年に一度は帰って来れんだろうがよ、先進国なら二年に一度だ。それに赴任先は何も海外とは限らねえ。四井も東光商事も全国各都道府県に支社、支店を置いてるんだ。もし地方勤務になりゃ、東京に帰ってくるのは自腹。しかもそん時は家は老人ホームに入るために売っ払っちまってもうない。さて、それであなたの子供たちといつでも自由に会える環境にあると言えるでしょうか。息子が家族を連れて、頻繁にあなたの元を訪ねてくれるでしょうか」

「おそらくないだろうなあ……」

「世間相場からすりゃ恵まれた退職金を貰い、家のローンさえ退職時には支払い終えてるお前にしたところで、老後の生活資金には不安を覚えるほどだ。平均的な給与しか貰っていないサラリーマンにとっては、これは本当に深刻な問題だと思うよ。じっくりと考えれば考えるほどにね。むしろ、日頃の生活費を安く上げて、ＪＲのジパング倶楽部にでも入って年に何度か割引運賃で子供の元を訪ねる。そっちの方がよっぽど賢い生き方だと思わねえか」

「そう言われっと、一考の余地はあるような気がしてくんなぁ」

「だろう?」

私は思わず笑みを浮かべながら、牛島に同意を促したが、

「しかし、どうも引っかかかんだよなあ」

奥歯に物が挟まったような言葉が返ってくる。

「何が引っかかんだよ」

「いや……これ言ったらお前が気を悪くするだろうから止めとくよ」

「いいから正直に思うところを聞かせてくれよ」

「これが、南の島とか、温暖な気候のとこならその気にもなるかもしんねえけどさ、何か東北ってイメージ暗いじゃん」

思わず私は溜息を漏らしそうになった。

東北——。この地域名を出しただけで、おおよその日本人が思い浮かべるイメージは決まっている。山に囲まれ、暗く寂しく文化とは無縁で都会の華やかな世界とはおよそかけ離れた地域。第一、誰が言い出したものかは知らないが、私が子供の頃は隣の岩手に至っては、『日本のチベット』と侮蔑《ぶべつ》的な言葉で公然と言われていたくらいだ。そうしたイメージは今も尚《なお》、日本人の潜在意識の中に深く刻み込まれているのは事実である。

「確かに昔は東京に比べりゃ遅れていたことは事実さ。だけどね、新幹線や高速道路が整備された今となっては、そんなの過去の話だね。新幹線や高速道路網を整備すりゃ、地方にも産業がやって来て、町も活性化するってのが、馬鹿な政治家の目論見だったんだが結果は全く逆さ。都市部へのアクセスが良くなりゃ、若い人間はどんどん都会に出て行く。結果、地方は活性化するどころか町は寂れ、残ったのは年寄りだけってことになっちまったんだよ」

「だろう」

「しかし、ここで面白いことが起きた。人は出て行ったが、文化や生活環境という意味ではまったく逆で、都市部との差が極端に無くなっちまったんだよ。日本から地方色というものが消えうせ、どこの街に行ってもミニ東京。金太郎飴みたいな街ばっかになっちまったのさ。むしろ、程よく自然と都市文化が混在している分だけ、遥かに住みやすい環境が整ったと言ってもいいだろうね」

「お前はそう言うけどさ、老人ばっか集められた町に住むなんて、姥捨山《うばすてやま》に追いやられたような気がしねえ？　それも生活コストが安いってだけで、背に腹はかえられないだなんて、ますますそんな気持ちに拍車をかけるよ」

「じゃあ、軽井沢《かるいざわ》ならどうなんだよ。夏の気候は快適だが、冬の寒さはここの比じゃない。にもかかわらず、別荘族だけじゃなく定住者が増え続けてるってのはどういうことだよ」

「軽井沢はブランドじゃん。そこに住んでいるってだけでステータスになる。夏の賑《にぎ》わいも、適度に都会を味わわせてくれるし、別の次元の問題だね」

「だから、繰り返すが、軽井沢に住めない極平均的な退職者を集めて、快適な町を造ろうってんだよ。それに年寄りばかりって言うがな、俺が建てようとしてるのは何も老人施設だけじゃねえんだぞ」

私はいよいよ、緑原再建プランの核心部分に話を向けた。

「老人を集めるこの町のコンセプトは、老人の定住型テーマパークだ。豊かな自然の中で、四季のうつろいを肌で感じながら野山で遊ぶも良し、畑で作物を作るも良し、釣りや狩猟、陶芸をするも良し、プールもあればディスコもある。ゴルフだって都会とは比較にならないほど安い料金でできる。そんな町を造りたいんだよ。これは決して夢物語じゃねえぞ。ディスコはともかくとして、他の施設はすでに町の中にほとんど利用者がいないまま現存してるんだ。医療施設にしたって、最先端の検査機器を備えた病院があるんだ。しかもＭＲＩやＣＴの検査だってその日のうちにやって貰える。後は肝心の住居を造り、居住者を募集すればいいだけなんだからな」

「どんだけの人を集めるつもりか知らねえが、年金生活の年寄りばかり集めてどうやって町の財政を建て直すつもりなんだよ。税収なんてたかが知れてんだろうが」

願ってもない展開になってきた。私は声に力を込めた。

「牛島、よーく考えろ。年寄りが集まりゃ、介護する人間が必要になんだろうが。施設で働く清掃員や料理人、農作業をやりたいって人間がいりゃ指導員がいるだろ。農地を借り上げてやりゃ、農家は現金収入を得られんだろうが。俺は老人の住居と同時に、少なくとも介護士としてここで働く人間たちの住居も同時に同じ敷地の中に造りたいんだよ。もちろん三万坪の敷地は、無償で貸与する。そうすれば固定資産税や法人住民税だけでなく、関わる従業員の住民税も入って税収が飛躍的に、かつ安定して上げられるというわけだ」

「なるほど、それがお前の狙いか」

牛島の口調が変わった。否定から肯定へと緩やかに彼の思考が流れて行く気配が感じられた。

「従業員の住居棟を同じ敷地に造るのは、もう一つ大きなメリットがある。老人はいつ体調を崩すか分からない。年月が経つにつれ、介護を必要とする老人も多くなるだろう。当然、二十四時間のシフト勤務が必要になる。万一の事態が発生しても、すぐに介護士が駆けつけられるのは、居住者に大きな安心感を抱かせるだろうし、そこで働く介護士にとっても通勤時間が事実上無しというのは、負担が軽くて済むからな」

「考えは分かった。しかし、果たしてお前の考え通り事がうまく運ぶかな。本当にそれほど魅力に満ちた町なのかな。言うは簡単だが、現実はそんなに甘くねえんじゃねえのか」

牛島が疑念を覚えるのはもっともである。正直な話、私にとってもこれはやってみなければ分からない賭けなのだ。

「だから都市開発のプロであるお前に一度この町を見て欲しいんだよ。どうだ、季節もいいことだし、一度こっちへ来て貰えないだろうか。もちろん旅費は町が出す」

「大丈夫かよ。確か、百五十億だかの赤字抱えてんだろ」

「そんだけ借金がありゃ、三万円やそこらの旅費なんてどうってことないさ」

「見るのは構わんが、その後俺が手助けできるかどうかは分からんぞ」

「それは承知してるよ。四井が駄目なら、他のパートナーを探す。それだけだ」

「よし、それじゃ来週の週末。土曜日の朝一の新幹線でそっちへ行こう」

「来週の土曜、朝一の新幹線だな。仙台駅まで俺が迎えに出る。改札で会おう。それからゴルフバッグを持って来てくれるか。日曜に一緒に廻ろう」

「分かった」

牛島が実際にこの町を見て、どんな判断を下すかは分からない。しかし、ただ漫然と景色を眺めさせ、候補用地を見せただけでは彼も判断がつかないだろう。約束の日まで、あと十日。その間に町の概要、それにアピールできるポイントをプレゼン資料として纏めておかなければならない。

もっとも、彼が好反応を示したところで四井の老人ホームプロジェクトを緑原に誘致できるものではないことは百も承知している。問題は住宅建設のプロの目にこの町がどう映るかだ。魅力ありと判断されれば良し。そうでなければ別の手だてを探さなければならない。脈ありとなれば彼も馬鹿じゃない。これほどおいしい話を放っておくわけがない。しかるべきアクションを必ず起こすはずだ。

私は置いたばかりの受話器を持ち上げると、

「俺だ。悪いがすぐに町長室に来てくれ。頼みたいことがある」

クマケンに告げた。

＊

「そんでや、鉄ちゃんの同期の人っつのが、来週の土曜日に来るがら、それまでにプレゼンの資料を用意しろっつんだね」

クマケンは牛島が緑原にやってくることを告げると言った。

「まず、用意して欲しいのは町の概要の資料。米、野菜や肉といった生鮮食料の収穫量は完全に把握しておけ。工場誘致用地の図面とボーリング検査の資料。町のアピールポイント。特に余暇を過ごす場所となる釣り場、陶芸の登り窯、プール、図書館、ゲートボール場、リンゴ園の概要、三陸海岸へは、実際に足を運んでもらうから視察ルートを決める。それから一番近いゴルフ場に日曜日の予約をしてくれ。晩飯はそうだな、柔寿司を土曜日の夜に予約だ。いつものネタじゃない。東京から来る大切な客を接待すんだ。そのことを充分に伝えて、石巻《いしのまき》の市場から最高の食材を入れさせろ。アワビと今なら岩牡蠣《がき》がちょうどシーズンだ。それは絶対に欠かすな。プレゼンはこの役場の会議室を使おう。お前パワーポイント使えっか」

せわしげにメモを取っていたクマケンが顔を上げ、

「使えるごとは使えっけんとも、見栄えがいいものをどなっと、広報課さ頼んだ方がいいど思うんだけんど――」

　ちょっと困惑したように言う。

「そうだよな。資料作らせんのに助役のお前にやらせるわけにはいかねえよな。とにかくしっかりしたもんを作ってくれんなら誰でもいい。任せるよ」

「分がりゃんした」

「それから、牛島には実際に釣りをやって貰おうと思うんだが、確か前に町裏を流れてる小川でも岩魚《いわな》が釣れるって言ったよな。しかもご飯粒で。あれ、本当の話だろうな」

「嘘でねがすよ。本当の話だよ」

「今でもそうなのか」

「町裏でも大丈夫だげんと、鉄ちゃん、そんでや都会の人の岩魚に対するイメージがぶち壊しだべ。やっぱ雰囲気つうもんが必要だど思うんだよね」

「そりゃそうだ。グッド・ポイント」

　クマケンが嬉しそうに顔をほころばせる。

「少し上流さ行くど、ほれ、牛洗い《うしあら》淵《ぶち》っつう岩場がありすぺ。子供の頃良く泳ぎさ行った」

　町に初めてのプールができたのは、私が中学三年の時である。それまでは、夏休みには学校で決められた川で泳いでいたものだったが、牛洗い淵というのはその中のポイントの一つで、剝《む》き出しになった巨大な岩が川に沿って連なり、ちょっとした渓谷という様相を呈していて雰囲気的には確かに都会の人間が岩魚の住み処に抱くイメージそのものである。

「うん、あそこなら申し分ないな。しかしクマケン、ちょっと気になってたんだが、一体いつからあの川で岩魚が釣れるようになったんだ。俺、子供の頃に釣りにハマった時期があったんだが、岩魚が釣れた記憶なんてないんだけどな」

「それはね、十五年ほど前になっぺが、町興しの一環として、岩魚、山女《やまめ》、ニジマスの稚《ち》魚《ぎょ》を町中の川さ放したのっす。もっともあの頃は近隣の町でも同じようなごどをやったもんだから、町外からわざわざ釣りさ来る人もいなくて、今ではでっかくなってる上に、野生化すてすまって――」

「誰も釣んねえの？」

「釣ってなじょにすんの」

「食うんだよ」

「あのね、鉄ちゃん。この辺の人は、川魚は食わねえよ。それに農業用水用のダムを造ったすぺ」

「ああ、あのパイプラインで水汲《く》み上げておくやつな」

「あそごさ、いつの間にがブラックバスを放したやつがいんだよね。それがまた、繁殖してでっかくなってるもんだから、釣りをする人は、食うなら海、遊ぶならバスっつうごどになってすまったの」

クマケンはロッドを振る仕草をした。

「そんなことになってんのか！　岩魚や山女、ニジマスだけじゃなくバスまで釣れんの」

「バスはそごだけでねえよ。ここら辺の沼やちょっと大きな池は、バスだらげだよ」

本来ならばけしからん話以外の何物でもないのだが、こうなってみると何が幸いするか分からない。

都会では一日仕事で出掛けなければならない釣りの獲物が、思い立った時にいつでも釣れる。これは釣り好きにはたまらないだろう。

「陶芸の工房は土曜日やってんのか」

意を強くした私は話題を変えた。

「大丈夫だでば。陶芸はこの辺の高齢者の間でも随分熱心にやってる人がいでね。土日は工房で陶芸教室をしてんのっす。時間を合わせればその様子を見れっぺがら、イメージ湧ぐんでねえべか」

「ビンゴ！」

私は快哉《かいさい》の声を上げた。

「何す？」

クマケンは理由が分からないとばかりに耳に手をやる。

「いや、何でもない」私は慌てて、「で、リンゴ園はどうかな。無理だよなこの時期は……」

と訊ねた。

「いや、そんでもねえど思うよ」

「もう実が生《な》ってんの」

「早生《わせ》の『祝《いわい》』っつう青リンゴはまだ食えはしねえげんとも、実は膨らんでんでねえがな。もっとも、今の時代に青リンゴを食う人はまずいねえがら、あっても少しだべね」

「充分だよ。あると無いとでは大違いだからな」

「そんでいいんだったら、祝を栽培してるリンゴ園に連絡しておぎゃす」

「良し！　これで後はプレゼン資料ができれば一応準備完了だな。当日の天候がいいことを祈りながら待つだけだ」

久々に精神が高揚して来る実感が全身に漲《みなぎ》る。

「鉄ちゃん……」

そんな私の様子をじっと見詰めていたクマケンが、ぼそりと呟いた。

「何だ？　どうした」

「大丈夫だべが」

「大丈夫って何がだよ」

「東京がら鉄ちゃんの同期の人が来てけでも、果たすてこんただでかいプロジェクトが実現すんだべが。すたどしても、完成するまでには大分時間がかかっぺ。それまで町の財政が持つべが」

「そりゃ、俺にだって分かんねえよ」不安の色をあからさまにするクマケンの顔を見ていると、気分が急速に萎《な》えて行く。「クマケン、いや今までの町政を預かってきた人たちには分からんだろうが、民間企業、特に商社ってところは儲けにならねえビジネスは絶対にしない。俺は穀物部門しか担当したことねえから、あれだけの敷地に巨大な上物をぶっ建てるのにどれだけの資金を投じなければならないのか、正直なところまったく見当もつかない。ましてや、今回の場合は、施設を建てんのも運用に関しても第三セクター方式じゃない。四井の単独事業だ。仮に事業に興味を示したとしても、実際に建設が始まるまでには乗り越えなきゃならないハードルが幾つもある。ゴーサインが出たとしても、すぐには本格的な建設は始まらない。モデルルームを都内に造る、もちろんここにも造らなきゃならないだろうし、そこで老後を考えている人たちの反応を見るだろう。あるいはツアーを組んで、直接この町に足を運んで貰わなければならないかも知れない。もし、その時点で入居者が集まらなければ、計画はキャンセルだ」

「勝算はあんのすか？　正直なところを教えてけらい」

「俺は……俺は、あると思っている」

私は一瞬、言葉に詰まりながらも断言した。

「本当すか」

クマケンは必死の形相で迫ってくる。

「人はな、必ず老いる。そして現役を退いた瞬間から、手元にある金がなくなるのが先か、あの世に行くのが先かの競争が始まんだ。子供が親の面倒を最期までみるなんて時代はとうの昔に終わっちまってるんだよ。いやみたくともみられない時代が来ちまってるんだ。そんな人間が、あと数年で八百万人も出てくんだぞ。もちろん中には金に不自由しねえ人間もいれば、子供が最期まで同居して面倒みてくれるってのもいるだろうさ。だけど、そんなもんは全体から見りゃ、ほんの一摘《つま》みだ。なぜなら、この団塊の世代こそが、田舎を捨てて都会で働く、そうしたライフスタイルを確立した人間たちだからだ。同時に老いて死ぬことの大変さも知っていれば、看取る側の大変さを誰よりも熟知している世代でもある。俺たちが、何の憂いも無く最期を迎えられる環境を整えてやれば、必ず入居希望者は集まる。牛島はそれを『姥捨山』なんていいやがったが、姥捨山だっていいじゃねえか。俺たちが造る姥捨山は悲惨なもんじゃねえ。年寄りの楽園にしてやりゃいいんだよ。心配すんなクマケン。仮にだ、一万人に四人の人間が集まってくりゃ、三千人以上もの入居者が出んだかんな。そう思えば満更現実性に乏しい数字とも思えねえだろ」

本当のことを言えば、私に確信なんてありはしなかった。ただ指揮官は部下の前では決して動じた姿を見せてはならない。軍人勅諭《ちょくゆ》のようだが、これが会社で一つの部を預かるうちに身に付けたことだ。

「そうなれば、あんだが閉鎖するって語ってだ施設もそのまんま使えるす、役場職員も解雇すなくともいいつうごどだね。万事がうまくいぐっつうごどだね」

「そういうことだ。とにかく、四井が乗らなきゃ乗らないで次を探せばいいんだ。これから老いを迎える老人は、この緑原近辺だけでも幾らでもいいんだからさ」

私は、そう言いながらクマケンの肩をポンと叩いた。

＊

仙台駅から二十分も走ると、周囲は広大な平地に見渡すばかりの田んぼとなる。膝丈まで伸びた稲はまさに緑の絨毯《じゅうたん》といったおもむきで、遠く奥羽山脈の山並みが霞《かす》んで見えた。

時刻は間もなく八時半になろうとしていた。牛島が東京を出たのが午前六時ちょうど。仙台には七時四十五分に着いてしまうのだから、料金を考えなければこの程度の通勤時間を毎日費やしているサラリーマンは東京にはざらにいる。今日は土曜日。舗装された県道を走る車は少なく、すれ違う車はほとんどない。

快適なドライブだった。仙台市内にこそ信号は無数にあるが、この辺りまで来ると交差点にも一時停止の標識があるだけで、車が止まることはほとんどない。何しろ、緑原には町の中央に一カ所信号があるだけで、半径九キロ以内には他にそんなものは設置されていないのだ。

『緑原町役場』と書かれた白いカローラのライトバンの後部座席で、私と並んで座る牛島が、

「のどかって言やあその通りなんだが、いや、こりゃ酷《ひで》え田舎だな」

朝早くに家を出たせいもあってか、生あくびをかみ殺しながらぼそりと呟く。

ハンドルを握るクマケンは牛島の反応が気になってしかたがないのだろう。果たして彼の肩がぴくりと動くのが分かった。

「地方の町なんて、基幹都市を一歩出りゃ同じようなもんだ。東京がでか過ぎんだよ。人間なんて勝手なもんで、都会で暮らしてりゃ、やれキャンプだ、ハイキングだと言って、自然を恋しがる。あげくの果てには遠出をしても人だらけだとブウたれるじゃねえか」

私は即座に牛島の言葉を否定しにかかった。

「だけどな山崎、たまさかの休暇で田舎に出掛けんのと、まったく縁のねえ田舎を終《つい》の住み処にすんのとでは別もんだぜ。仮にこんな所に老人ホームをぶっ建てても、この光景を

見ただけで、いったいどんなところに連れて行かれんのか不安になっちまう」

「そら、ネオンぎらぎら、いつでも車の走る音を聞きながら生活している人間にとっちゃ、とてつもない田舎に来ちまったと思うかもしんねえけど、んなもん慣れの問題だよ。忙しく働く現役の人間たちの気配を感じながら、ワンルームのアパートに毛が生えたようなところに住んで、息を凝《こ》らして一日が過ぎるのを待つ老後がそんなにいいかね。外に出りゃ出たで、マミーカー押して車に撥《は》ねられやしねえかと怯《おび》えて過ごすのが幸せかね」

「しかし、お前、今の時期こそ緑豊かでいいんだろうが、冬になればこれが一面枯れ野原になっちまうんだろ。老人はただでさえ、気弱になるもんだ。そんな光景を数カ月も見続けたら、鬱《うつ》になっちまうんじゃねえのか」

「だから、そういう気持ちにさせないために、余暇を楽しく過ごしてもらう工夫をすんだよ。それとも何か、これが南の島なら年中気候は温暖。年寄りは快適に住めるとでも思ってんのか」

私は声に力を込めた。

「気候が温暖ってのは、それだけでも売りになるからな」

「そうかな」私はすかさず疑義を唱えた。「暖かいところが年寄りには向いているってのは、それこそまだ体力気力に余力のある人間の思い込みってもんじゃないのかな」

「どうして」

「前にロンドンに駐在してた頃につくづく思ったんだが、霧のロンドンって言われるように、あの街は本当に辛気臭いところだ。だけどな五月の新緑の頃に、木々が一斉に芽吹くと、それまで暗かった分だけその美しさが目に染《し》みる。生きている喜びが体の奥底から湧き上がってくる。年がら年中温暖ってのもいいが、やっぱり季節にめりはりがあった方が、時のうつろいってもんを感じる。第一、年中周りの光景に変化がなかったら、年寄りは、あっという間に惚《ぼ》けちまうぞ」

「なるほど、ロンドンか……。確かに季節のうつろいってのも、必要かも知んねえな。生まれてからずっと、温暖な土地で過ごしてきたってんなら別だろうがな」

牛島は妙に納得した口調で肯いた。

「行ってみりゃ分かるが、緑原には恵まれた自然がある。都会では味わえない余暇を過ごせる環境が今でも整っている。ただ一つ欠けているものは、恵まれた住環境と介護人口だけだ。それらが整備されれば、魅力を感じてくれる人間は少なからずいると俺は思っているんだがな。それにこのところの地球温暖化で、数年もすりゃ日本も亜熱帯化してくんじゃねえかって言われてんだ。だったら北国や標高の高い方が高齢者には過ごしやすいってことにもなんだろうが」

そうした会話を続けているうちに、十分が経った。車の行く手に緑原の町が見えてくる。

「ここが緑原だ」

私は言った。

かつて商店が軒《のき》を連ねた町のメインストリートに人影はない。シャッターが下りた家々が続いているだけだ。

「人、住んでんのか」

牛島が訊ねた。

「ご多分に漏れず、ここも若者の流出に歯止めがかからなくてね。人口は一万三千ちょっと。若い人間はでかい買い物をする時は仙台か隣町のバイパス沿いにあるショッピングモールに行っちまう。もっともこんな町でもそこそこの規模のスーパーだけで三軒もあるんだ。日々の食料や日用品を買うには困ることはないがね」

「町長、最初に家の方さ車を止めるすか」

クマケンが車の速度を緩めながら訊ねてきた。

「荷物を下ろして、少し休んでから視察に出て貰おうか。クマケン、少し待っていてくれるか」

「分がりゃんした」

荷室の中からゴルフバッグとボストンバッグを取り出し、自宅の門を潜《くぐ》った。

「ひやあ、すげえ屋敷だな。これがお前の家か」

確かに私の家は都会のスタンダードからすれば、豪邸以外の何物でもない。かつて造り酒屋をやっていた名残で敷地は二千坪はくだらないし、武家屋敷のような門、母屋、離れ、酒蔵も三つある。庭はさほど大きくないと言っても、手入れの行き届いた庭木が並び、小さいながらも庭には築山《つきやま》があり、池には錦鯉《にしきごい》が泳いでいる。

「昔、造り酒屋をやっていたもんでさ。もっとも蔵は今じゃ農機具のショウルームだ」

私は先に立って玄関へ入ると、

「おおい、佳世子」

奥に向かって声をかけた。

「牛島さん、遠いところご苦労さまでございます」佳世子が現れ、上がり框《がまち》にスリッパを置いた。「酷い田舎でびっくりしたでしょう」

「いやあ、日本の田舎なんてどこに行っても同じようなもんです。私の田舎の宮崎なんてもっと酷いですよ」

まったく調子のいい男である。さっきまであれほど、田舎だ田舎だと繰り返していたのに、社交辞令にしても人間こうも変わるものかと私は苦笑いを浮かべた。

「まあ、ちょっと休んでくれ。視察に出掛ける前に町の概要を話しておこう」

応接間に通したところで、牛島はソファに腰を下ろした。彼に正対する形で座ると、資料を取り出した。

「緑原の主要産業は農業だ。それも稲作が中心で、ブランド米とはいかないが、美味いコシヒカリが採れる。量は自家消費を賄《まかな》って余りある程で、この辺りの住民がスーパーで米を買うことはほとんどない。それからリンゴも町の主要農産物の一つで、都会で流通しているものより遥かに多い種類が採れる。作付け面積は青森には及ばないが、その分だけ手入れは行き届いていて味の点ではどこにも負けない。トマト、キュウリ、レタス、白菜、大根といった野菜はほとんど採れるし、バジルやコリアンダーといったハーブも自家消費を上回る量が採れるんだが、こちらは流通させるほどの規模での栽培は行っていないし、食べ方を知らない人間の方が多いので、もったいないことに雑草扱いだ。さらに特筆すべきは畜産だ。鶏は河北鶏《かほくどり》と言って、東京でもちょっとしたブランドになっているし、豚、牛も高い評価を受けているんだが、ここでの小売値は驚くほど安い」

「ちょっと待て。肉の値段が東京とここじゃ違うのか」

「同じグレードでも半値以下だね」

「どうしてそんなことができるんだ」

「これには、ちょっとしたからくりがあってね」私は前置きすると続けた。「町の肉屋が、面白いビジネスモデルを古くに確立したんだよ。子牛や子豚を肉屋が購入して、成長時の買い取り価格を確約した上で肥育を農家に委託する。肉屋は飼料を一括購入し、農家に通常価格より安い値段で購入させる。つまり肉屋は肥育の手間が省ける上に、飼料の販売で子牛、子豚を購入した原価は回収できる。さらに肉を販売すれば、それがまるまる儲けになるというわけだ」

その時、佳世子がグラスに冷えた牛乳を入れて持ってきた。

「本当ならコーヒーか、お茶なんでしょうけど、牛島さんはこの町のことをお知りになるためにいらしたとお聞きしたので、是非これをお飲みになって」

佳世子は意味ありげな笑みを宿すと、グラスをテーブルの上に置いた。

「じゃあ、遠慮なく……」

牛島は牛乳を口に含んだ。瞬間、「ん」という顔をしたかと思うと、一気に半分ほどを喉を鳴らしながら飲み干す。

「これは……美味いな」

「だろ？　でもこれ、この辺のスーパーじゃ当たり前に、っていうか一番安い牛乳なんだぜ」

「これが？　コクといい味わい深さといい、東京で売ってる牛乳と全然違うじゃん」

「緑原牛乳っていってさ、町の畜産農家から毎日出荷される牛乳だ。中央に出荷するだけの量がないもんで町限定だが、なかなかのもんだろ。しかも一リットルパックで百八十円だぜ」

「ほんとかよ」

「何しろ町民の平均収入が年二百四十万弱しかねえんだ。兼業農家が多いから、何とかやって行けるんだが、都会と同じ値段で物を売ってちゃ、たちまち破産しちまうよ」

「二百四十万！　月にならしゃ二十万かよ、そんなんでよくやってけんな」

「それも学校教師や役場職員、数は少ないが町内に三つある誘致企業で働いている人間の収入を合わせてだぜ。もっとも半数近くは年金で暮らしている年寄りだから、それが平均年収を引き下げているってことにはなるんだが、何とかやって行けてるのは生活コストがいかに低いかってことの証さ」

「二百四十万なんて、俺たちの半期のボーナスじゃん」

「そうだよ。だから、そこそこの企業で働いている人間がここに越してきたら、東京にしがみついているよりも遥かにいい生活が送れるってわけだ」

「なるほどなあ」

「ま、論より証拠だ。これから町を案内しよう。その上でお前の意見を聞かせてくれ」

それから私は、クマケンの運転で牛島を案内して廻った。

箱物行政の名残で余剰となった施設の数々を見ると、さすがの牛島も呆《あき》れた様子で、

「しかし、こんだけのものをよくもまあ、造り続けたもんだよなあ。バブルの頃のバラ撒《ま》き政策で、地方はどこへ行っても同じようなもんだが、俺たち民間の感覚で言ったら、企画の段階で首飛んでるぞ。しかも屋内プールは一日五百円、屋内ゲートボール場に至って

はタダだってんだろ。それに何だよあのスカッシュコートって。ありゃアメリカでも主に一握りのエグゼクティブがやるもんだろ。道具だってこの辺りじゃ売ってねえだろ」

あんぐりと口を開ける。

「その通りだ」

「しかも運動量はテニスの比じゃねえ。若者は平日の日中は仕事に出てんだから、やれるわけがねえ。プレイできるとすれば年寄りってことになるんだろうが、あんなスポーツまじめにやったら心臓麻痺《まひ》起こしちまうぞ」

「だから開設以来利用者なんてありゃしねえんだよ」

「こんなもん建てて、町の住民が喜ぶと思ったのかね。感性を疑うよ」

「でもな、造られちまったもんはしょうがねえ。こいつらを何とか有効利用する手だてを考えなけりゃ、町の財政再建はおぼつかねえもんな」

車が長閑《のどか》な山間《やまあい》の道で止まった。ハンドルを握っていたクマケンが振り向き様《ざま》に、

「町長、牛洗い淵に着きやんしたけど、なじょにしやす」

と訊ねてきた。

「もちろん釣りするよ」

私は牛島を促すと外に出た。

「俺、あんまりそっちの方は趣味じゃねえんだけどな」

「まあ、そういうな。岩魚釣りをこんなに気軽にできるなんて、滅多にねえことなんだからさ」

私は荷室から竿《さお》を二本取り出し、一本を牛島に渡した。

川幅四メートルばかりの川の両側は切り立った岩壁となっており、ちょっとした渓谷といった風情《ふぜい》を醸し出している。その下は笹緑色の大きな淵となっている。辺りには野鳥の囀《さえず》りが聞こえるだけである。長閑な初夏の午後だった。

「山崎、岩魚なんて簡単に釣れんの？　良くは知らねえけど、幻の魚とか、人影を見ると半日は姿を見せねえとか言われてんだろ」

「それはですね、都会の人たづが、勝手にそう語ってるだけで、本当は馬鹿な魚なんでがすよ。誰でも釣れるがら、心配はいりません」

クマケンが鼻を膨らませながら、胸を張る。

「本当かなあ」

「今日は大奮発すて、餌にイクラを用意しやした。この辺の人は、川の石をひっくり返して裏さいるピンチョロや川虫を使うんだけんどもね」

クマケンは甲斐甲斐《かいがい》しく、仕掛けをセットすると、ご丁寧にもイクラを鉤《はり》につけて牛島に手渡した。大名釣りである。

「この仕掛けを流れさ乗せて流すだけです。ブルッと手応えがあったら竿を上げる。それで岩魚が釣れます」

牛島は半信半疑で、仕掛けを川に投じた。流れに乗って目印となった羽浮子《はねうき》が動いていく。ものの数メートルもしないうちに目印がぴたりと止まり、牛島の手が動いた。竿が大きくしなる。

「来たあ！」

笹濁りの水面《みなも》が弾け、銀色に輝く魚体が身をくねらせながら上がってくる。三十センチを超える大物である。錆《さび》色の背には白い斑点がある。大きく開いたどう猛な口には鉤がしっかりと掛かっている。

「第一投から岩魚だぜ。それも大物だ」

私が声をあげると、さほど興味がないと言っていた牛島も満更でもない様子で、

「本当に簡単に釣れるんだな」

驚きの声を上げげた。

「だからクマケンが言ったろ。都会の連中は情報が多過ぎんだよ。こんな時代でも、行くところに行きゃ、岩魚なんてごまんといるんだ。俺も昔、春の中禅寺湖《ちゅうぜんじ》に行ったことがあるんだが、ちょうどマス釣りの解禁日でね。湖岸はどこに行っても釣り師ばっか。それも二メートル間隔くらいで並んで竿を振ってんの。あれじゃ、魚より釣り師の方が多いし、自然と戯《たわむ》れるってよりも、都会の釣り堀に行ってんのと何も違わねえ。こいつら馬

鹿じゃねえのって思ったもんさ。ここにくりゃ、人っ子一人いねえところでなんぼでも釣れんのにね」

「まさか、俺が来るってんで、魚、事前に放したんじゃねえだろうな」

「んなことすっかよ」

私はクマケンと顔を見合わせて笑った。

「本当のことを言えば、牛島さんが釣った岩魚は半分養殖かもせねえごどは事実ですけどね」

「半分養殖？」

「昔、町おこしの一環とすて、岩魚、山女、ニジマスの稚魚をこの辺の川さ大量に放流したのっさ。んだげんとも、この辺りの人は川魚を食う人はあんまりいなくて……」

「何で？」

「川魚は青臭いんだってさ。海の魚の方が美味いんだって。それに周辺の町も、同じようなことをやったもんだから、岩魚も山女もニジマスも珍しくも何ともなくなっちまった。結果、放流された魚は野生化して今日に至る――」

私はクマケンの説明を補足した。

「泊まりがけで山奥にまで出掛ける人間にしてみたら、夢のような話だな」

「老人の趣味としては最高だと思うよ。それにこの上の山に造ったダムにはブラックバスもいるっていうし、三陸に行けば様々な魚が山ほど釣れる」

「坊主はありえません。狙った獲物が必ずかかるとは言えませんが、例えばヒラメが駄目だと分かった時点でカレイやカワハギ、コチなんかに変えたらビク一つ釣れがすよ」

「ふう～ん」

牛島はそれから岩魚を五匹、山女を四匹、そして四十センチはあろうというニジマスを一時間半の間に釣り上げた。

釣りにはそれほど興味がないと言っていた牛島もこうなると上機嫌である。まだ続けたそうな様子ではあったが、それではスケジュールが狂ってしまう。

私は早々に釣りを切り上げ、三陸海岸へと向かった。

＊

柔寿司に着いた時には、午後七時になろうとしていた。

その前に、家で風呂を使って汗を流した。あとは夕食を摂《と》り、早めに床に就いてもらって明日のゴルフに備えるだけである。

十五畳はあろうかという座敷にたった三人。こうなると、大皿に山と盛られた海の幸も、何やらひどくチープに見えてくるから不思議なものだ。予め店主に申し付けていたせいで、小鉢には海鞘《ほや》の酢の物、刺身は中トロ、アワビ、ヒラメ、赤貝、カワハギ。さらには岩牡蠣に三陸ならではのモーカの星、つまり鮫の心臓の酢味噌和《あ》えまで出ている。

冷えたビールで乾杯し、喉が潤ったところで牛島が口を開いた。

「なるほど、実際訪れてみると、東北も満更捨てたもんじゃないな。松島《まつしま》まで三十分。仙沼《せんぬま》、仙台は四十分か。普段は田舎の静かな環境に身を置きながら、適当に都会の生活に気《け》も触れることができる。確かに余生を過ごすにはいい場所ではあるかもしれんね」

「だから馬鹿にしたもんじゃねえって言ったたろ。三陸のアワビ、特に干しアワビは中華料理の世界じゃ超一級品だ。生産されるほとんどが香港《ホンコン》や中国に輸出されてとてつもない値段がつく。最近じゃこの海鞘だ。卸業者によると、こいつも中国の業者が買いあさって、そのうち口にできなくなるって言われてんだ」

「それだけでねがすよ。秋になればシャケが上がってきて、イクラや筋子《すじこ》なんてものはなんぼでも食べれます。サンマだってこの辺りの魚屋に並ぶのは、市場を通さず船から降ろすのを片っ端から選《よ》り分けた、一番脂の乗った高級料亭にしか流れないような最高級品、それが一匹二百円もしねえ値段で買えんのっす」

「今日の料理にしたってだ、これで一人前四千円だぜ。銀座で同じもんを食えば三倍から四倍取られたってしかたねえ」

私はクマケンの言葉を継いで言った。

「まあ、産地が近けりゃ東京じゃ高値のものも安く手に入るのはどこでも一緒だがな。問題はやっぱり冬だろうな。辺り一面枯れ野原。寒風吹き荒《すさ》ぶとあっちゃ、年寄りは散歩もできねえだろ。引き籠ってちゃ惚けちまうだろうし、第一退屈でいけねえ」

牛島は肯定的な言葉を漏らしたかと思うと、その口で即座に否定的な見解を述べる。

「陶芸や水泳、ゲートボール、ディスコといったレクリエーション施設を充実させても駄目だべか」

「熊沢さんね。人の趣味嗜好なんてもんは百人いれば百様でね、誰もがあてがわれた娯楽で我慢できるってもんじゃないんじゃないですか」

「それを言ったら、東京だって同じでねえすか。東京の冬だって寂しいもんでしょ。むしろ若い人たちが寒さにめげずに動き回ってるっつのに、年寄りは狭い家の中でじっとしてる。もちろん、演劇や映画とか娯楽は山ほどあっぺげんとも、先立つものがなければ何もできねえ。結局年金暮らしを強いられる年寄りは、金のかからねえ娯楽を探すしかねえんでねえべが」

「それにもう一つ、ウチの町には決定的なメリットがある」

私は声に力を込めた。

牛島は中トロを口に入れると、

「それは何だ」

と訊ねてきた。

「まずは介護に携わる人間の人件費だ。そしてもう一つは彼らの生活費だ」

牛島は黙ってビールの入ったグラスを傾ける。

「ホテルのような高額料金を取る老人ホームは別として、一般的庶民が入居する老人ホームで働く介護士の給与はべらぼうに安い。勤続五年、介護福祉士の資格を取った人間でも税込みで月十五万から十六万円といったところだと聞く。高度介護者でも介護保険で支払われる金額は最高一日九千円。これで施設を経営していかなければならないとなれば、介護士一人あたりの受け持ち人数が増えない限り昇給は望めない。しかし、一人の介護士が面倒見られる老人の数には限りがある。当然、ボーナスだってあって無きがもんだ。無い袖は振れないからな。若いうちはいいだろうが、大学を卒業して五年もすればそろそろ結婚し、所帯を構えることを考え出す。それでこんな給料で東京で生活できっか？　しかも夜勤まであってこの金額だぞ。労働条件としては極めて劣悪、誰もが転職を考えざるを得なくなるだろうさ」

「安い賃金でもこの町なら暮らしていけるって言いたいのか」

「そういうことだ」

「でもさ、月額十五、六万円なら年収にして二百万弱、お前この町の住民の平均年収は二百四十万そこそこって言ったよな。そんなら町民の平均年収よりもまだ安いってことになるじゃねえか。介護士の労働はそりゃきついもんだ。何しろ年寄りの介護は九時五時ってわけにはいかねえ。高齢者が増えれば増えるほど手がかかる。当然、二十四時間態勢のシフトを組まなきゃなんねえ。なんぼ生活費が安いって言っても、そんな薄給で人がいつくもんかね」

「介護保険料に頼った経営をしていくというなら、同じことになるだろうさ。新介護保険制度の導入は事実上貧しい老人を切り捨てるものでしかない。手っ取り早く言やあ、国は老後の面倒までは見ねえ、自分のことは自分でやれって言っているのと同じこった。これは町長としての発言じゃなく、一国民としての意見だが、こんな酷い話はねえと思っている。戦後完膚《かんぷ》無きまで叩きのめされたこの国を、世界の一等国となるまで復興させたのは、いま老齢を迎えた人間たちだ。これから介護が必要とされている人間たちだ。公共事業に湯水のように金を使い、それを一向に改めようとしない一方で、老人介護に必要な金は出し惜しむ。こんなことがあっていいのかとさえ思う。しかし、一旦国が決めてしまったことを覆《くつがえ》すのは不可能だ。老人介護施設を建設運営しようとするなら、負担を軽くし、どこよりも快適な環境を整えてやる。それが地方自治体の首長たるものの役割だと思っている」

「そんでどうすんだってんだよ。地方自治体の首長たるものの役割だって言ったたって、町の財政は破綻同然、金なんかねえだろ」

「もちろん、民間を経営に巻き込むからには、利益が上がることが大前提となる。冷酷な話だが、民間が莫大な投資をする施設ともなれば、当初は入居者はしかるべきイニシャルコストを支払える人間にターゲットを絞らなければならない」

「ってことは、要するに、それなりの金を持っている人間しか相手にするつもりはねえってことか」

牛島は底意地の悪い目を向けながら訊ねた。

私はビールを啜《すす》りながら黙って肯いた。

「それでいいのかよ。お前、三万坪もの町有地を無償で貸与してもいいって言ったよな。でもさ、事の経緯はどうあれ、あの土地だって血税で造成されたもんだろ。つまり公共用地だ。それをある一定以上の財産を持つ人間のためだけの施設建設に提供する。俺は道義的にどうかと思うがね」

「町が発展し、潤うためなら許されると俺は思うよ。今日見てもらった通り、何の使い道のないまま放置されている土地だ。用地買収費用、整地代金の回収の目処《めど》さえ立っちゃいねえ。それにただで貸してやった結果雇用が生まれる上に人が集まるってんなら誰が文句を言う？　税金を投じた施設は納税者に漏れなく提供しろなんて言い始めたら、高速道路はもちろん、公共施設は全部無料じゃなきゃなんねえってことになっちまう。何らかの形で、納税者に利益が還元できればそれでいい。俺はそう思っているけどね」

「つまり雇用を確保し、就労人口を増やす。それがひいては町の税収を上げ、町民の利益に繋がる。お前はそう言いたいんだな」

「そうだ」私は断言するとクマケンが用意していた資料を見ながら続けた。「会社の規模や職種、学歴によって大きく異なるから一概には言えないんだが、ここに労務行政研究所が作成した退職金に関する統計データがある。これによれば大卒の総合職、あるいは事務、技術職が定年まで勤務した場合の平均退職金が約二千四百万、高卒なら二千百万だ。定年の時点で家のローンをすべて払い終えて、何の借金も抱えていなかったとしても、正直これで老後の生活を送るのはかなり厳しい。国民年金と厚生年金が謂《い》わば日々の生活費、退職金は余儀ない臨時出費のための蓄えというのが普通の感覚だろう。おそらく、介護施設に入ろうとする人間は、この退職金を入居費に充当させることになるんだろうが、都市部の施設は一人分の入居料だけでもその程度の額を取るところはざらだからな。世の中には背に腹はかえられない人間がごまんといる。老齢化が進む現代ではそれに拍車がかかる。要は費用対効果の問題だよ。贅沢なんか言ってられない時代がそこまで来てるんだ」

　牛島は何も言わずに黙々と刺身を口に入れてはビールを飲んでいる。

「三万坪か……」やがて彼は、ぽつりと言うと、「あの土地にどれほどの老人と介護士を収容できる施設を建てられるかな……。仮に建てたとしても、果たしてどうやってその魅力をアピールし、ここを終《つい》の住み処として覚悟を決めさせることができるか。そこが問題だな」

箸を止めて初めて私の顔を正面から見据えた。

＊

その夜はそれから三人でしこたま飲んだ。

「もう今夜は堅い話はなしにしよう」

牛島がそう言い出したからだ。

三陸の珍味には牛島も満足したらしい。彼は良く食べ良く飲んだ。昼間釣った岩魚を使った骨酒はことのほか気に入ったようだった。へべれけになった彼を伴って家に帰り着いた時には午後十時を過ぎていたと思う。

「今夜は飲み過ぎた。牛島には明日の朝、風呂に入ってもらうから、起きたらすぐに風呂を沸かしておいてくれ。七時にクマケンが迎えに来るからそれまでに食事も済ませる」

私は佳世子に言い残すと、そのまま床に就いた。

翌朝は絶好のゴルフ日和《びより》となった。風呂で昨夜のアルコールを抜き、朝食を摂ったところでクマケンが迎えに来た。接待とはいえ、ゴルフ場に出掛けるのに役場の車を使うわけにはいかない。クマケンは自家用のワンボックスカーを運転してきた。

「おはようござりす」

ゴルフウエアに身を包んだクマケンが腫《は》れた瞼《まぶた》を細めて挨拶をする。

「大丈夫かクマケン。酒残っててんじゃねえの」

「少し頭が痛いげんとも、酒は抜けてっと思うよ」

「ならいいんだけどさ。とにかく運転は慎重にな」

この時間に飲酒検問などあるはずがないが、万一事故でも起こしてクマケンの体からアルコール反応が出たりすればことである。町再生どころか、クマケンともども私の首も飛ぶ。

しかしそんな私の心配もよそに、クマケンは牛島のゴルフバッグを荷台に積み込むと、早々に車を走らせ始めた。休日の早朝はいつにもまして車がいない。まるで専用自動車道である。

「ゴルフ場まではどれくらいかかんだ」

牛島が訊ねた。

「三十分以内に三カ所あります。今日行くゴルフ場までは二十分ってとこですかね」

「二十分！」

「スタート何時だっけ」

「八時です」

「それじゃ昼過ぎには終わっちゃうじゃん」

「もし、よければスルーでも回れんぞ。そうしたら昼には終わる。そのまま仙台に向かえば、東京の自宅には遅くとも四時には着けんだろ」

「ひゃあ、そらゴルフ好きにはたまらんな」

「それにこの辺じゃ平日はそれほど混んでないから、昼から出ても予約無しで一ラウンドのプレイができる。平日なら五千円。休日でも八千円ってのがプレイ代の相場だ」

「それビジターでも？」

「そうだよ」

「どんなゴルフ場か知らんが、東京で一日がかりでゴルフやってんのが馬鹿に思えてくんな。まさかショートホールだけってんじゃねえだろうな」

「そんなんじゃねえよ。立派なもんさ。キャディだってつくぞ」

どうやら今まで体験させた何よりも牛島の関心を惹いたらしい。彼の目がらんらんと輝き出してくる。

「でも、冬は雪でクローズなんだろ」

「この辺は雪はあんまり降らねえんだよ。まあ、寒さを我慢すりゃ雨に遭う確率と同じ程度かな」

「寒さなんて、ゴルファーにはどうってことねえよ。京都や琵琶《びわ》湖の辺りのゴルフ場で冬にやってみろ。寒いなんてもんじゃねえよ。それでも休むやつなんていねえよ」

牛島は声に力を込めた。

車は田園地帯を快調に疾走していく。梅雨が明けた七月の朝の日差しが目に眩《まぶ》しい。やがて、山間部に少し入ったところでクラブハウスが見えてくる。

「へえ、意外と小奇麗なゴルフ場だな」

「ゴルフ場の造りなんてどこも同じようなもんだろ」

「そうでもねえよ。とかく、名門と言われるところに限って、コースはともかくクラブハウスの建て替えは難しくて、ボロいところが多いんだ。それに比べりゃ少なくともクラブハウスはかなりマシだぜ」

「この辺りでゴルフを始める人間が増えてきたのは、最近のことだからな」

「しかし、これでラウンド五千円なら、練習場に行くよりコース回った方が遥かに安くつくよな」

「そういうこった」

車が止まった。従業員がバッグを取り出す。

クマケンが駐車場に車を入れる間に、私と牛島は受付と着替えを済ませた。

朝露に濡れた芝生の緑が目に染みる。コースはいわゆる丘陵コースで、フェアウェイがうねるように広がる。植栽された松の木や桜、そしてなだらかな山は山毛欅《ぶな》や水楢《みずなら》の原生林に覆われている。

　私と牛島は練習グリーンに向かい、パターの感覚を確かめる。

「にぎるか？」

　牛島が二度三度とパターを打ったところで訊ねてきた。

「馬鹿言え、毎週接待ゴルフに出掛けてるやつとにぎったりしたら尻の毛まで毟《むし》り取られちまうに決まってんだろ。それに俺は仮にも町長だぜ。賭けゴルフなんてできっかよ」

「ハンデやってもいいんだぜ」

「遠慮しとくよ。それにクマケンはまだビギナーだって言うし。まあ、今日はプレイ代は俺が持つということで勘弁してくれ」

　そんな会話を交わしているうちに、クマケンがパターを手に姿を現す。

「牛島さん、町長、今日は足でまといになると思うげんとも、よろしくお願いしやす」

　クマケンは帽子を取るなり、恐縮した体《てい》で言った。

「そういえばお前、どれくらいで回んだ。まだスコア聞いてなかったな」

「ベスト百二十でがす」

「百二十？」

　牛島の手が止まった。

「始めてからもう二年になんだけんども、コースには年に四回ほどしか出ないもんで、すんません……」

「始めて二年。コース年四回なら立派なもんだ。まあ、楽しくやりましょうや」

ゴルフ好きのサラリーマンだって、東京にいればコースに出る回数は似たようなものだ。へたくそ相手に回るのは慣れているとばかりに、牛島は優しい言葉をかけた。

「んで、スタートなんだけんどもね。いまキャディマスターに聞いたら、すぐにでもいいって。どうしやす」

「俺はいいけど、練習しなくて大丈夫？」

「練習したどごでそんなに変わんねえがら、牛島さんさえよければすぐにでもいがすよ」

よほどコースに出るのが嬉しいらしく、クマケンは言葉とは裏腹にやる気満々である。

「山崎は？」

「俺だって同じようなもんだ。さっさと始めっか」

「じゃあ、キャディを呼んできます。スタートはアウトからですから、ティーグラウンドで」

駆け出して行くクマケンを見ながら、私は牛島と一緒にスタートホールへと向かった。

やがて、カートに乗ったクマケンがキャディと共に現れる。

「ねえ、キャディさん。フルバックから打ってもいいかな」

牛島はこともなげに言う。

「えっ、フルバックから打つのすか」

クマケンの顔が引き攣《つ》った。

「レギュラーティーから打ってパー取っても面白くねえだろ」

「俺は充分面白がすが……」

クマケンがぼそりと言う。それは私にしても同感である。しかし、今日は牛島が客だ。

「後ろ、大丈夫なの。初心者がいるんだけど」

「大丈夫だと思いますよ。次の組とは二十分ほど空いてますから」

「じゃあ、フルバックにしよう。こんなことは滅多にないから」

牛島は有無を言わせぬ口調で言うと、順番を決める棒を手にした。

それぞれが棒を取る。一番は牛島、二番がクマケン、私は三番だ。

「よっしゃ！　じゃあ、行くか！」

牛島はドライバーを取り出し、軽やかな動作で素振りを繰り返すや、アドレスに入る。

ファーストホールは四百三十ヤードのパー4である。動きが止まった。さすがに手慣れたものである。彼の体が大きく見える。ゆったりとドライバーが持ち上がると大きな弧を描いた。

心地よい金属音とともに、白球が朝の清澄《せいちょう》な大気を切り裂いて飛んで行く。見事なシヨットである。

「ナイスショット！」

打感の余韻を楽しむように、フォロースイングの姿勢を崩さず、牛島はボールの行方を見ている。

二百五十ヤードは飛んでいるだろう。しかもフェアウェイど真ん中である。遥か先の芝の上を白いボールが転々としているのが見えた。

「朝一としては上出来だ」

牛島は鼻を膨らませながら白い歯を見せた。

「よっしゃ、クマケン。行け！」

クマケンはアドレスに入ると親の仇《かたき》を見るような目でボールを見た。こちらは牛島と違って、全身に力が入っている。グリップを何度も握っては、肩で大きな息をしている。

突然ドライバーが持ち上がったかと思うと、今度は物凄いスピードで切り返す。

カキーン。

音はいいのだが、ボールは魔球かと思うほどにスライスすると、右の林の中に吸い込まれて行く。

「あっ……」

クマケンが情けない声を漏らす。

「多分セーフだと思いますよ。でもボール出すのが大変かも……」

キャディがぼそりと呟く。

悄然と肩を落とすクマケンに代わって、私はティーグラウンドに上がると、アドレスに入った。

力まぬようにドライバーを振る。軽い衝撃と共にボールが宙に舞う。牛島の飛距離には及ばないがフェアウェイキープである。

「いいスイングだ」

牛島が声をかけてきた。

「どうも……」

私が応える間に、早くもクマケンは、

「ボール探してきます」

迷惑をかけまいとしているのだろう。脱兎《だっと》のごとく駆け出して行く。

「こりゃ、大変なゴルフになりそうだな」

「へたくそ相手にすんのは毎度のこったろ。負けてやる心配をしねえでゴルフをやれるんだ。文句言うな」

「そう言われればこんな気分でゴルフすんの、何年ぶりだろう」

小言を口にしながらも、牛島も満更ではなさそうである。私と牛島はクマケンがボールを探す時間を見計らって、カートには乗らずフェアウェイを肩を並べて歩き始める。

「空気は美味いし、コースの手入れもいい。これなら老後にゴルフを思う存分やりたいっていう人間には天国かも知れんな」

「まあ、安いって言っても一ラウンド五千円からってんじゃ、年金暮らしの人間が月に何度できるか分かったもんじゃやねえがな」

私は前を見据えながら言った。

「その件なんだがな、昨夜あれからいろいろ考えてみたんだよ」

牛島はゆっくりと歩を進めながら切り出した。

「考えたって何を?」

「知っての通り、俺は老人介護施設のプロジェクトについては全くの門外漢だ。単なる思いつきとして聞いて欲しいんだが……」牛島は前置きをすると続けた。「確かに、年金だけで日々の生活を送らなきゃならねえ人間が都会で余生を過ごすことに経済的な不安を覚えるって推測は、間違っていないだろう。その点、この町で暮らすと覚悟を決めれば、東京で老後を過ごすより遥かに充実した生活を送れる」

「だろう?」

「だが、問題は人間何歳まで生きるか分からない。寝たきりになって動きが取れなくなる、あるいは大病でもしようものなら、治療費だって馬鹿にならない。状況いかんでは年金だけではまかないきれず退職金を以てしても足りなくなることも考えられる」

「そういうケースは出てくるだろうな」

「しかし、そうなったからと言って、寝たきりになった老人を放り出すわけにはいかねえわな」

「そらそうだ」

「となればだ、ターゲットになる層はおのずと決まって来ると思うんだ」

「どんな？」

「持ち家のローンは終わって、退職金はまるまる手元に残っている。さらに厚生年金、国民年金の受給者……そこに絞ればあるいはそれなりの人が集まるかも知れねえな」

「どういうことだ。もっと詳しく話してくれ」

「つまり、家を抵当にして老後の資金とするってことさ。もちろん、さっさと売り払える人間は売っちまえばいい。といって、虎の子の自宅を早々に売り払うことに抵抗感を持つ人間は多いと思う。財産的なことだけでなく、思い出が残る場所や何かの時には帰れる場所があるということは、特に年老いた人間にとっては重要な気がするしな。そこで自宅は残したまま老後の資金を手に入れられないか、というわけさ。……リバースモゲージを介護施設を運営するに当たって導入すれば、問題のかなりの部分は解決できるかも知れん」

「リバースモゲージ？」

私は初めて耳にする言葉に足を止め、牛島を見た。

＊

「リバースモゲージってのはさ、いま住んでいる住宅を担保にして、毎月一定額の融資を受けるシステムのことを言うんだ」

牛島は言った。

「持ち家を借金の形《かた》にするってわけか」

「まあ、早い話はそう言うこった。ただし、大抵の場合借りる方は、金を返済する必要はまったくねえ。ここが普通の借金とは違うとこだがな」

「ってこどは、流れんのを承知で、質屋さ買い取りを頼むようなもんすか」

クマケンが口を挟んだ。

「あんた、面白いこと言うね。流れんのを覚悟で質屋に買い取りを頼む。そうだね、リバースモゲージを一言で言い表しゃその通りだね」牛島は腹をゆすってひとしきり笑う。

「融資を受けようとする人間は、公的機関、あるいは主に信託銀行に対して住宅を担保として差し出す。もちろん物件の評価額によって融資される金額はまちまちなんだが、それを大体、十五年から二十年程度の間分割して受け取るということになる」

「もちろん、その間の金利や不動産価値の下落は融資額に反映されんだろ」

　私は訊ねた。

「あったり前じゃん。ここがリバースモゲージの最大のメリットでもあり欠点なんだが、融資額が一杯になるまで毎月金は入ってくる。満額になったとしても、融資が打ち切られるだけで利用者はその家に住み続けられる。だが、あまり早いうちからその金を当てにすると、融資を受けられなくなった頃には、家があっても介護に費やす金はねえってことになるんだ」

「長生きすっと、大変なことになるっつうごったね」

　クマケンが長い溜息をつく。

「それともう一つ、問題はこのシステムを利用できんのは、大抵の場合ローンが終わった持ち家、それも一戸建てを持ってる人間に限られるってことだ。マンションはまず駄目と見ていい」

「なしてだべ」

　クマケンの問い掛けに、牛島に代わって私が答えた。

「建てたばかりの代物ならともかく、ローンが終わっちまったマンションなんて何の価値もないってことだろ。ましてや、融資が打ち切られても、家を追ん出されることがねえとなりゃ、融資をする方からすれば、相手が死ぬまで待っても金を回収でき、さらに利益を上げられる物件じゃなきゃなんねえわな。つまり土地という現物があって初めて成り立つ仕組みってわけだ」

「その通りだ」

果たして牛島が頷《うなず》く。

「マンションは駄目なのすか」

「あのな、クマケン。マンションを買う人間ってのはさ、大抵が目一杯の長期ローンを組んでるもんだ。最大で三十五年。そんだけの時間が経ちゃ、建物の価値はゼロだ。買い手だって現れやしねえ。その点一戸建ては違う。まあ、こっちも上物の価値は十五年もすりゃあゼロになっちまうんだが、土地は別だ。更地《さらち》にすりゃすぐに買い手は現れる。つまりリバースモゲージによって融資される金額は土地代。それも、金利と長生きされた場合のリスクを見込めば査定価格のよくて七割ってとこがいいところだろうさ」

「ピンポ〜ン」

と牛島。

「マンションの価値がローンを払い終わった頃にはゼロすか？　そしたら都会の人はなして皆、あんなに目の色変えてマンションを買いさ走んだべ」

「そこが分かんないとこなんだよなあ」私は思わず小首を傾げた。「日本人ってのはさ、ある一定の歳が来ると、皆一斉に家を買うのが使命であり、人生最大の目的だって言わんばかりに長いローンを抱えて家を買いに走る。だけどさ、土地の権利が分割されてるマンションなんて、古くなったから建て直しますって言っても、住民全員の同意がなけりゃどうにもならんわな。買う方だってボロボロのマンションじゃその気にならんだろうし、不動産会社にしたってよほどの好立地で、かつ再開発の目処が立つ物件でもなければ手を出さねえに決まってる」

「俺のようにマンション売ってる人間が言うのも何だが、正直、いいのかよ、あんたち、ライフプランってもんがちゃんとできてんのかって言いたくなることがあるよ」牛島は、小さな溜息を吐く。「マンション買おうって人間が重要視すんのは、まず価格と広さだ。そりゃ安くて広い家に住みたいと思うのは誰でも同じだ。それ自体は否定しないんだが、その先、いや数年先も考えてねえ人間が多過ぎんだよ。割安感のある物件ってのはさ、大抵が土地の安い郊外だ。当然、通勤にも時間がかかれば、周囲に目ぼしい学校はない。そんなところに家を構えちまったら、長い通勤時間を強いられんのは購入した当の本人だから仕方がないとしても、進学実績のある私立の学校なんて通学可能圏内には一つもない。あるのは公立だけ、それもまったく選択肢なし、なんてとこはざらにあるんだぜ。乳飲み子抱えて、モデルルームに来て、その場で即断即決、ハンコ押して嬉々としてる若い夫婦を見てっと、奥さん大丈夫ですか。あんた孟母三遷《もうぼさんせん》って言葉知ってるかいって言いたくなるよ」

「子供が学齢期を迎えて、さてどこに入れようかとなった時にはたと気がつく。特に公立の学校の荒廃が叫ばれている昨今だ。色んな噂を聞けば、普通の親はかなりビビる。しかし、通学させられる学校は決まっている」

「結局、せめて中学は……って思いに駆られ、小学生の子供を遠くの塾に夜遅くまで通わせ、首尾よく入学できたとしても、今度は通学地獄が待っている。しかも、ローンが終わった時には価値はゼロ……。これじゃ踏んだり蹴ったりだ。家賃を払い続けるくらいなら、マンションを買った方が財産として残るって言う人間がよくいるが、長いローンを組むのは家賃を払い続けているのと同じなんだよ」

牛島は顔を顰《しか》めた。

「ここが欧米とは違うとこなんだよなあ。俺がいたシカゴじゃ、ビルにしたって築百年なんて当たり前だったもの。不動産の価値は上物と土地の値段がほぼ均衡してるってのが常識だったもんね。立地条件が良くて、建物がしっかりしてるマンションなんて、むしろ資産価値が落ちるどころか上がることさえあったからねえ」

「そもそもリバースモゲージってのは、欧米で生まれたシステムでね。仕組みを話せば分かる通り、家の価値が下落しないという前提に立てば、利用者には計り知れないメリットがある。評価額いっぱいとはいかずとも、日本のようによくて七〇%とはならないさ。まあ、金利、それから価値が下落した場合の保険料を含めても、八〇%、あるいはもっと高く評価されんだろうからね」

「保険？　評価が下がった時のための保険があんのすか」

牛島と私のやり取りを聞きながらクマケンが反応した。

「アメリカの場合はね。残念ながら日本じゃ駄目だけど……。だってそうでしょ。日本じゃ十年スパンで見れば、土地の値段なんてどうなるか分かんないもの。バブルの頃にしこたま土地を仕込んだ連中、彼らに金を融資した銀行は大火傷を負ったでしょ。保険会社にしても、土地が下落した場合の保険なんておっかなくて手出しできないよ。阪神淡路《あわじ》大震災のような大地震でもくれば倒産しちゃうよ。かと言って、保険料を値上げすれば、利用者にメリットなんて無いしね」

「じゃあ。そのリバースモゲージをやるメリットってどこにあんだべ」

クマケンが怪訝《けげん》な表情をしながら訊ねた。当然である。ここまでの話の展開からすれば、仮に緑原に老人の街を建設したところで、何のメリットもないように聞こえるのも無理はない。

「通常リバースモゲージを考える人は、今住んでいる家で人生最期を迎えたいと考えている人が使うもんだとされている。ここまではいいね」

牛島は嚙んで含めるように説明を始める。クマケンが頷く。

「しかし、それでも問題は残る。もし、このシステムの利用者が月一回支払われる金を、日常の生活資金や医療費に充当してしまった場合、期間内に死ねりゃいいが、長生きしちまったらたちまち生活に困窮しちまうことになる」

「そうですよね。あとは年金を頼りに生きていくしかねえってことになりすよね」

「だから逆転の発想をするんだよ」

「逆転の発想?」

「リバースモゲージで得られる金に手を付けずに、身動きできなくなった時の最後の資金に回せるとしたらどうなると思う? つまり日常の生活資金は年金で大概の部分が賄える。リバースモゲージによって入ってくる金の大半を手元に残せるとしたら?」

「あっ、そうか」

クマケンはようやく納得がいったようで、ポンと手を打った。

「もともと、担保とした家の価値はゼロだ。評価されんのは土地だけだ。住む人間がいなくなった家は傷《いた》むもんだが、一年や二年ならそれほど酷いことにはならねえ。仮にだ、ここにぶっ建てる施設に入居して、田舎暮らしはどうにも具合が悪い、自分は合わねえと分かったら、そん時ゃあ都会の家に戻ればいいんだ。リバースモゲージを使う限り、生きている間は自分のもんなんだから、ここでの暮らしが肌に合ったって、逆に旅行気分で自宅に帰ったっていいんだから。正直言って、都市部で年金だけで生活するってのはまず不可能だが、ここは人件費が安い上に、食料もほとんどが地元で賄える。施設の規模が大きければ大きいほど、一人当たりのコストは安くなるはずだ。後は、入居者が動けなくなった時のケアまで、面倒見てやれるって環境が整えば、君たちが言うように背に腹はかえられねえって人間は決して少なくないと思うよ」

「すかす、そんでも対象になるのは、持ち家、それも一戸建てを持ってる人に限定されんのだすぺ。マンションじゃ駄目なんだすぺ」

クマケンは不安気な表情で聞き返した。

「マンション族は安くても売り払うしかないな。それでもやっていける蓄えがある人間ってことになるわな。冷たい言い方だけど、しょうがねえよ。こいつあ慈善事業じゃねえんだ。ビジネスとして成り立つかどうかなんだ。ビジネスっていうと儲けることが前提で、業《ごう》つくばりな言葉に捉えられがちだが、そうじゃない。客の満足なくして成り立つビジネスはこの世に存在しない。対価にみあったサービス、環境を整えなければそっぽを向かれるのがビジネスの掟《おきて》だ。だから、どれだけの内容が伴った施設を造り上げ、満足して貰えるオペレーションを確立できるか。そこに成功の鍵がある。それに赤字を垂れ流すようなもんを造っちまったら、町の再生なんてできやしねえだろ」

牛島はにやりと笑うと、

「さあ、クマケンさん。早くボール探してね」

コースを仕切る松の並木に目をやった。

＊

牛島の言葉には聞くべき点が多々あった。

仙台駅まで牛島を送った帰りの車中で、

「鉄ちゃん、大丈夫なんだべが。牛島さん、これからどうするつもりなんだべが」

クマケンがハンドルを握りながら訊ねてきた。

「さあな」

組織というものがどういうものかは良く知っている。特に四井のような大会社では事業部が違えばまったくの別会社、課が違っても簡単に仕事に口出しできないというのが不文律である。牛島が今後具体的なアクションを起こすのは余り期待できないが、高齢者の老後がこれからの日本で大きな問題としてクローズアップされることは時代の流れである。四井が駄目でも、他に興味を示す企業が全くないとは言い切れない。

「二日間接待して、さあなって、それだけすか」

クマケンが拍子抜けしたように、横目で私を見る。

「もちろん収穫はあったさ。俺たちがターゲットとする層がはっきり見えてきたからな」

私は助手席の椅子に身を預けながら言葉を返した。

「どんな層だべ」

「入居者は平均的リタイア層、それも当面は六十五歳以上だ。牛島が言ったリバースモゲージを利用せずして充分な入居者が集まるとは思えないからな。当然あのシステムを使うとなりゃ、第一想定層としてはマンション居住者は対象外、該当するのは一戸建ての住宅を所持している人間ということになる」

「リタイアした人のほとんどは、現役だった頃の蓄えと、退職金、それに年金に頼って生きてるんだものね。そござもって来て、入居費用を何千万も取られたんじゃ、払える人なんていねえべもんね」

「できれば、年金で月々の入居費用を賄えればかなり魅力のある施設ってことになるよなあ」

「年金って……鉄ちゃん、あんだ年金の支給額知ってんのすか」

「いいや、なんぼだ」

はあ〜。クマケンは気の抜けた溜息をつく。

「平成十六年の総務省統計局のデータだど、二人以上の高齢無職世帯の実収入は、月二十二万三千円、その九割が年金、恩給っつごどになってんのしゃ」

さすがは公務員である。細かいデータがすぐに出てくる。

「確か、ウチの町民の平均年収は二百四十万そこそこだったよな」

「んだ」

「高齢者無職の全国平均からすると、随分高くねえか。少なくとも倍はあるって計算になるぞ」

「そりゃ、現役で稼いでる人の所得が入っててんだから当たり前だべ」

「でも一人暮らしの老人家庭なんてごまんとあんだろ。一人じゃなくとも、息子娘が家を出て老人二人ってことになりゃ、もっと多いだろうが」

「共稼ぎの人も多いから、なんだかんだで、そうした家の収入は四十万くらいはあんだべね。そうでながったら、子供たちを都会の大学さなんか行かせられねえべさ」

「ってことはだ。ウチの町の老人の収入も、ほぼ全国平均に近いと考えていいわけだ」

「それは外れていないと思うよ。年金はほぼ全国一律だべす。ただ恩給とか企業年金を受けられねえ人が多いべから、やや全国平均を下回ってるってどごだべね」

「ふ〜うん。じゃあ、その全国平均をやや下回る程度でも、ウチの町で暮らしてる分には何とかなるって言うわけだ」

「んでも、決して楽ではねえべね。皆日頃の出費を節約して、かつかつのとこでやってんでねえすか」

「でもさ、都会でリバースモゲージを受けられるだけのローンの終わった家を持ってるってことは、おそらく貯金もあれば、厚生年金や恩給とかも受けてる人間ってことになんだろう」

「多分……そうでねえすか」

「仮に最低限で考えたとしてもだぜ、家賃を支払った後、食費やサービス料にどんだけかかるかを計算してみりゃ、夫婦二人、あるいは一人が年金で生活していけるかどうかが分かるよな」

「家賃はそれごそ、どんだけ金かけた施設を建てっかだべさ」

「雇用促進住宅あったよな」

「うん」

「間取りはどうなんだ」

「2LDK、リビングダイニング八畳。寝室六畳と四畳半、それにバス、キッチン付き」

「家賃は月額幾らだ」

「三万円」

「鉄筋コンクリート五階建てだよな」

「んだ」

「そりゃ随分安いな。別に損してやってるわけじゃねえんだろ」

「当たり前だべさ。そりゃあ、民間でやってるわけじゃないから大きな儲けは取れないげんとも、少しとはいっても、利益は上げてるはずだよ」

「じゃあ、仮に月額五万とすりゃ、後は一人一日いくらの食費と、サービス料、施設維持費がかかるかって問題だよな」

「試算はかなり難しくなるべね。肝心の施設の青写真ができねえことには何とも……」

クマケンは語尾を濁らせて押し黙る。

「最初から細々したことを考えてちゃどうにもならねえ。こういう時はな、まず俺たちの造りたいものの、青写真を描く。そこから現実に合わせるように削り取るものは削っていかねえと、前に進まなくなっちまうものなんだ」

「鉄ちゃんの頭の中には、青写真ができてんのすか」

「朧《おぼろ》げに……」

「どんな」

「基本コンセプトはこうだ」私は、身を起こし前を見据えると言った。「まず、施設は二つの機能を持たなければならない。一つは、自力で動ける健康な老人が普通の生活を営んでいける施設。部屋は２ＬＤＫ、これは都会から訪ねて来る家族が泊まれるようにするためだ。キッチン、バス、トイレも完備する。好きなものを好きな時に食べられるようにな。もっとも中には、食事の支度はしたくないという人もいるだろうから、食堂は別に設ける」

「なるほど。そんでもう一つの機能は」

「いよいよ体が不自由になった時のための施設は別に造るということだ」

「鉄ちゃん、まさが介護施設もやるっつんでねえべね」

「当たり前じゃん。そこが最大の売りになんだから」

「介護は大変だよ。保険でやっていい範囲は決まってるす……」

「あのな、クマケンよ。介護保険でやれる範囲はやればいい。だけどな、ちゃんと料金を支払って貰えんなら、追加でサービスしちゃいけねえってわけじゃねえだろ」

「そいづあそうだげんとも……」

「豊かな老後はいいさ。だけどな、体が何不自由なく動かせるうちなら、何も老人ホームなんかに行かなくてもいいんだよ。慣れ親しんだ都会で暮らすも良し。どこかの町に行って暮らすもいいさ。だけどな、本当に年寄りが困んのは、体が不自由になった時だろ？ 介護が必要になった時だろ？ その部分は知らねえ。体が動かせる間は快適な生活は保証するが、面倒見なけりゃいけなくなった時には、ご自分でどうぞ、なんて言えるか。こんな無責任な話はあっか？」

「そりゃ、言ってるごだあ分がっけんどもさ」

「民間の有料老人ホームで、終身介護って銘打ってるとこは、どこもかしこも目ん玉飛び出るような金を取りやがる。俺はそれが面白くねえんだよ。そりゃ全部の人間とまではいかねえよ。だけどさ、まっとうに働いて来た人間が、人生最期にきて不安に怯えながら終えなきゃなんねえなんて、どう考えても不条理だ。そう思わねえか」

「思いすよ。あんだの言うごどは間違ってねえよ」

「クマケン、介護って言って拒否反応示したのは、いつ死ぬか分かんねえ、年寄りの面倒見てたら赤字になっちまうことを心配してんだろ」

「うん……」

「そんなら心配いらねえと思うよ」

「なして、あんだはそう自信を持って言えんの」

「考えてもみろよ、俺がこだわってんのは、健康なうちは年金で何とか賄える程度の料金で、日常生活を年寄りに送ってもらう施設だぜ。つまりリバースモゲージによって入ってくる金は、身動きできなくなるまでまるまる手元に残るってことだ。土地の評価額は住んでいる場所によって異なるだろうが、仮に平均で二千万円だとしたら、融資評価額は七〇％で一千四百万円になる。それを十五年分割で受ければ一カ月約七万五千円。二十年だとすれば、約五万五千円だ。統計データだと、日本人の平均寿命は男七十八・五歳、女八十五・五歳。仮に入所早々、介護が必要になったとしても、男性で十三年、女性で二十年――」

「そんじゃ施設が破産しちまうべさ」クマケンがすかさず口を挟んだ。「高齢無職世帯の実収入は、月二十二万三千円、その九割が年金、恩給って言ったすぺ。ってごどは、一人当たり十万そこそこにすかなんねえってごどだよ。それさ、リバースモゲージの融資を加えても、もす、二人が二十年介護が必要になったとすれば、一人十四万程度で完全介護をせねばなんなくなんだよ」

当たり前の話である。もちろん私だってその程度のことは考えている。

「あのな、クマケン。家のローンも払い終わった人間が、何の蓄財もしてねえと思うか」

「そりゃねえごだあねえべね」

「お前は、高齢者無職世帯の実収入が月二十二万三千円って言ったけどさ、真水の部分はもっと少ないだろう」

「真水?」

「可処分所得だよ。年金生活者といえども、受給額によっては税金と社会保険料はきっちり取られんだろ。たぶん、それをさっ引けば月額二十万にも満たないだろうさ。だから、お前の言う通り、リバースモゲージによって得られる融資の金は、本当にいざとなった時のために残しておかなければならねえんだよ。最初からこれに手を付けるような人間を集めてたんじゃや、施設の運営は行き詰まる。だがな、定年退職の段階で、借金を抱えていねえ人間は別だぞ。退職金は老後の資金として残しているに違いない」

「確か厚生労働省の調査では、一世帯当たりの平均貯蓄額は、千四百万そこそこだったんでねえがな」

「平均でな。しかし、そこそこの規模の会社に勤めていた人間なら、それよりもかなり多くの貯蓄を持っていて不思議はねえってのが俺の実感だ。平均値ってのはあくまでも目安だ。ターゲットを絞り込めば、その倍は可処分所得があるってことになる」

「もし三千万の貯蓄がある人さ狙いをつければ、二十年生きたとして、年間百五十万、月にして十二万五千円すか。それさ二十万円を加えっと三十二万五千円。一人になったどすても、二十二万円――」

「年収にして二百六十四万円だ。ウチの町民の平均年収の二百四十万を上回んだろ」

「すかす、それで完全介護なんてできんだべか」

「やれるような仕組みを作るんだよ。幸い俺らには大きなメリットがある。体が自分で動かせるうちは、豊かな老後を過ごせる施設で暮らしてもらう。ここの部分の手間暇はほとんどかからない。部屋の掃除やリネンサービスを受けたいと望む人がいるなら、別途料金を取ればいい。もちろん食事を用意して欲しい人がいれば三度の食事を提供するが、食材はほとんどが地場で採れるものを用意すればいいから、コストは格段に下がるだろう。米や野菜、果物、肉、魚。町で採れないものを探す方が難しいだろ」

「確《たす》かに食料に関してはそうだね。町の財政がここまで困窮するごとになった原因の一つには、第三セクター方式で事業を興して生産アイテムを増やしまくったはいいげんとも、肝心の流通ルートの開発がうまぐ行かなかったっつうごとがあっからね。売れながった野菜は畑で腐らせてすまってるっつうのが現状だもんね」

「腐らせるくらいなら、計画的生産に切り替えて、施設で買い取る方式にしたら、農家も助かんだろ。肉にしたって、牛や豚は、例の農家委託生産方式を取っている肉屋から直に買い付けりゃ、市販価格より安くなるはずだ。肉屋にしたところで、通常の卸に流すより、幾分高くは売れんだろ。鶏にしたところでも養鶏場はこの辺りにごまんとある。魚も気仙沼の市場から直送だ。味噌や梅干しは、自家生産してる所もまだ多い。それを買い取ってやりゃ、町民の収入も増える。結果、町民税の収入は上がる」

「当然、介護さ当たる就労人口も増えっぺがら、そっからも税収が得られるっつうわげだね」

「そうだ。そして何よりも俺たちの最大の強みは、介護に当たる人間の人件費が都市部に比べて遥かに安くつくだろうってことだ。俺もこの間に多少は介護の勉強をしたんだが、この分野の労働についている人間、特に介護士の給与はべらぼうに安い。訪問介護の仕事をしているヘルパーの給与は、都市部でも二十万円もない。なぜだか分かるか」

「訪問介護の報酬は上限が決められてっからでがすペ」

「そうだ。つまり、収入を増やそうと思えば、数をこなさなきゃなんねえ。しかし、一人当たりにかかる時間は決まっていてそう簡単に増やすわけにはいかない。特に訪問介護となると、ケアしなければならない老人が住んでいる住宅は必ずしも密集しているわけではないから当然移動時間がかかる。その間の報酬はゼロだ」

「その点、要介護の老人を一つの施設に集めてしまえば、一人当たりの労働効率は格段に上がるっつうごどだね。時間あたりの賃金は都会より安ぐでも、こなせる量が増えれば総収入は増える——」

「当たり」私は大きく頷いて見せると続けた。「そして、介護が必要になった老人は広い部屋は必要ない。もちろんだからといって、三畳一間とはいかないだろうが、病院の個室程度のものは用意できるだろう。家賃は２ＬＤＫよりも遥かに安くて済むから、入居者の負担は軽くなる。専門施設であるだけに、それに応じた設備を整える上に、五分と離れていないところには病院だってあるんだ。万が一のことがあれば医者がすぐにすっ飛んでくる。これが実現すれば、老後に不安を抱いている高齢者にとっては大きな魅力と映るだろうし、介護に従事する人間たちの給与も、都会のような訪問介護とは違って、キャリアに応じて段階的に上げて行くということも可能だと思うんだ。もちろんこの辺りは、入念にシミュレートしてみねえことには分からんがね」

「果たすて、どんだけの金が出せっぺね」

　クマケンは一応納得した様子ではあったが、一抹の不安は覚えているらしく、呟くように言った。

「そこで、お前に頼みがある」

「何だべ」

「この辺りの高校の大学進学者の進路状況を調べて欲しいんだ」

「なすて?」

「俺たちの時代にはさ、福祉を専門に教える大学ってあんまりなかったよな」

「そうだね」

「ところが、最近じゃ福祉学部や福祉を専門にしている大学がたくさんあるよな」

「んだね。この辺では奥州福祉大学ってのもあるもんね」

「ってことは、近隣の市町村には介護の専門教育を受けた若者がかなりいるんじゃないかと思うんだ。そうした若者が果たして大学を卒業した後、どんな機関で働いているのか。もし、福祉の道を歩まず全く関係のない業種に就職しているとすれば理由は何なのか。それから、ウチの町出身の高卒者の地場就職率。その進路、及び平均給与を調べて欲しい。おそらく地場で就職した高卒者の給与は、都市部に比べてかなり安いはずだ。提示できる条件次第ではヘルパーの資格を取り、施設で働きたいと願う地元の人間もいないわけではないだろうからね」

「分がりゃんした」クマケンは即座に返答したが、「すかす、鉄ちゃん。もす、この施設の建設が実現すたどすても、入居できんのはある程度の資産がある人っつうごどになんだね――」

深刻な顔をして語尾を濁す。

クマケンの言いたいことは分かっていた。人間は誰しも必ず老いる。富を掴んだ人間も、不遇を託《かこ》った人間も皆平等にだ。人生最期を迎えるその時になっても、金に余裕のある人間は、手厚い介護を受けられ、その一方で貧しい人間は惨めなまま死んで行かねばならない。いかに莫大な負債を抱え、財政再建団体寸前にある町の起死回生の一発とはいえ、少なくとも行政が一枚嚙んで運営する施設が金に余裕のある人間をターゲットにする。そこに後ろめたさと割り切れ無さを感じているに違いない。それは私とて同じだ。

しかし、今はなりふり構っている場合ではない。町を再建できなければ、それこそ町民に辛酸を舐めさせるような事態が待ち構えているのだ。介護する家族がおらず、老人だけの町の財政が破綻してしまえば、行政は何もしてやれない。それこそ、年に何十人という老人が孤独死という憂き目に遭わないという保証はどこにもないのだ。

「クマケン、言いたいことは分かるが、俺たちがまず考えなけりゃならねえのは、緑原の町のことだ。町政再建の目処が立てば、町の一人暮らしの老人にも手厚いケアをしてやれるようになる。そのためには金に余裕がある老人を集めなけりゃなんねえ。それに、都市部の超リッチしか入れない有料老人ホームからみれば、裾野《すその》が大きく広がることは事実だ。本音を言やあ、もっと下の層まで手を差し伸べたいが、今はそんな奇麗事を言ってる場合じゃない。この町のことを第一に考えなきゃなんねえんだ。ここは、暫く他のことは考えずに、プランを実現すべく俺に協力してくれ」

私は、ハンドルを握るクマケンに向かって頭を下げた。

第三章

町再生の起死回生の一発を、老人の街建設に狙いを定めたとはいっても、町長となればそれだけに専念しているわけにもいかない。それに果たして四井が話に興味を示すかどうかもまったく分からない。こうした場合、計画が頓挫《とんざ》した時に備えて、それなりの手を打っておく、つまりバックアッププランを用意するのはビジネスの世界では常識である。

牛島が東京に帰った翌日は、先の町村合併で、緑原町を除く東松岡郡、西松岡郡を併合した、新生宮川市の市長と会うことになっていた。町長に就任してからだいぶ時間は経《た》ってしまったが、新任の挨拶という名目である。しかし、本音の部分では、東西松岡郡で唯一残った緑原を、遅まきながら宮川市に併合してくれる可能性を探ろうという目的を、私は密かに抱いていた。「郡」という行政区分は遥か昔に消滅し、今では何の意味も持たないのだが、東松岡郡にあるのは緑原だけというのはどう考えても不自然極《きわ》まりない。これでは、まるで周辺の市町村から爪弾《つまはじ》きにされた晒《さら》し者である。遅まきながら、何とか宮川市に併合して貰《もら》うことができれば、この厄介《やっかい》極まりない緑原再生の任務から体《てい》よくおさらばできる。そんなスケベ心も私にはあった。

宮川市役所までは車で三十分ほどの距離だった。

築四十年は経っているだろう。薄汚れたコンクリートの市役所に入り、二階にある市長室の受付で来意を告げた。秘書課の女性職員が、即座に市長室に私を案内する。

部屋に入ると、日の丸と市旗を背にした市長が満面の笑みを湛《たた》えて私を迎えた。

「やあや、朝早くからご苦労さんです。市長の葛西《かさい》です」

確か市長は六十一歳。生まれも育ちも宮川市で、大学は早稲田《わせだ》。卒業してからはすぐに家業のデパート経営に専念し、四十歳で市議会議員、五十六歳で市長に就任し、二期目になる男だった。県北の基幹都市とはいえ、すたれる一方の街だ。デパートといっても、今にして思えばスーパーに毛が生《は》えたような代物なのだが、それでもかつては県北唯一のデパートに人がこぞって押し寄せたものだし、その点から言えば地方の名士であることには違いない。

葛西は、ワイシャツにネクタイを締めただけのリラックスした姿で、執務机を離れると、名刺を差し出してきた。

「初めまして。緑原町長に就任しました、山崎鉄郎です」

名刺を交換すると、

「ささ、どうぞお掛け下さい」

葛西は応接セットのソファを勧める。

「お忙しいところ申し訳ありません。遅ればせながら新任のご挨拶に伺いました」

「ご丁寧にどうも……すかす、山崎さんも大変でがすね。日本を代表する商社で長く働いだどはいっても、地方行政を預かんのは初めてでがすぺ」

「その点からも、色々とご指導願いたいと思います」

「確《たす》か、海外駐在の経験もあるど、お聞きしますたけど」

「シカゴとロンドンに駐在しておりました」

「それほどの職歴だら、様々な経験をしておりやすぺ。これを機会に、私たちの方にも色々と知恵を貸して貰いたいものです」

葛西は純朴な人柄らしく、穏やかな口調で言う。田舎の首長や議員にありがちな傲慢《ごうまん》な雰囲気は微塵《みじん》もない。

「いや、お知恵を拝借したいのは、こちらの方ですよ」

お世辞で言ったんじゃない。東西両郡の町村合併に際して、緑原だけが外された理由。もちろんそれについてはクマケンから聞いてはいるが、結論が出されるまでに一体どういう議論がなされたのか。地方自治の現場に長く身を置いた人間の目に、緑原の町がどう映《うつ》っているのか。そのことを訊《たず》ねたいという素直な気持ちが口をついて出ただけだ。

「実際、町長に就任して、改めて分かったのですが、緑原町の財政は危機的という域を遥かに超え、仮死状態そのものにあります。百五十億の負債をどうやって返すのか。単に余剰施設や人員の整理だけでは、もはや解決のつかないところまで追い込まれていますからね」

私の言葉に葛西はうんうんと頷《うなず》くと、すっと視線を落とし苦虫を嚙《か》みつぶしたような顔になった。

「前任の町長さんにしたところで、良かれと思ってやったこどには違いねえんだけんども、少しばかり背伸びをしたのは否《いな》めねえべね。次々に公共事業をやるわ、大っきな箱物をぶったてるわ。もちろん、借金どは言っても、そんだけの金を引っ張ってこれだのは町長の手腕どいうものですよ。それに、地方の市町村というのは雇用基盤が脆弱《ぜいじやく》な分だけ、自治体主導で事業を打ち出さねば、若い人も居着かなくなる。結果、町はますます廃《すた》れですまうもんだからね。この辺が最大のジレンマなのっしゃ。実際、事業が回っているうちは、町の施設も整備されて、町民の生活は充実したものになったす、雇用も確保されで、生活も向上すたわげですからね」

「しかし、それがすべて町の借金というのでは、ツケで飲み歩いて金をばら撒《ま》いていたようなもんじゃないですか。遅かれ早かれ破綻《はたん》するのは目に見えています。それに公共施設なんてものは、基本的にそれ単独で収益を上げる事は難しい。いわば住民サービスのためにあるものです。キャッシュフローが生まれない施設を建てれば、自治体の財政負担が重くなり、結果住民に負担がかかるもんでしょう」

「そうすたことが許されていた時代もあったのっしゃ。何もこれは、地方に限ったことではないんですよ。国だってそうすた事業を延々とやってきたんです。それがいよいよ国も無い袖は振れないほど借金が嵩《かさ》んで、今まで交付されていた地方交付金の見直しをせざるを得なくなった。こっちにしてみだら、水道の蛇口をいきなり締められたようなもんですからね」葛西はそこで軽い溜息を吐《つ》くと、「宮川市にしたどこで、苦しいのは同じなんです。負債の額が小さがったのは、たまたまここが県北の基幹都市で、古いながらも公共施設が充実すてで、新たに箱物を建てる必要がなかった、つうごどなんです」

テーブルの上に置いた煙草を銜《くわ》え、火を点《とも》した。

「じゃあ、今回合併した他の町村はどうだったんでしょう。緑原のような、大掛かりな公共事業に手を出さなかったんですか」

私は、努めて穏やかな声で訊ねた。

「今回合併すたのは、東西両郡にあった緑原町を除く四町二村。どの自治体も、それなりに負債は抱えてます。宮川にすても同じです。公共事業もそれなりにやっては来たのっす。んだげんとも、不必要に道路を整備したり、大っきな箱物を建てたりっつうことはすながったのっす」

「それはなぜです」

「合併した四町二村には、共通すてるものがあんのっす。鉄道というものがね。まあ、一日に十便ほどのローカル線ですが、明治時代に開通すたお陰で、沿線の町の道路は古くから県北の幹線道路とすて整備されてきたす、列車に乗れば宮川さも仙台さも気軽に行げる。すかす、緑原さだけはねえ。勢い、道路を整備すねえごどには、便が悪くてしょうがねえっつうごどになったんだべね」

あの鉄道路線を建設するに当たっては、本来の計画ならば緑原を通ることになっていた筈《はず》である。

「鉄道ができると泥棒が来る」

「汽車から火の粉が飛ぶと、山火事が起きる」

町の先人たちが、そんな理由でこぞって反対したことが、今の時代になってこんな結果を生む潜在要因になったのだとしたら、もはや喜劇というしかない。

私は肩の力が抜けて行くのを感じながらも、

「葛西さん、さっきどの市町村も同じように、負債を抱えているっておっしゃいましたよね」

と訊ねた。

「程度の問題です。借金抱えてんのが同じ程度なら、痛み分けってごどになりすが、他の町村の倍も借金があるどごど一緒になってすまえば、他人のこさえた借金を皆で均等に負担せねばなんねえ。これはどう考えても不公平でしょう」葛西は煙草の灰を灰皿に落とすと、気の毒そうな視線を向けてきた。「山崎さん、合併の際の会議の様子は聞いてませんか」

「いいえ、詳しくは……」

私は口籠《ごも》りながら答えた。

「私を含めてですが、各町村の首長の意見は同じでしてね。そりゃ、前任の緑原町長は合併を望みましたよ。ところが、言葉は悪いが仲間さ入りたいんだったら、借金の額をせめて半分、他の町村と同じレベルにすろ、という言葉が全員から出たのっす。分かりやすぺ。町村合併は結婚と同じです。一緒になったら、相手の借金は自分の借金と同じ。それを承知で余分な負担を背負い込むのは、住民に対する背信行為そのものですからね」

返す言葉がないとはこのことだった。

確かに町村合併を結婚に例えられると、話はずっと分かりやすい。

まあ、才色兼備で惚れに惚れ抜いた女性が大変な借金を抱えているというならば、あえてそうした事情に目を瞑《つぶ》り、苦労することを覚悟で結婚に踏み切る男もいるだろう。だが、緑原は違う。才色兼備どころか、誰にも振り向かれないような醜女《しこめ》である上に、性格も悪い。要はどこをとっても魅力一つない女なのだ。しかもそれが何の義理もない男の元に押し掛けて、女房にせよと迫っているようなものなのだ。そうして考えてみれば、村八分さながらに合併から外されてしまうのも無理からぬことである。

「しかし、見捨てられた緑原の状況は深刻ですよ。このままの状態だと、早晩財政再建団体とされてしまうのは避けられませんからねえ」

私はほとほと困った顔をして見せた。

「でも、山崎さんには案があるそうでねえすか」

「えっ？」

思わず葛西の顔を見ると、彼はすうっと薄い煙を吐き、煙草を灰皿に擦《こす》り付けた。

「町長就任の施政方針演説のこと、聞ぎやしたよ。何でも、大規模な老人ホームを建てて、町の財政を建て直す起爆剤にすたいとか」

「ええ、確かにそうしたプランを考えてはいます」

考えてみれば、隣町の市長である。公《おおやけ》の場で口にしたこと、ましてや施政方針演説の内容など、すぐに耳に入っていてもおかしくはない。

「一体どういうプランなんです。聞かせてもらってもいいべか」

葛西は真摯《しんし》な眼差《まなざ》しを向けると訊ねてきた。

「実は、私が着目したのは、工場誘致用地として整地されたまま放置されている三万坪の土地なんです。ご承知のように、町を活性化させようとした場合、まず最初に首長が考えるのが住民の雇用を産む産業の誘致です。しかし、こと緑原のような交通の便も悪い、都会からも離れている町には、いかに人件費が安いとはいっても工場を建てようなどという企業はまず出て来ないでしょう。そこで、私は発想の転換をしたんです。これから先、日本は高齢化社会を迎える。特に都市部の住環境を考えれば、二世代が同じ家に住み、子供が老いた両親の面倒を見るなんてことはまず不可能です」

「分かります」

葛西が大きく頷く。

「それは介護を必要としない老人も同じです。会社を引退し、定収は年金だけとなってしまえば、都会での生活コストは大きな負担となる。日々の生活を爪に火を点すようにして暮らさざるを得ない老後が果たして豊かと言えるでしょうか。その点、緑原には豊かな自然がある。アウトドアライフを楽しもうと思えば、ほとんどのものは揃っている。地場《じば》で賄《まかな》えるだけの農畜産基盤もある。さすがに大きなデパートや演劇、コンサートといった文化的な催しが頻繁に行われるというわけではありませんが、そんなものは都会に住んでいたって、引退した人間が頻繁に出掛けていくわけでもないでしょう。それこそ今の時代、仙台まで出掛けていけば、東京と同じような催しは定期的に開催されているわけです。ですからやりようによっては、都会で暮らすより遥かに安いコストで、充実した余生を送ってもらえることができるんじゃないか。そう考えたんです」

「なるほど、そう言われてみればそうかも知れませんね」

「緑原には、分不相応な設備の整った病院もあります。仮に入居者が介護が必要になったとしても、最後まで面倒を見てやれるだけのインフラは整っている。こうしたもろもろの条件を考えると、豊かな老後の生活から、人生の最期を迎えるまで、一貫した老人居住施設を運営することが可能なのではないか。そう私は考えているんです」

「当然、そうすた施設が建てられれば、雇用も生まれ、農畜産業も活性化する。税収も上がる、つうわげすか」

「ええ、そう目論んでいるのですが」

葛西は、「う〜ん」と唸《うな》って何事かを考えている様子だったが、

「それ、面白いかもすんねえね」

やがて口を開くと、白い歯を見せて笑った。

「そう思いますか」

「ええ。山崎さん一つ訊《き》いてもいがすか」

「どうぞ」

「入居者はどんな人たちを対象に考えてんのすか」

私は、それから暫《しばら》くの時間をかけて、クマケンと話し合ったことを話して聞かせた。

葛西はそれを聞き終えたところで、

「そんな施設を建てたら、入居希望者は何も、都会の人間だけとは限らないかもすんねえよ。宮川だって一人暮らしの老人介護は大きな問題の一つで、行政が真剣に取り組まなければならないことです。すかす、残念ながら我々にはそれほど纏《まと》まった余剰となっている土地はねえ。かといっていまさらこの財政難の折り、それほど大きな投資をするわけにもいかねえすぺ。町の人間だけではなく、支払能力のある老人なら、宮川、仙台、その近隣市町村だけでもかなりの需要があるんでねえべか」

身を乗り出して来た。

思いもかけない反応に、私は呆気《あっけ》に取られて言葉が出てこない。

「三世代が同居している農家にすたって、介護が必要な老人を抱えれば、農作業に支障が出るべ。ならば、費用は子供たちが負担すてということもあるんでねえべが。勤め人、例えば学校の先生にすたって、どういうわけかこの辺りでは、世襲のごとく、その子弟が教師になる例はかなり多い。公立の学校に勤務している教師は県内全域どこで勤務するか分がんねえ。親を介護しようにも、できねえのっしゃ。ましてや、都会に出てしまった子供を持つ親の場合はもっと深刻だ。老後をどう過ごすか、人生最期を迎えるまでの介護をどうするかは、何も都会の人間だけの話じゃねえ。万人の共通すた問題なんです」

「それじゃ、もし、このプランが実現したら……」

「たぶん、潜在的なニーズはかなりあると思いますよ。少なくとも、ウチではカバーしきれないでしょうから、実現した暁《あかつき》には、積極的に緑原に支援をお願いすることになるかも知れませんね」

葛西は、真剣な眼差しを向けながら言った。

＊

牛島からは二週間経っても、何の音沙汰《おとさた》もなかった。

ビジネスの世界に身を置いた人間からすると、これほどの期間レスポンスがないのは考えられない。もっとも、投げた石が石ならば、相手も相手である。元々牛島は老人ホーム建設プロジェクトの門外漢。同期の仲のよしみで宮城くんだりまで来たはいいが、どうしていいのか分からないでいることは想像がつく。しかし、果たして牛島はこの件について上司である事業本部長に話したのか。あるいは、切り出すきっかけを見いだせずに困り果てているのか。彼の本音を聞かせてもらわないことには、次の一手を打とうにも動きが取れない。

今夜にでもこちらから電話をしようか。

窓の外に広がる緑豊かな山並みに目をやっている最中に電話が鳴った。

「山崎です」

「牛島だ」受話器の向こうから、牛島の低い声が聞こえてくる。「この間は世話になったな。楽しい時間を過ごさせて貰ったよ」

「こっちこそ、遠くまで足を運んで貰って感謝してる。それでどうだ。例の話、上に持ちかけてみたか」

　私は早々に本題を切り出した。

「ああ、あれからすぐに本部長の児玉《こだま》さんに話はしたんだが……」牛島は語尾を濁すと続けた。「正直言って、本部長自身の反応はあまりはかばかしくないいんだな。いや、何が悪いというんじゃないんだ。三万坪もの整地済み用地の無償貸与、完備された公共施設が魅力的なことは理解してもらえた。これから団塊の世代が退職して、老後を過ごすに当たっては、お前の目論んでいるようなニーズが生まれることもだ。しかし、場所がなあ……。やっぱ、都市部から地方っていうと、都落ちって感じが否めないっていうんだな」

「どうして都会で暮らしている人間は、揃いも揃って考えることが同じなのかな。この画一的思考回路、右へ倣《なら》えの行動様式が都市部への人口集中を生んで老後の暮らしを厳しいものにしてるってことに気がつかないのかね」

　私は腹立ちを覚えながら率直な感想を漏らした。

「俺自身は、今回そっちに行って、改めていかに都市部での生活に固執する余り、老後の選択肢を狭くしているかってことに気づかされたよ。実際、団塊の世代がこぞって家を購入した頃にできた団地は、今や都会の姥捨山《うばすてやま》のような惨状になってるもんな。一人暮らしの老人が、死後何日も経って発見されるなんて話は今じゃニュースにもなりゃしねえ。退職金や年金は日々の大切な生活費だ。住まいが傷《いた》んだところで、直すにも直せねえ。まるでバラックのようなところに住んでる老人だって、ごまんといるんだもんな」

「俺はね。最初はこのプラン、町興しのための起死回生の一発になると思って進めるつもりだったんだが、老人が置かれている現状を見るにつけ、今では行政が先頭に立って取り組む最優先事項だと思うようになったよ。だってそうだろ。親の面倒を見なけりゃならなくなる頃といえば、子供は働き盛りだ。へたをすりゃ、当の子供も現役引退を迎えて、老後の準備をしなけりゃならなくなってるかもしれない。親の面倒を見るためとはいっても、職場を放棄するわけにはいかない。かといって呼び寄せようにも都市部に住居を構えてしまえば、親を住まわせるスペースがない。今のうちにきちんとした受け皿を作っておかないと、問題が噴出した時にはどこから手を付けていいのか分からないってことにもなりかねない。本当はこうした問題こそ、国がきちんとした制度を作って事に当たらなきゃならないんだが、こっちの方は全く頼りにならないときている」

「分かってる」牛島は呻《うめ》くように言うと、「そこでだ、児玉本部長の反応ははかばかしくなかったが、この話を川野辺《かわのべ》さんにしてみたんだ」

話題を転じた。

川野辺とは、私や牛島よりも一年上で部長の職責にある男だ。数々の大型都市開発を進めてきたプロジェクトの専門家で、現場のことは誰よりも熟知している。

「川野辺さんに話したところで、児玉本部長が駄目を出したんならどうしようもねえだろ」

小さな会社なら事業本部長を飛び越して、社長の決裁を仰ぐという手もあるだろうが、四井のような大企業では事業部自体が会社である。年商数千億から兆の単位の会社が寄り集まって一つの企業を構成しているのであり、事業部のトップは社長そのものだ。川野辺がどんな反応を示したかは知らぬが、児玉が首を縦に振らない以上、結果は目に見えている。

「黙って俺の話を聞け」牛島は宥《なだ》めるように言い、「川野辺さんの反応は思ったほど悪くないんだ。何よりも惹《ひ》かれるのは、三万坪もの用地が無償で貸与されるという点でね。お前、あの人が今どんな仕事を抱えているか知ってっか」

と訊ねてきた。

「いや」

「あの人、いま老人介護施設のプロジェクトを担当してんだ。この分野にウチが乗り出すのは、初めてのことで、社内にモデルケースと呼べるものもなければ、プロジェクトマネージャーとして多くの経験を積んできた川野辺さんにとっても初めての仕事だ」

「それで」

「実は、彼が進めているのは、東京近郊に終身型老人ホームを建設するという案件でね。用地買収の金額もばか高い。当然、上物の値段、つまり入居費用も高額になる。実際に施設の運用が始まれば、月々のオペレーションコストもかなりのものになる。要は入居して来る人間も、それなりの金を持ってなきゃならないってことになるわけだ」

「だからどうした」

私は牛島の意図するところが分からず、苛立《いらだ》った声を上げた。

「高い金を払うからには、入居者だってそれなりのサービスを要求するわな」

「だろうね」

「こっちが施設を運営するのは初めてでも、不手際があったら納得なんてしてくんねえよな」

「そりゃそうだ。そんなこたあ、そっちの理屈であって、入居者には関係ないもん」

「出だしで躓《つまず》けば、こんなご時世だ。悪い評判はあっという間に広がっちまう。そうなればだ、第二、第三の施設を立ち上げようとしても、肝心の客が集まらねえってことになんだろうが」

「そうなるだろうね」

「だから、川野辺さんは、今進めている物件を完成させる前に、実際の現場でノウハウを確立したいって考えているようなんだな」

「じゃあ何か、ウチの町を実験台にしようってのか」

「それでも施設の誘致が実現すりゃあ文句はねえだろ」

「本当にそうなるのならな。だけど脈あんのかよ。川野辺さんなら児玉さんの首を縦に振らせることができんのかよ」

「それはやり方次第だな。何たって強いのは現場担当者だからな。しっかりしたプランがあって、ビジネスとして事業が成り立つってことが証明されれば、本部長だって駄目だとは言わんさ」牛島はそこで言葉を区切ると、「そこでお前に頼みがある」

と切り出した。

「何だよ」

「お前、一度こっちへ来て川野辺さんと直《じか》に話してくんねえか。やっぱこういう事は当事者であるお前が説明した方が手っ取り早いんだよ」

「それは構わんが……」

「あくまでも俺の感触だが、川野辺さん自身は、モデルケースを作るということもあるだろうが、お前の考え自体に満更興味を持っていないわけじゃなさそうなんだ。何か別の考えもありそうだしな。いずれにしても、児玉さんが乗り気じゃないと分かった以上、四井を動かすためには川野辺さんをその気にさせないことには話にならない。お前だって、どんだけの費用がかかるか分からない事業をものにしようってんだ。俺が一言口を利いたくらいでこんだけのプロジェクトが動き出すなんて考えちゃいねえだろ」

その時部屋のドアがノックされ、僅《わず》かに開いた隙間《すきま》からクマケンが顔を覗《のぞ》かせた。電話を掛けている私の姿を見て、慌ててドアを閉めようとするのを目で制しながら、空いた手でおいでおいでをしてやる。

「話は分かった。じゃあ、俺が直接会って話をするよ。都合は合わせるから、川野辺さんのスケジュールを教えてくれ」

私は受話器を置くと、クマケンに向き直って、

「どうした。何か用か」

と訊ねた。

「この間言っていた、福祉大学進学者の数が纏まったんで、持ってきやした」

クマケンが数枚の紙を差し出した。

エクセルで作成された表には、近隣三つの高校から五つの大学に進学した生徒の数が過去十年に亘《わた》って記載されていた。

「この町の中学生は、主に地元の緑原高校、それがら近隣二つの高校さ進むんだけんども、こうして見っと、福祉大学への進学者は結構いるもんなんだよね。この十年でざっと

百三十人からの生徒が仙台、盛岡、東京の福祉大学、あるいは福祉学科のある大学さ進学してんだよね」

「ふ〜ん。かなりの数だな」

老人の街ができれば介護士の雇用が生じる。それも要介護の老人の面倒を見なければならないとなれば、勤務はシフト制だ。当然住居も施設に近いところに持たざるを得なくなる。年齢にもよるだろうが、この中にはすでに家庭を持っている人間も少なくないだろうから、一人を雇用すれば少なくとも二人乃至《ないし》は三人の定住人口が生まれることになる。つまり百人の雇用が生じれば労せずして三百人からの町民が増えることになるわけだ。

「もっとも、福祉大学さ進んだからどいって、卒業した後も福祉の仕事さ就いでっかつうごどになるど、これはどうにも調べがつかないんだけんどもね。多分、多くの人間は地元、あるいは都市部の会社や工場で働いてるんでねえかど思うよ」

「そうだろうな……」

私は頷いた。

四井のような大企業で働いていれば分かることだが、地方の福祉大学を卒業したくらいでは、名のある大企業に就職するのは容易なことではない。実際自分が就職した当時には、就職活動解禁当日ともなると、いずれの企業の玄関ロビーにも受付の台が置かれ、「東大・京大」「早慶上智《じょうち》」「その他の大学」と書かれた紙がぶら下げられていたものだった。今にして思えば、あからさまな差別以外の何物でもないのだが、こうした企業姿勢が今の時代になくなったのかと言われれば、そうではない。むしろ、就職活動の第一歩がネットを通じてエントリーしないことには始まらなくなってからというもの、やり口は益々巧妙さを増しているのが現実だ。大学、学部……瞬時にして企業の欲する人材を狙い撃ちできるからだ。ニーズに合わない人材には、何のレスポンスも取らなければいい。となれば、地方のそれも福祉と特化された大学に、普通の企業が採用の目を向けることなどありはしない。おそらく、近隣の町に進出してきた中央資本の工場か、関連子会社に就職できれば御《おん》の字といったところだろう。

「それに、家に残った親の面倒を見るために、賃金が安いことを承知の上で地元の近くに職を求めた人も多いだろうしな」

私は低い声で言った。

「んだね……。せっかく大学で介護の勉強をしたんだもの。もし、この町に身に付けた教育をいかせる場所がある、しかも親の傍さいでやれるつうごどになったら、今の働き口を辞めても就職したいっつう人はかなりいっぺよ」

クマケンもしんみりとした口調で漏らした。

「しかし、何だってまたこんなに介護の大学に行く人間が多いんだ。俺たちの頃は、そんな道に進むやつなんていやしなかったけどな」

私は思わず首を傾《かし》げた。

「やっぱり、受験情報誌の影響が大きいと思うよ。考えてもみらい。俺らの頃は、これからの時代はコンピュータプログラマーが花形の仕事になるって言われたすぺ。んだがら俺も大学は情報処理学科さ進んでプログラミングの勉強をしたんだけんども、あんなパンチカードをコンピュータさかけるような仕事はあっという間になくなってしまったものね。それと同じ。これからは老人人口が増える。介護士の資格を取れば職には苦労しねえって言われれば、田舎の子供はその気になるよ」

「そんな単純な理由かよ」

「んでがす」

クマケンは自信満々で断言する。

事の真偽は分からぬが、老人の街を造っても、肝心の介護のプロがいなければどうにもならない。少なくとも、その任に当たる人材をかき集めるのは、苦労しそうにないと言うのは朗報である。

私は、レポートを机の上に置くと、牛島の勧めに従って川野辺と直接話をすることを決意した。

＊

東京に出向いたのは、それから三日後のことだった。

寂れた町の中にあって、一際《ひときわ》古い役場の部屋で一日を過ごす身には、久々に訪れた四井本社は、別世界のものであるような豪華さだった。

受付で来意を告げると、ビジターカードが手渡された。程なくして牛島が現れ、

「勝手を知ってる人間に、こんなものをぶら下げさして悪いんだが、これも決まりだ。悪く思うな」

きまりの悪そうな顔をした。

「気にすんな。俺はもう社員じゃねえんだ。ルールは分かってる」

肩を並べてエレベーターへと向かった。籠《ケージ》が静かに上昇して行く。牛島が押したのは、二十階のボタンで、そこには役員用の応接室がある。

「おい、児玉さんが同席すんじゃねえだろうな」

私は一瞬不安に駆られて言った。

「大丈夫、児玉さんは今日は大阪に出張していて留守だ。役員応接室を取ったのは、仮にも町長であるお前に敬意を表してのこった。川野辺さんと、チームの課長が待っている」

牛島はニヤリと笑いながら答える。

扉が開く。静謐《せいひつ》な空間が目の前に広がる。牛島は絨毯《じゅうたん》が敷き詰められた廊下を歩き、一つのドアを開いた。大きな窓の向こうに皇居の緑が広がる。その前に二人の男がいた。川野辺、そして初めて会う部下の課長である。

「やあ、山崎さん。お久しぶりです」川野辺が明るい声で言い、「こちらは私の部下の真《ま》島《じま》です」ともう一人の男を紹介した。

名刺の交換が終わると、

「わざわざ東京までお運びいただいて申し訳ありませんでしたね」

川野辺は、椅子に座りながら言った。

「いや、お願い事をするのはこちらですから」

「お話の概略は牛島君から聞きましたけど、改めて山崎さんのお考えをお聞かせ願いますか」

川野辺は早々に切り出す。

私は鞄の中から用意したプレゼン資料を取り出し、プランの概略、それから町の利点といった牛島が緑原にやってきた際に説明したことを長い時間をかけて話して聞かせた。

川野辺は黙って資料に見入り、私の話に耳を傾けていたが、

「お話は分かりました。実に興味深い」

顔を上げると、にこりと笑った。

「脈があるということですか」

私は身を乗り出して訊ねた。

「我々がこれからどんな事業に乗り出そうとしているかはご存知ですよね」

「ええ。老人介護施設を建設しようとしていることは牛島から聞いています」

「その通り。ですが、それだけではないんです」

「と言いますと」

「都市の再生と、老人介護、その二つが同時に成り立たないかと考えているんですよ」

「都市の再生ですか」

川野辺の言っていることが俄《にわか》に理解できず、私は訊ね返した。

「いま、東京近郊の住宅地がどういう状況にあるかご存知ですか」

「住宅地というか、団地なら知ってますよ。高度成長期に建設された大規模団地では、住人の高齢化が進んで、いまや老人の街と化してるんでしょう」

「それが大規模団地だけじゃないんです。郊外の私鉄沿線でも同じような現象が起きてるんですね」

「私鉄沿線と言いますと、瀟洒《しょうしゃ》な戸建て住宅が建ち並んでいるといったイメージしかありませんけど」

「今でこそ東京はどこもかしこも家ばかりになっていますけど、高度成長期を迎えるまでは、電車で二十分も郊外に走れば、見渡す限りの原野が広がっていたんです。景気が良くなり、都市部の雇用需要が高まると地方から人が押し寄せてくるようになった。当時は終身雇用が当たり前の時代でしたから、家庭を持つようになると次は住宅ということになったんですね。もっとも購入者の所得には格差がありますから、収入に余裕がある層は私鉄沿線の戸建て、そうでない人は公団主導の大規模住宅へと住まいを求めることになった」

「なるほど」私はそこで相づちを打つと、「それが今の時代になって、いずれのエリアに家を構えた人間たちも高齢化が進み、住居の虫食い状態が始まったというわけですか」

先回りして言った。

「ええ、こうして見ていると第二世代は親の家を引き継ぐというより、どうも新たに家を買い求める傾向が強いようなんです。おそらく、これは育ってきたライフスタイルにあるんでしょうね。同居して親の面倒を見るという概念がもともとないか、見たくとも物理的な制約によって不可能という現実があってということもあるでしょうが、とにかく団地にしても戸建てにしても急速に高齢化が進んでいるんです。そして特徴的なのは、戸建てに住んでいる高齢者にしても、ライフスタイルに合わせて家を建て直すといった人は思いのほか少ないということです」

「余生を考えれば、いまさら家を建て替えるのは無駄と思うでしょうからね。第一、老人向けに家を建て直しても、自分が死んだ後のことを考えれば今度は売りづらくなってしまいますもんね」

「そこなんです」川野辺は身を乗り出した。「団地で生活することを余儀なくされている人には申し訳ないのですが、戸建てという私有財産を持っている層には、潜在的に老人の生活に合わせた住居、あるいは環境に相応《ふさわ》しい住宅へのニーズが確実に埋もれていると思えるんですね。問題は受け皿です。そこさえ明確な形で提示してやれば、住宅を処分し、しかるべき施設に移る。そうした流れが確立されると私は睨《にら》んでいるんです」

「具体的なお考えはあるんですか」

私は訊ねた。

「あります」

川野辺が真島に目配せする。

「方法は二つ考えています。一つは家を買い取り、リフォームして中古住宅として売り出す」真島が言った。「日本の中古住宅の値段は、上物はほとんど値がつきません。土地代金だけのようなものです。しかし、家のメインとなっている部材はまだまだ使用に堪《た》えるものが少なからずあるんです。そこで内装に徹底的に手を入れ、新しい世代向けの中古住宅に変える。これは売り主にとっても、土地の値段が下がるわけじゃありませんから損はありませんし、買う側にしてみればまっさらの物件を買うよりも遥かに安い値段で豪華な家を手にできるという具合に、双方にメリットが生じます」

「なるほど」

「二つ目は貸家です。それも必要最低限のリフォームを施して賃貸に回し、その収入を永住型老人施設に住む居住費に充《あ》てるというものです。ただこの場合、家主に対しては店子《たなこ》が現れなくとも、家賃収入は保証しなければなりませんから、当然物件の善し悪し、立地条件も整っていなければなりませんが、この二本立てのビジネスモデルが確立されれば、高齢者は快適な環境の整った老人施設へ移れるのではないかと考えているんです」

四井が狙いとするところは明らかである。

施設を建設しても、肝心の入居者が集まらないのでは話にならない。それでは入居に際しての最大のネックとなるものは何かとなれば、やはり資金である。持ち家があるならば、それなりに蓄えがあるだろうが、それを入居費用に支払ったのではやはり不安を覚える。その点、この仕組みが実現すれば、入居を希望する高齢者は手持ちの金にはほとんど手を付けずに済むというわけだ。

若い頃に建てた家は、高齢者にとって何かと使い勝手が悪い。子供と同居しなければ広過ぎる。かといって三世代が一緒に住むには狭過ぎる。バリアフリーに改造するには金がかかるし、死した後の事を考えれば、転売が難しくなる。

このアイデアはもはや使い勝手が悪くなった家を、さっさと売り払い施設への入居資金に替える。あるいは、賃貸に回し家賃を定収入としてしまうことを目的としているのだ。そして、その仲介《ちゅうかい》をすることで、四井は中古住宅の斡旋、賃貸ビジネスという新たな市場の開拓もできる。一挙両得とはこのことだ。牛島から教えてもらったリバースモゲージと合わせれば選択肢が増える。

「凄いことを考えたもんですね」

私は、久しく忘れていたビジネスへの興奮を覚えながら言った。

「あんまり褒《ほ》められても……」

真島が照れ臭そうな笑いを浮かべた。

「実はこれ、私たちのアイデアじゃないんです。すでに私鉄系の不動産業者がこうしたビジネスを展開してるんですよ」川野辺がすかさず言葉を挟んだ。「彼らにしてみれば、沿線住民の高齢化が進むことは、本業の電車利用者、それも定期購入者が減少することと同じですからね」

「それは少し大袈裟《おおげさ》でしょう。これだけ人がいるんですから」

「いやそうでもないんです。山崎さん、六十歳以上の高齢者の持ち家比率をご存知ですか」

「いいえ」

「八割……もちろん日本全体でですがね」

「そんなにいるんですか」

「もの凄い数でしょ。想像してみて下さい。東京には多くの私鉄がありますよね。東急《とうきゅう》、小田急《おだきゅう》、京王《けいおう》といった沿線の整然と区画された分譲住宅地がいつでき上がったか。それを購入した第一世代が、いま何歳になっているか」

「そう言われれば、私よりも十から二十は上でしょうね」

「ということは、その比率の中にすっぽりと収まることになりますね。ですから、これから年を経るに従って、かつては時代の先端を行っていた街も、確実に老人の街になってしまうということなんです。同時に、高齢者が住むに相応しい施設の需要が生ずることを意味するんです」川野辺は、一呼吸置くと更に続ける。「しかし、私鉄系の不動産業者がやっていることには、一つ足りないものがある。それは、肝心の老人施設のケア、つまり受け皿がないんですね。金を捻出する術《すべ》は提供するけど、施設は自分で探せというのは少し不親切でしょ」

「じゃあ、その受け皿として私の町を考えてもいいと?」

「考慮の対象にはなるかもしれませんね」

川野辺は静かに頷いた。

朗報である。もちろん決定には至らないが、少なくとも四井が抱えるプロジェクトの俎《そ》上《じょう》に上る。それだけでも大きな前進というものだ。

「いいんですか川野辺さん。そんな簡単に……」

牛島が余計な言葉を挟む。

私は思わず牛島をじろりと睨みつけた。

「いや、検討するだけの価値はあると思いますよ」川野辺はそこで私を見ると、「何と言っても最大の魅力は三万坪もの整地済みの用地。それと医療施設、レクリエーションの環境が整っていることです。それと当事者を前にして言うのも何ですが、人件費が都市部に比べて安くつくのもいい。幾ら手持ちの物件が高く売れても、大抵のお年寄りにとっては、最後の財産です。これが尽きれば後は貯金だけってのは心細い。余生を過ごすコストは安いに越したことはない。そう思う人も少なからずいるでしょうからね」

「でもねえ、子供たちにはすぐに会えないところに移り住むんですよ。誰しも抵抗を覚えると思いますけどねえ」

どこまでも余計な言葉を吐くやつである。牛島は平然と否定的な言葉を吐きやがる。

「じゃあ、どうして手持ちの家を処分しようっていう人がこれだけいるんですかね。それに牛島君、子供たちにはすぐに会えないって言いますが、緑原までなら新幹線を使えば三時間ちょっとで行けちゃうんでしょ」

「その三時間が問題なんじゃないですか」

「そうですかね」川野辺は小首を傾げた。「それじゃ聞きますけど、逆にどうして地方の都市では老人の一人暮らしが増えているんでしょうね」

「どうしてって、面倒見る息子や娘が、故郷を離れて生活基盤を都市部に置くようになったからでしょ」

「確かに……。でもその息子や娘にしたところで、親に何かあれば三時間かけて田舎に駆けつけなきゃならないわけですよね」

「でしょうね」

「私はね。こう思うんです。かつて新幹線や高速道路がなかった頃は、親に万一のことがあっても、短時間のうちに駆けつけるだけの手段がなかった。だから仕事がなくとも、簡単に故郷を離れることはできなかった。しかし、交通網が整備され、もしもの場合には三時間で駆けつけられる。そうした環境が整うと、距離というのはさほど大きな問題ではなくなった。潜在意識の中でそう考える人が多くなったんじゃないでしょうか。それが過疎地の老人の一人暮らしという傾向に拍車をかけたんじゃないか。私にはそう思えるんです」

「そういう一面があることは否定しませんが、現に都市部で暮らしている人は何と思うでしょうかね。そう簡単に、割り切れる人がどれだけいるでしょうかね」

「それはやってみないことには何とも言えませんが……。でもね、一旦流れができてしまえば、分かりませんよ」

川野辺は自信あり気な目で牛島を見ると、今度は一転して感慨深げな口調で言った。

「私もね、後四年で定年退職です。この歳になってつくづく思うのは、私たち四井の人間は商社マンとはいっても、本当に自分たちの力で起こしたビジネスがどれだけあるのかということです。この十年を振り返ると、特にそう思うんですよ、私たちは組織の大きさに甘えて、多くのビジネスチャンスを逃してきたんじゃないかとね。時代の寵児《ちようじ》となって莫大な富を築いた人間が続出したＩＴ産業やブライダルビジネス。彼らが築いたビジネスモデルは、四井の資本力を以《もつ》てすれば、もっと早く、かつ確実な方法でものにできたはずじゃありませんか。だけど実際は誰もそんな分野に目を向けなかった。もちろんアイデアとして考えた人間もいたかもしれない。しかし、組織に身を置く人間の性《さが》で、結局は失敗を恐れるか、あるいは小さな流れを本流に押し上げるには多大な労力と、時間がかかるといった理由で誰も手をつけなかった……そうじゃありませんか？」

牛島が押し黙った。

「新しいことを始める先駆者には、大変なエネルギーが必要です。成功を信じて前進し続けなければ事は成し遂げられません。それが実現するまで、何年かかるか分からない。でもね、その一歩を踏み出さないことには何も始まらないんですよ。今は当たり前にあるテレビだってそうです。発明された当初は受像機があっても放送局がなければただの箱だし、電波の中継局も国を網羅するだけ造らなければならない。放送局を造るためには、目の玉が飛び出るほどの金がかかるし、肝心の受像機が普及しなけりゃ意味がない。考えるだに気が遠くなるほどの、果てしない道のりにして不確実極まりないビジネスだったはずです。ですが、テレビが今日あるのは、今日ある姿を信じて、第一歩を踏み出した人間がいたからでしょ。誰かが始めないことには、何も起こらない。そして結果もまた誰にも分からない。ただ、一旦成功すれば、必ずそれに続く人間が出てくる。世の中はそんなもんです」

「いや、おっしゃる通りです。千里の道も一歩から。そうですよね、川野辺さん！」

私は思わず腰を浮かして叫んだ。

「山崎さん。喜ぶのはまだ早いですよ。私は、可能性を追求すると言ったまでで、やるとはまだ決めちゃいないんですからね」

川野辺は、苦笑いを浮かべながら言った。

「じゃあ、その可能性とやらを吟味するためには、どうしたらいいんでしょうかね」

「まず、私と真島が一度現地を視察します。果たして老人が生活するのに本当に適した土地かどうかを確認します。もし、可能性ありと見なしたら、そこからどの程度の建物を建てたらいいのか、ラフなプランを立てる。その時点で一部屋当たりの建築コストが算出されるでしょうから、入居対象となるターゲット層が絞られるでしょう。そこに該当する客層が見えてくればゴー。なければこの話はなかったことになります」

「こちらでご協力することは？」

「施設の概要が見えてくれば、従業員の数もおのずと決まります。山崎さんにやっていただきたいのは、地元の人間を採用するとして、果たしてどれほどの人件費が妥当なのか。従業員の確保は果たして可能なのか。他にも色々お願いすることは出てくると思いますが、いずれにしても、本格的に動いていただくのは、現地調査が済んでからということになりますね」

川野辺の言葉が心強い。心が浮き立ってくる。しかし、その一方で、胸中片隅に拭《ぬぐ》い去ることのできない不安が残っていることに気がついた。

児玉のことである。

「あの……川野辺さん。牛島から聞いたところでは、児玉本部長はこの話に乗り気じゃないって言ったそうですが、大丈夫なんでしょうか。事業部のトップが首を縦に振らなきゃ、いくら頑張ったところでどうにもならないんじゃないですか」

私は恐る恐る訊ねた。

「そんなことは、今の段階で心配したところでどうしようもありませんよ。本部長は、ちゃんとした調査書や企画書を見ちゃいないんだし、こちらが改めて正式な資料を提示した上で判断を仰げば、別の答えも出てくるかもしれません。要はこの事業がビジネスとして成り立つのかどうかの問題なんですから」

川野辺は、これまでとは打って変わった冷徹な光を目に宿すとさらりと言ってのけた。

＊

「んで、鉄ちゃん。四井の人はいつ町さやってくんの？」

出張の首尾を話して聞かせたところで、クマケンは訊ねてきた。

「日にちは分からねえけど、この一週間のうちには来んだろな」

「どうだべ、いい結果が出るべが」

クマケンは落ち着かぬ様子である。無理もない。この一件に町の将来が懸かっているのだ。

「分かんねえ。川野辺さんがいけると踏んでも、何しろ都会で暮らす老人を田舎に誘致するなんてのは、全国を見渡しても例がないからな。なんぼ山っ気の多い人間が集まってる総合商社ってもさ、前例のないビジネスには慎重になるもんだ」

「したら、また接待のスケジュールを立てて、せいぜいこの町のいいところをアピールせねばなんねえね」

「どうかな」私は小首を傾げた。「いいところばっかりかいつまんで見せても、今回ばっかはあんまり効果はねえんじゃないかな。放って置いたって、自分たちの関心がある部分は事前にリストアップしてくんだろうし」

「だよね……。牛島さんとは違ってその道のプロがやんだものね」クマケンは深い溜息を漏らすと、「んでもね、鉄ちゃん。俺、あんだの話を聞いでっと、少し気になるどごがあんのっす」

沈んだ口調で言った。

「どこが？」

「川野辺さんが考案したビジネススキームは良くできたもんだど思うよ。だけどさ、このプランが実現したどしても、やっぱり入居対象になるのは、都市部で一戸建ての家を持ってる人ってことになるよね」

「だろうね」

「したら、家のねえ人はどうなんだべね。考えてみっと、本当に老後の生活に不安を覚えてんのは、金に換えられる財産は何もねえ人だぢでねえんだべが。定年退職まで一生懸命働いても、ついに一戸建ての家を手にするごどはできなくて、団地暮らしをすることが精一杯だった。そんな人のためになる施設を造るのが自治体の役割なんでねえべが」

クマケンに言われるまでもなく、その点は私も気になっていた。

快適な老後を送る金を得るための財産を持っている人間はいい。利益を追求する民間企業が、そうした人たちに対価と引き換えにサービスを提供するのもやむをえない。だが、たとえ休眠地とはいえ、税金を使って造成した用地を利益を追求する企業に無償貸与する。それも富裕者層向けの事業にということになれば、やはり本来の自治体のありかたとは違うのではないか。そうした思いは確かにあった。

「しかしなあ、クマケン。そうは言っても、ウチの町はもはやどうしようもないところまで追い込まれてるんだぜ。このまま財政再建団体に認定されれば病院も閉鎖だ。いま行ってる老人へのサービスも全部無くなっちまうんだぜ。それに、老後の生活に不安を抱えている人間は、世の中にはごまんといる。全部救うなんてことはできやしねえ。もし、本当にそうした人たちを救いたいってんなら、考えるのは俺たちじゃねえ。国がきちんとした制度を立てて解決に当たらなけりゃならない問題だよ」

「んでも鉄ちゃん。宮川の葛西市長も言ってだすぺ。施設の建設が実現すれば、ウチの町だけじゃない。宮川にもかなりの需要があるはずだって。もし、できた施設がこの辺りの人間が利用するには高額過ぎるものだったら、今度は地域を見捨てたって誹《そし》りを受けることになんねえべが」

「そうはならないと思うよ」

「なして」

「入居費用が幾らになるかはこれからの検討課題だから分からない。しかし、食料のほとんどは地場の農家、あるいは事業所からの購入になる。結果、農家の収入は上がり、住民税収入も増える。従業員からも税収が得られんだろ。となれば、従来以上に町に住んでいる老人への支援に金をかけられるじゃねえか。それにだなあ、町の住民の入居を断るってんじゃないんだ。入りたきゃ、入ればいいんだし」

胸中では複雑な感情が渦を巻いているのに、あえて私はクマケンの不安を一刀両断に切り捨てた。実際に誘致が決まったわけでもなければ、入居の条件がはっきりしないうちにあれこれ心配してもしょうがないという気持ちもあったからだ。

私の乱暴な口調に、クマケンは押し黙って下を向いた。何やら納得がいかないふうである。

「何だクマケン。まだ何か言いたいことがあるのか」

私は苛立った言葉を投げ掛けた。

「いや……これ言ってもまた取り越し苦労だって言われっから……」

「んなこと言われたら気になんだろ。喋りかけたなら言えよ」

「そしたら言いすが」クマケンは気乗りのしない様子で口を開く。「カマタケのことなんだけどもね」

「あのオヤジがどうかしたのか」

「どうもしねえげんともね。その黙っているどころが気になんのっす」

「何で？」

「もし、本当に四井がこの町さやって来るってごとになったら、施設を建てるに当たっては、当然系列の建設会社を使うんだべね」

「そりゃ分かんねえよ。世間じゃ四井グループとか言って、旧財閥系の大手商社が事業を行うに当たっては、グループ内で仕事を回しっこするって思われてるかもしんねえけど、実際のところはグループ企業各社の図体がでかくなり過ぎて関係もさほど強固じゃない気がするがな」

「んでも、こんだけ大きな案件となれば、建設会社もそれ相応の技術を持ったところでねえと駄目だべ」

「だろうね。常識で考えても」

「そこなんだなあ。俺が気になんのは……」

「奥歯に物が挟まったような言い方すんじゃねえよ。気持ち悪いなあ。建設会社とカマタケがどう関係すんだよ」

私は声を荒らげた。

「前にも言ったべさ。カマタケの孫が地場の建設会社さ嫁に行ったたって」

「だから?」

「あんだも勘の鈍い人だね。カマタケは町の利権で肥え太ってきた男だよ。孫をあの会社さ嫁がせたのは、町の公共事業を一手に引き受けさせるためだったんだよ」

そこで私はかつてクマケンが言った、公共事業に湯水のように金を使った結果、小さな土建屋だった会社がビルを建てるまでに急成長したという話を思い出した。

「あの会社にカマタケの孫が嫁いでんだったよな?」

「んだよ」クマケンは頷くと続けた。「だから、もし本当にこの話が動き始めたら、あの男は黙ってねえよ。千載一遇《せんざいいちぐう》のチャンス到来とばかりに、孫の嫁ぎ先を事業さまぜろってねじ込んでくるよ」

「そんな汚職まがいのことをまた本当に言い出したら、事実を公にしてやりゃいいじゃん」

「そごは古ダヌキのようなやつだからね。簡単に尻尾《しっぽ》なんかつかませねえよ」

「どんな方法があるってんだ」

「鉄ちゃん。あんだあの土地を無償で四井に貸与するって言ったよね」

「ああ、言った」

「俺も、おそらく町の人も反対はしねえど思うよ。休眠状態になってる町の財産の有効活用だものね。だけど、そうするためには町議会の賛成を取り付けなきゃなんねえべさ」

「町議会って、俺が町長に就任した時の施政方針演説で、この計画を発表したじゃん。誰も反対しなかったじゃん」

「海のものとも山のものともつかない時点での話だべさ。こいづが実現するとなったら話は別だ。あの用地を何がさ使うどなったら、改めて町議会の承認を得なけりゃなんねえ。その時にカマタケが地元の建設会社を使わねば駄目だって言い出したら、どうすんの」

「あのさ。どんな建設会社か分かんねえけど、カマタケに利権が誘導されんのを承知で仕事をやるわけにはいかねえよ。公共事業である限り、施工業者は公開入札が大原則だ。おそらく四井だってそうするに決まってる」

「じゃあ、地場産業振興のためだって言われたらどうすんの。町の財政が逼迫《ひっぱく》してからというもの、あの会社も青息吐息、倒産寸前だ。雇っていた従業員だって解雇されて日雇いにされてるんだよ。町の財産を無償で貸与すんだがら、町民の雇用確保のために地場の建設会社を優先的に使うのが条件って切り出されたら、ぐうの音《ね》もでねえべさ」

「三万坪の土地に、でかい施設を造るだけの力があんのかよ」

「そりゃねえげんとも、元請けにはなれっぺ」

「小が大を使うってのか？　そんな馬鹿な話があるもんか。それじゃ丸投げじゃん」

「でなかったら、下請けでもいいってこともあるよ。自社でやれねえ仕事は孫請けさ回せばいいんだから」

「あのな、クマケン。これまでどんな業者の選定の仕方をしてきたか分かんねえけどさ、俺も長い会社暮らしの中で、穀物の貯蔵庫だとか色んな施設の建設に何度か立ち会ってきたさ。でかい資金を投下するに当たって民間ではだな、建築費用が妥当なものか、施工が完璧にスペック通りに行っているか、専門のコンサルタントを雇って検証するのが当たり前だ。ましてや四井ともなれば、コンサルタントを雇うまでもなく、自分たちでそれを行う力は持っている。もちろんどこの建設会社に決まっても、下請け、孫請けは使うだろうさ。だけど、妥当な利益以上の金はびた一文も払いやしねえよ。それがビジネスってもんだ」

「それは中央のルールってもんで、ここにはここの慣習ってもんがあっからね」

「その慣習とやらのために、町はこんなことになったんだろ。まあ、働き口のない町の人を優先的に選定業者に雇って貰うってことを条件にすんのは、町長として当たり前のことだとは思うけどさ、業者そのものまでは指定なんてできやしねえよ。第一、そんなことすりゃ、無駄な建設コストが嵩んで、結局入居費用に跳ね返るってことだろ。それじゃ入居者へのハードルが高くなるばっかじゃん。事業をやる意味ねえじゃん」

「あんだの言うごどは一々ごもっともなんだけんどもっさ……あの男が黙ってこんな美味しい話を見逃すがどうが……」

クマケンは苦虫を嚙み潰すような顔をして下を向いた。

「とにかく、んなもんは出たとこ勝負だ。今から先のことを心配してもしょうがねえ。それにさ、入札の結果、カマタケの孫の嫁ぎ先の建設会社が、条件に適合するんなら排除する理由なんてないんだ。正当な収益から、幾らヤツの懐《ふところ》に流れたとしても、こっちの知ったこっちゃねえ。合わなかったら残念でしたの話だ。このご時世に、そんな無理難題をふっかけるやつなんていやしねえさ」

私はぴしりと言うと、

「それよりクマケン。四井からの当面の宿題だ。もし施設の建設が実現したとして、そこで働く従業員の給料。この辺りの民力から妥当と思われる線を早急に算出してくれ」

クマケンに命じた。

第四章

それから四カ月の間は、四井の人間がやって来ては、調査を繰り返すという日々が続いた。

四井に長く籍を置いた私が、必要以上に拘《かか》わるのはあらぬ誤解を受ける元になりかねない。それに町長としての本来の仕事もある。

彼らの対応には、クマケンをリーダーとした企業誘致室というセクションを新設し、当たらせた。部下は飯島公平《いいじまこうへい》、小松洋子《こまつようこ》の二名である。

飯島は東京の大学を出たUターン組で、まだ三十歳、小松洋子は仙台の福祉大学を卒業して六年目の二十八歳とどちらも歳が若い。大きな仕事を任せるには不安はあったが、役場での勤務が長くなれば、狭い町のことだ、何かとしがらみもあるだろう。

そう、クマケンが言った、利権の臭いを嗅《か》ぎつけて群がってくるに違いない、町議会の人間を、私は警戒したのだ。それに大きな仕事を若いうちに経験させるのは、悪い話ではないという考えもあった。

老人施設の誘致が成功すれば、事業は永続的に続く。ならば、立ち上げから運営に至るまで、何がどう行われたのか、事の経緯のすべてを知る者がいた方がいい。「いずれは、施設の長として任務を全《まっと》うしえる人間をスタッフに」ただ一つの条件を出した結果、クマケンが白羽の矢を立てたのがこの二人だったのだ。

四井の方も、同じ考えであったと見えて、最初の現地視察こそ、川野辺、真島の二人がやってきたが、二度目以降は真島が数人のスタッフを連れて調査を行うようになっていた。川野辺の年齢からすれば、施設が稼働し始める頃には定年間近。おそらくは、真島が以降の運営に責任を持つことになるのだろう。

見慣れぬ男たちが頻繁に鄙《ひな》びた町を訪れ、雑草が伸び放題になった広大な土地を前にして、図面を広げ、あるいは様々な施設を覗《のぞ》いて歩けば厭《いや》でも目につく。

「何だか、でかい施設ができるんだっつ」

「いや、工場が来るらすいよ」

町民たちの間では、様々な憶測が流れ始めた。

町議会議員の中には、それとなく探りを入れて来る者もいたが、私は言を左右にして、明言を避けた。

何しろ、人間ドックで病院に入院したというだけで、死んだと尾鰭《おひれ》がついた噂がたちまちのうちに広がってしまう町のことだ。四井が現地調査を繰り返していると話そうものなら、決定事項と取られ収拾のつかない事態に陥《おちい》るのは目に見えている。

私は沈黙を守ったのだが、気になるのはカマタケの動きだ。四井の人間が頻繁に町を訪れていることも、町民の間に噂が流れていることも、当然彼は知っている筈《はず》である。しかし、カマタケは、そのことに触れるどころか、意識的に無視を決め込んでいるようですらあった。

いつの間にか季節がうつろい、緑に覆われていた山々は燃えるような紅葉に彩《いろど》られ、それも散った。大地は茶褐色の枯れ野となり、常緑樹の杉の木に茂った葉も黒く変わった。暗く、厳しい冬がやってきた——。

「鉄ちゃん。大丈夫なんだべが」

町長室を訪れたクマケンがぽつりと呟《つぶや》いたのは、年が明けてひと月経ち二月に入ったばかりのことである。

「何が？」

「四井の人ね。年が明けた途端に、来なぐなったんだよね。このひと月、何の音沙汰《おとさた》もねえんだでば」

「調査があらかた済んじまったからじゃねえのか」

私は苛立《いらだ》った声を上げた。

と言うのも、クマケンがこの部屋にやって来るまで、町に点在する施設の収支報告書に目を通していたからだ。惨憺《さんたん》たる有り様。その一言に尽きる代物だった。

たとえば町には二十五メートル、六レーンの室内温水プールがあるのだが、一日の平均利用者は実に三名。そこに五人もの職員がへばりついている。もちろん町のスポーツ振興課の業務を兼任しているからプール専属とは言えない。しかし、そもそも人口一万三千そこそこの町だ。学校には運動部があって独自の活動をしているし、精々が町民ゲートボール大会の運営をするくらいしか仕事がない。しかも利用料はたったの五百円。つまり一日平均千五百円の収入しかない。これでは人件費、いや職員の時給も賄《まかな》えやしない。

町民ホールにしたところで同じだ。昨年のイベントと言えば、旅役者の公演が二回。町民カラオケ大会に町民劇。地元の文化人の講演が三回。音楽大学の学生の演奏会が二度――。

とても収益につながるとは思えないイベントばかりで、稼働率が一〇％そこそこなのだ。

まあ、こちらは専属の職員を置いていないから、人件費は事実上ゼロだが、それでも施設の維持費は確実に町の予算を食って行く。

このままでは、いよいよ職員のリストラ、さもなくば給与の削減に着手しなければならない。そう思っていた矢先にクマケンが現れたのだ。

「調査が済んだこともあっぺげんとも……」クマケンの眉尻《まゆじり》が頼りなく垂れた。「四井の人だづ、冬の町を見て、気が引けたんじゃねえべが」

「日本中に四季があるのは当たり前。九州だって雪が降るんだ。東京だってこの時期、街路樹は丸裸。どこへ行っても同じだよ」

「すかす、服装が違うがらね」

「服装？　どこが」

「やっぱ、年寄りばっかりだがらね。ファッションなんて言葉とは程遠い格好してるもの。色も地味だす」

「色が地味なんて言ったら、都会も同じだろ。誰もが赤や黄色の服着てるわけじゃねえ。若者だって、最近じゃ黒やグレーの服を好んで着るんだ」

「んだべがね町はシャッター通りで、昼間でも人通りはねえす。うら寂しさに拍車をかけるすぺ」

「夏だって同じじゃねえか。一年三百六十五日、ここは変わんねえ。それにさ、南の島だって、日中に出歩く人間はいねえよ。日差しが強いからね。皆家の中でじっとしてるよ。仰げば青空、燦々《さんさん》と降り注ぐ太陽の下に誰もいねえ。そっちの方が不気味じゃん。白日夢を見てるようでよ」

強気の言葉を吐いて見せたものの、確かにクマケンの言うように、十二月から新緑が芽吹く四月まで、町は重く沈む。凄烈《せいれつ》な大気、澄んだ青空が寒々しさに拍車をかける。姥捨山《うばすてやま》――。施設がどんなに充実したものであっても、都会からこんな田舎にやってきた老人にとっては、この光景を見ながら人生の最期を迎えるのかと考えれば、そんな言葉が脳裏に浮かび、気分は沈み、人によっては鬱《うつ》に陥る者もでてくるかもしれない。ならば都会だったらそんな気分を味わわなくて済むというのだろうか。いやそうではあるまい。

週末になっても子供が訪ねてくるというわけでもない。レクリエーション施設に向かおうにも、足がない。仮に車を運転できたとしても、都会のことだ、駐車場には限りがある。結局老いた夫婦が二人で家に籠《こも》り、テレビを見ながら茶を啜《すす》り、ただ時の過ぎ行くのを待つ。しかも、体の自由が利《き》かなくなった時の不安を覚えながらだ。

すべての条件が揃った環境の中で、人生の最期を迎えることができる人間など、ほんの一握りしかいやしないのだ。冬は南半球で、春は東京、夏は軽井沢、いよいよとなれば何億もする完全介護の老人ホームなんてことができるのは夢のまた夢。何かを我慢しなければ、人生の最期の時すらまっとうな形では迎えられない。それが現実というものだ。

「そんなに気になるんだったら、川野辺さんなり、真島君に電話してみりゃいいだろ。女にコクった返事を待つ中学生じゃあるめえしよ」

私が毒づいたその時である。机の上の電話が鳴った。

「山崎です」

「ご無沙汰してます。川野辺です」

何というタイミングの良さか、電話の主は川野辺である。

「ああ、いまちょうど川野辺さんの話をしてたところです。熊沢がここに来てましてね。このひと月、四井が何も言ってこないんで、どうしたんだろうってぼやくんですよ」

「それは悪いことをしました」川野辺は恐縮した体《てい》で言うと、「実は、現地調査の結果が纏《まと》まりまして、私の部からの正式案件として、年末に企画書を提出したんです。そのための資料の整理やプレゼンの準備に追われて、連絡が疎遠になってしまったんですよ」

一転して明るい声を出す。

「そうですか、正式に企画書を提出なさったわけですね」

「で、今日そのプレゼンが終わったわけなんですけど、結果から申し上げますとゴーです。一応、児玉本部長は企画を進めていいとおっしゃいました」

「本当ですか？　児玉さんがいいと」

「だから一応ですよ。完全承諾ではありません。次のフェーズ。つまり施設の基本設計と、運営コストの現実的算出の段階に入っていいということです。山崎さんも、ウチにいた頃には、様々な仕事を経験なさったから社内のルールはご存知でしょう」

言われるまでもない。大型企画、それも莫大な投資を要する案件には、幾つものハードルがある。まず最初に企画そのもののコンセプトが妥当なものかどうかを審査され、そこで筋がいいと見なされて初めて次のフェーズに進むことができるのだ。基本設計とは言っても、理想的な絵を描くだけのもので、本格的な構造設計は行われない。運営コスト、これも理想像を元に算出する。当然、見積もり金額は、現実離れしたものとならざるを得ない。そこで、今度は四井が運営するに当たって確保しなければならない絶対的収益を加味した投資額、つまり企業として譲れない金額と突き合わせ、余分なものを削《そ》ぎ落としていく。その結果が上層部から承認されれば、初めて本格的な構造設計の段階へと移れる。そうしたプロセスを一つ一つ完全にクリアして初めて企画が実現するのだ。

どこかの段階で躓《つまず》けば、企画は即キャンセル、白紙撤回。ここが利益を追求する民間企業と、予算をオーバーしても一度始めたら完成まで湯水のように金を注《つ》ぎ込む、公共事業との最大の違いである。

「もちろん知ってます」それでも、最初の関門をクリアできたのは朗報である。「で、今回は投資効率はどの程度の数字をベースにして算出したんですか」

投資効率は、投下した資金が何年で回収でき、どれだけの利益を生むのかを表す数字で、事業の妥当性を判断する指標となる。

「九％です。四井では七％以下の事業は、やらないことになってますから、これは立派な数字です」

もちろん四井のルールは事業部が違っても、漏れなく適用される。七%に満たなければ、そもそも川野辺が企画書を提出することはあり得ないのだが、それにしても九%とは異常に高い。銀行の貸付金利が二%跳ね上がれば、どれだけ支払い額が変わってくるかを考えるのと同じことだ。

「九%!」

私は驚嘆の声を上げた。なるほど、それだけの数字を突き付けられれば、第一関門がクリアできるはずだ。これほどの投資効率を見込める事業はそうはない。

「これも、土地代がかからないからなんですよ。山崎さん。念を押すようですが、その点は大丈夫なんでしょうね」

「休眠地ですよ。それに町の予算を使って、工場を誘致しようと造成した土地だ。そこに老人施設が出来、雇用も確保されれば、町の人口も増える。誰が文句をつけるもんですか。町としてぜひお願いしておきたいことは、納税人口を増やすという意味でも、従業員の住居を緑原に、ということぐらいです」

「それは大丈夫です。従業員の寮なども敷地内に建設する予定ですからご安心下さい」川野辺は断言すると「ただ……」

語尾を濁した。

「何でしょう」

「本部長が承認のサインをする前に、一度現地を見たいとおっしゃってるんです」

「いつのことです」

「早いうちに。たぶんこの一週間のうちに案内することになると思います」

ゲッ！　まずい。よりによってこんな季節にかよ。

喜びは瞬時にして吹き飛んだ。

クマケンには強気の言葉を吐いたものの、第一印象は大切だ。茶褐色一色となった野、黒い杉の木が立ち並ぶ山。寒風が吹き抜ける中に、児玉が立った時、彼は何を考えるだろうか。

私は思わず頭に手をやり、髪の毛をかき上げていた。

「私がこんなこと言うのも何ですが、時期が悪くありませんか。生命感満ち溢れる緑豊かな季節ならともかく、一面枯れ野原ですからねえ」

「そんなことは心配いりませんよ」川野辺は苦笑を漏らしながら続けた。「僕らが手がける物件は、何も都心の一等地ばかりじゃないんです。周辺に何も無いような、原野を買収して大規模マンション団地を造ったこともあれば、一大住宅地を造り上げたこともある。要は、その場所が事業地として相応《ふさわ》しいかどうか。居住者が現れるかどうか。事業として成立するかどうかを見るんですからね。詳しいことは、お会いした時にお話ししますが、大丈夫、緑原の用地は筋がいい。それだけは言っておきます」

川野辺はそう言うと、話を終わらせた。

「鉄ちゃん。四井がらすか」

「ああ」

「何だって？」

「とりあえず第一関門はクリア。施設建設に向けて、正式にゴーサインが出る目処《めど》が立ったそうだ」

「本当すか」

「嘘言ってどうするよ。ただ喜ぶのはまだ早い。国の事業と違って、これから乗り越えなきゃならないハードルは幾つもある。どこかで引っかかればその時点で事業はキャンセルされることだってあんだからな」

「いや、それにしてもいがったあ」

クマケンは顔を笑いでくしゃくしゃにする。

「ただなあ、その前に本部長がこちらに来て、現地を視察するってんだよ」

「本部長って、児玉さんすか」

「そう」

「大丈夫だべが、こんな季節に来て。この景色見たら腰が引けんでねえべが」

「川野辺さんは自信あり気だったが、確かに気になるよなあ」

「んだすぺ。やっぱ鉄ちゃんも心配になりすぺ」

クマケンは、それみろと言わんばかりにじろりと睨《にら》んだ。

「隠してたってバレるもんはいつかはバレる。後で四の五の言われるより、一番最初に最悪のところを見しちまった方が気が楽になる。こうなりゃしょうがねえ。覚悟を決めようぜ」

私は、背もたれに身を預けた。

＊

「ひゃあ、こらまた聞きしに優るど田舎だなあ」

車から降り立つなり、児玉が甲高《かんだか》い声を上げた。

まったく無遠慮な男である。少しはこちらの心情を慮《おもんぱか》って、表現を変えればいいものを、児玉ときたら印象そのまんま、無遠慮な言葉を吐く。

「それに、寒さがきついな。底冷えってやつだな。足元から冷気が忍び上がってくる。ラクダのパッチを穿《は》いてくりゃ良かった」

当たり前である。若者ならともかく、六十過ぎた男が冬の東北に来る時にはパッチは必需品だ。おまけに、革靴ときている。

「年寄りが暑さで死ぬことはあっても、寒さで死ぬことなんて、今の時代にありませんよ。この辺は夏でもクーラーはいりません。日中は窓を開け放した家の中にいれば、涼しい風が入って来るし、夜は夏布団が必需品です。その点冬の防寒対策はバッチリしなきゃなりませんけどね」

私は思わず毒づいた。

「そう言われりゃそうだな。東京が酷暑に襲われりゃ、熱中症で毎年何人もの老人が亡くなるもんな。暑さを凌《しの》ぐにはクーラーしかねえが、暖を取るにはエアコン、炬燵《こたつ》、ストーブ。それに服を着込めば、何とかなるか」

「裸になったら最後、それ以上脱ぐものはありませんからね」

目の前には三万坪の用地が広がっている。

それを見渡す児玉の目の光が変わる。値踏みをするようなビジネスマンの目だ。

「しかし、広いなあ。こんだけ纏まった用地を目にすんのは何十年ぶりかなあ。多摩《たま》でマンション団地を造成から手がけた時以来じゃねえか」児玉は遠い過去を見るように目を細め、「ここは確か、以前は水田だっけ」

誰にとはなしに訊《たず》ねる。

「そうです」

私は答えた。

「整地が終わったのはいつだっけ」

「かれこれ十年になりますね」

とクマケン。

「ってことは、地盤はとっくの昔に落ち着いているってわけだ」

「当時は、すぐにでも誘致企業が集まるんでねえかって、改良工事をやったんです。ドレインを地中深く差し込んで」

ドレインとは強靭《きようじん》な紙のような代物で、主に水田や湿地帯のような地盤の改良工事に使用される。これを土中深く差し込むと、毛細管現象によって水分が地上に吸い上げられ、地盤が短時間に強固なものに変わるのだ。

「そこまでしたのに、ここに来ようって企業は現れなかったの」

「そういうことです」

小ばかにしたような児玉の口調に、私の声はむっとしたようなものになる。

「順序逆だろ。企業を誘致するにしてもさ、最初はプランを立てて、青写真持って目ぼしい企業に探りを入れるんじゃねえのか。そりゃバブルの頃には、どんな土地でも値上がりしたからね。纏まった空き地があれば、使うあてがなくともとりあえず買っとけって企業はなんぼでも現れたろうが、それは民間の土地に限っての話だ。自治体主導型の工業団地は、塩漬けを防ぐために大抵購入後二年乃至《ないし》は三年の間に施設建設に着手するって条件がつくもんだからね。事業計画がなけりゃ手出しはしない。進出企業のあてがないうちに、整地しちまうのは無茶だよ」

「当時、町政を担っていた人たちがどんな判断をしたのかは分かりません。まあ、少し前までは、毎年黙っていても国から莫大な交付金が下りてきたんですから、気が大きくなったんでしょう」

「そういや、ふるさと創生基金とか言って、規模を問わず全国の市町村に一億円もの大盤振る舞いをしたことがあったよなあ。あれで金のコケシやカツオを作ったり、温泉掘ったり、日本一長いウォータースライダーの付いたプールを建設したところもあったっけ。考えてみりゃ、何ともお粗末極まりない発想だよな。民間じゃ到底通らねえもんが、何で税金を使うってことになると誰も文句言わねえのか不思議でしょうがねえよ。楽なもんだよな、行政なんて」

「ちっとも楽じゃないですよ。そのツケを払わされる方の身にもなって下さいよ」

私はついに声を荒らげた。

「あっ、そうだったたな。君はいまその連中の尻拭《ぬぐ》いをすんので大変なんだもんな。すまん、すまん」児玉は蟀谷《こめかみ》の辺りを指先で掻《か》くと、「しかし、今となっちゃ、しょうもねえ企業が手を挙げたりしなくて良かったたってことになるかもしれんね」

一転してまじめな顔で言った。

「と、いいますと？」

「ここに一つでも、半端に工場でも建ってたら、君が誘致しようと目論んでる施設なんて、端《はな》から検討の余地なし。川野辺君の段階で撥《は》ね付けられていただろうからね」

「と、言うことは――」

小さな期待と興奮が胸中に芽吹く。

「これだけ纏まった土地が、手付かず、しかもすぐに建設可能な状態で放置されてること自体が奇蹟だよ。しかも土地使用料はただでいいってんだろ。説明するまでもないが、家、マンションの建設コストの大部分は土地代だ。どれだけ豪華な物を建てるかによって、上物の値段が違って来るが、贅沢いわなけりゃそこそこのものを建ててもたかが知れてる。安かろう悪かろうの物を売るのは難しいし、不動産は売りっ放しにできるもんじゃねえ。ましてや老人が住む施設を建てるとなりゃ尚更のことだ。だけど、安くて良い物件というものは黙っていても買い手がつくんだよ。多少の不便には目を瞑《つぶ》ることもできるんだよ。だから、都会のサラリーマンは、片道一時間なんてのは近いうち、二時間、三時間と通勤時間をかけてでも、少しでも広くていい物件を探してるんだ」

「児玉さん、私が言うのも変な話ですが、この時期はウチの町は最悪の季節ですよ。この寒々とした景色を見ても、入居者は現れる。文句を言う人なんかでてきやしない。そうおっしゃるんですか」

思ってもいなかった話の展開に、不安になるのはむしろこっちの方だ。私は、自ら否定的な言葉を吐いてしまう。

「町長の君がそんなネガティブな言葉を吐くとは意外だね」児玉は白い歯を見せて笑うと、「まあ、確かに『楽園』なんてイメージとはほど遠いもんはあるさ。だけどね、それは更地《さらち》を見ているからそう思うんだよ。要は上にどんな建物を建てるかによって人が受ける印象なんてがらりと変わるんだよ」

うんうんと頷《うなず》く。

「そうでしょうか」

「俺たちはその道のプロだからね。考えてもみたまえ。浦安《うらやす》にディズニーランドが建つって計画があった時、いまの成功を誰が予想した。そら、ある程度は客が集まるとは思っただろうけどね、それ以前にあった、フロリダ、カリフォルニアは、どちらも年中燦々と陽光が降り注ぎ、気候も安定してる地域で、まさにおとぎの国と呼ぶのに相応しい。ところが当時の浦安ときたら、住宅地としてそこそこ開発されてはいたけど、鄙びた漁港、しかも用地は東京湾の埋め立て地。梅雨もあれば冬もある。条件としては決して恵まれていたわけじゃない。ところが蓋を開けてみりゃ大盛況。一年三百六十五日、台風が来ようが、大雪が降ろうが、客はひっきりなしだ」

確かに、ディズニーランドの例を持ち出されると、なるほどという気がしてくる。成功するかしないかは、やってみないことには分からない。成功の理由など、後からなら何とでも言える。成功とはリスクに挑戦した者だけが得られるものではある。

「要はハードとソフト。身を置いた空間が充実したものであれば、人間は満足するものじゃないかな。確かに、外に出れば冬の間は一面枯れ野原。現実に引き戻され、寂しい思いをするかも知れない。だがね、そう思わせない生活を施設の中にいれば味わえる。つまり住居と提供するサービスが、真に老後を楽しめるものであったら、冬の光景なんて大きなマイナス要因にはならないんじゃないかな」

児玉は自信に満ちあふれた口調で言う。

「そのためには、ここに建てる施設がいかに快適な日常を送れるかを、知らしめるための努力が必要ですね。特に、都会の人にはイメージの湧かないところがあるでしょうからね。入居を申し込む前に何度もここに足を運んでもらうわけにはいきませんもん」

「どうして君は最初から、都会の人間だけに拘《こだわ》るのかな。老後に不安を覚えている、介護に途方に暮れているのは何も都会の人間だけとは限らんだろう」

「えっ……」

私は不意を突かれて、言葉に詰まった。

「年寄りは日本全国どこに行ってもいるよ。いや、本当に困っているのは、ここの町のように、一昔前なら面倒見てくれた子供たちが都会に出てしまった、地方の老人じゃないのか。一つ訊《き》くが、緑原にも老健や特養はあるんだよね」

「ありますが」

「特養、老健は、部屋が余っているとでもいうのかね」

「それは……」

正直言って、その二つの施設の使用状況については、まだ完全に把握していなかった。

「何だ、知らないのか。たった一年足らずで、君もビジネス感覚が鈍ってしまったようだね」

返す言葉がなかった。いささか失望したような目で、児玉は私を見た。

「特養も老健も常にいっぱい、満室だよ。そうですよね、熊沢さん」

「はい。そうです」

クマケンは慌てて頷いた。

馬鹿野郎……。前に訊かれてたんなら、早く言え。

私は心の中で罵《のの》り声を上げる。

「緑原だけでも、既存の施設のキャパでは賄い切れないほどの老人がいる。これはここに限ったことじゃない。日本全国どこに行っても、同じ状況だ。老健は入所できる期限が決められているが、現実は期限が来たからって返せない。そのまま居続ける老人も多い。特養は要介護度の高い人、事実上最後まで面倒を見ざるを得ない人が大半を占めるから、こちらに入所するのはもっと大変だ。中には特養に空きができた時に、即座に移れるよう、とりあえず老健に入ってしまって居座るという裏技に打って出る人もいる。そうした現状を見るにつけ、日々の生活コストで快適な生活が送れるような施設を建設運営できれば、何も都会の人間をあてにしなくとも、充分部屋は埋まるじゃないか」

「そうですよね。この周辺の自治体だって同じような問題を抱えていることは間違いないんですから」

　私は宮川市の葛西市長の言葉を思い浮かべながら言った。

「半径百キロ」

「はあ?」

　唐突に、児玉の口を衝《つ》いて出た数字の意味が分からず、私は間の抜けた声を出した。

「商圏だよ。メインターゲットは都市部在住者だが、我々はその範囲からだけでも施設の利用者は集まってくる。そう考えてるんだ」

「百キロはちょっと広くないですか。それじゃ仙台を通り越して——」

「川野辺君から聞いたけど、この辺りの人は大きな買い物をするとなると、仙台に行くそうじゃないか」

「そうですけど」

「あのさ、日本の政治家は、高速道路や新幹線を作れば、都市部から人も産業も来る。そう言ってどんどん交通網を整備した。この町に、立派な道路を網の目のように張り巡らせたのも、そうした目論見の結果だ」

かねてより同じ思いを抱いていた私は頷くと言った。

「しかし、結果はまったく逆でしたよね。人が来るどころか、逆に出て行く便を良くしただけだ」

「だがね。ものは考えようだ。出て行きやすくなったということは、来やすくなったことでもある。僕らが子供の頃には、百キロ離れた街に行くとなりゃ、一日仕事。日帰りはできてももったいないから、泊まりがけで出掛けたもんさ。だけど、いまは違う。高速道路なら一時間。一般道でも一時間半もあれば着いちまうだろ。問題は移動時間。距離じゃない。半径百キロの範囲に、市場を見据えれば、大変な数の老人がいるだろうさ」

児玉は川野辺を見る。

「六十五歳以上に絞っても、半径百キロには、ざっと三十五万人近くもの老人がいるんですよ」

それまで話の成り行きに耳を傾けていた川野辺が、即座に答えた。

「一%でも三千五百人、一〇%なら三万五千人。凄い数だよ」

「まあ、地方のことですから、お年寄りの面倒を見るのは子供の務めだ。同居にこだわる家庭も多いでしょう。名前はどうあれ、老人ホームに入れるとなれば抵抗を覚える人もいるでしょう。だけど、我々が造ろうとしてるのは、単なる住《す》み処《か》じゃない。人生の最期に、年を取ったなりの楽しい日々を送って貰える、うまくは言えませんが、老人のアミューズメントパーク。そんな物を造りたいと思ってるんです」

川野辺は真摯《しんし》な口調で言った。

「食い物が美味《うま》いのは当たり前。介護が行き届いているのも当たり前。そんなものは何の売り文句にもなりゃしねえ。四井がやるからには、次世代型の老人介護施設。そうでなきゃ面白くも何ともねえだろ」

児玉が白い息を吐く。

「山崎さん。こんなプランが実現できるのも、老人を一カ所に集め、集中的にケアできるからです。既存の老人介護施設、あるいは老人ホームのように、マンション一棟程度の規模じゃ駄目なんです。これが成功すれば、全国の過疎地に応用できるビジネスモデルになる。地方で老後を過ごすことに、抵抗感を覚える人も少なくなるでしょう。となれば、都市部の住宅価格は下がり、流動性もよくなる。これは我々にとっても悪い話じゃない」

どこまでも抜け目のない連中である。四井はそれから先のビジネス展開をちゃんと見据えていやがる。

「さあ、用地の視察は終わりだ。そろそろ昼飯時だ。山崎君、自慢の美味いもの食わしてくれよ」

児玉は身震いし、コートの襟《えり》を立て、車に向かって歩き始めた。

＊

児玉は、それから柔寿司で三陸の幸、そして山で捕れた野鳥を食し、町内の施設を視察して東京へ帰って行った。

彼が驚いたのは、やはり町には不釣り合いなほどの施設の充実ぶりと豪華さである。もちろん、利用者の姿がまったくないという現実にも驚きを隠さなかった。

「山崎君。財政が危機的状況にあるんだから、町長である君としては、当然施設の閉鎖、人員削減を考えているだろうが、あと三年我慢して欲しい。使われなくなった施設というものは、急速に傷《いた》みが進む。我々が老人施設を開業した時に、手を入れないと使えないというのでは、困ったことになるからね。今後の進め方については、川野辺君とよく話をしてくれたまえ」

児玉は最後にそう言い残した。

計画が実現に向けて、大きく前進したのは何よりだが、施設を閉鎖できない、リストラもできないとなれば、町財政への負担は大きい。あと三年、どう金をやりくりして凌ぐかが、今後の課題となりそうだった。

しかし、それにしてもこれほどの大型案件が、四井の中でよくもすんなり通ったものである。

総合商社というところで働く人間たちは、常に新しい商売を探している。当然山っ気は強い。豊富な資金を使い、大きな仕事を成し遂げるのは総合商社で働く人間でなければ味わえない醍醐《だいご》味《み》でもある。加えて四井の社風は、「そら、おもろい。やってみなはれ」だ。大型案件が他社では考えられないスピードで決まってしまうことも珍しくはないのだが、その分だけ失敗した時の責任はとことん追及される。人材は腐るほどいる。一度失敗した人間に、汚名返上のチャンスは与えられない。

アグレッシブなアイデアを寛容に受け入れる裏には、信賞必罰の厳しい掟《おきて》がちゃんと存在しているのだ。

事実、あまたある子会社を見渡せば、かつて大型案件を手がけ、失敗したあげくに、本社にいた頃の年収の半分にも満たない収入に甘んじている人間はゴロゴロしている。かといって、守りに回って無難な仕事しかしていなければ、能無しと見なされ同じ目に遭《あ》うのだから始末が悪い。

児玉は、さらに一段上のポジションを狙おうとして、賭けにでたのか――。

「山崎さん、良かったですね。これで、老人施設建設は正式にゴーです」

仙台駅からの帰り道の車中、川野辺が話しかけてきた。

「喜ばしいことですが……しかし、児玉さん、いやにすんなりプランを承認したもんですね」

「ああ、そのことですか」

川野辺は意味あり気な含み笑いをする。やはり何か理由がありそうである。

「老人の介護は児玉さんにとっても切実な問題なんですよ」

「と、言いますと?」

「児玉さんも、来年六十四でしょう。お父様は随分前にお亡くなりになってるんですが、お母様はまだ健在でしてね。確か今年八十五になったんじゃないかな、とにかく最近急速に老いが目立ってきてるらしいんですね」

「老いって、惚《ぼ》けるとか」

「どうやらそうらしいんです。児玉さんは茨城といっても、東京から車で四時間もかかる田舎の出身。ずっとお母様を一人暮らしにさせておいたらしいんですが、いよいよそれも無理だとなって、三年前から横浜の自宅に呼び寄せて同居を始めたんです。ところがねえ、いざ一緒に住み始めてみると、世間でお馴染《なじ》みの——」

「嫁姑の確執ですか」

「まあ、そんなところです。惚けが始まると感情の抑制が利かなくなりますからね。思ったことは、何でもストレートに口にする。時には言いがかりに等しいようなことまでをもね。そうなると、奥様もたまりませんよ。相手が普通じゃないと分かっている分だけフラストレーションが溜まる。児玉さん、しみじみ言ってましたよ。年取ると子供に戻るって本当なんだな。まるで人間の成長の過程を逆に辿るようになっちまうんだなって」

「ひゃあ……」

他人事ではない。私の両親に惚けの兆候はないが、いつそれが始まってもおかしくない歳に差し掛かっている。そうなった時、矢面《やおもて》に立たされるのは妻である。

「かと言って、奥さんも惚け出した老人相手にムキになってもしょうがない。勢い愚痴、文句、不満は児玉さんに向かう」

「昔なら、親を最期まで面倒見るのは子供の務めと割り切れたもんでしょうけど、今は違いますからね。ずっと同居をしてきたならともかく、最期が近づいて初めて同居じゃお互いうまくいきませんよ」

「児玉さんもそう言ってましたね。現代は分業の時代だ。介護もやはりプロに任せるのが、年寄りにも家族にも結局一番いいんだとね」

「じゃあ、施設にお入れになるんですか」

「ところが、選択肢が多いのがまた悩みの種でしてね」川野辺がしみじみとした口調で続けた。「老人介護施設といっても様々です。老健、特養、民間の施設は松竹梅、いくら金を払うかによって、受けられるケアの程度も違えば、施設の充実度も違ってくる」

「随分色んな所を回られたんですか」

「四井の取締役と言っても、サラリーマンですからね。そりゃあ、世間相場から言えば随分な高給取りですよ。でもね、児玉さんだって、そろそろ自分の老後を考えなきゃならない歳に差し掛かってる。何億もするような施設には入れられるわけがない」

「そんな金を払えるのは、成功した自営業者か、サラリーマンでも大企業の役員を親子何代か続けて、蓄財がある人に限られるでしょう」

「老健、特養はどこもいっぱいで空きが出るのはいつになるか分からない。それで自宅近くの老人ホームや温泉地の介護施設を覗いてみたそうなんですが、都市部の老人ホームは、手っ取り早く言えば、粗末なマンションに老人を集めただけのようなものに過ぎない。中には、食事や医療の充実ぶりを売りにしてるところもありますが、寝床と食事が確保されただけじゃ快適な生活とは言えませんよね。温泉地の介護施設にしても、一日中風呂で過ごすわけじゃなし、やはり今ある施設には、決定的に欠けているものがある。そう実感したらしいんです」

「老い方は人によって様々ですからね。体が動くうちは、趣味を存分に楽しみたいという人もいるでしょうし、かといって体の自由が利かなくなってから慌てて探しても遅い。既存の施設に入るにしても、どこで決断するのかは難しいですよね」

「だから、まだ健康なうちに入居に踏み切れるような、魅力的な施設を造れ。それが児玉さんが唯一出した条件なんです」

なるほど、そういう理由があったのか。それならば児玉が意外なほど簡単に、このプランにゴーサインを出したのも納得が行く。

「それで、施設の規模はどのくらいになる予定なんです」

私は切り出した。

「そうでしたね。まだコンセプト図、見せてませんでしたね」

川野辺は鞄の中から、ファイルを取り出すと一枚の紙を広げた。

「居住施設は、鉄筋コンクリート四階建て八棟、三階建て三棟の計十一棟。四階建ての八棟はさほど介護を必要としない老人向けで、いずれも六畳二間に八畳のリビングダイニング、２ＬＤＫの間取りです。都市型の老人ホームはほとんどがワンルームで、ベッドとソファ、小さな机を置いてしまうと一杯。シティホテルのような代物ですから、それに比べれば快適な日常生活が送れると思います」

「老人二人が住むには随分贅沢な造りですね」

「いや、これには理由があるんです。夫婦二人が元気なうちはいいんですが、片方の介護が必要となった場合、同室にすると連れ合いの方がつい頑張ってしまうんですね。結果、健康な人も病に陥ってしまうこともある。それに深夜の介護や見回りで、介護士が出入りすれば、健康な方の睡眠が邪魔されるでしょう。ですから二つの部屋には直接外と繋《つな》がっているドアを作っておきます」

なるほど、健常者にはなかなか想像もつかない工夫が必要である。

「三階建ての三棟は？」

私は感心しながら訊ねた。

「介護度の高い老人向けです。こちらは介護の効率を優先しますが、部屋はいずれも個室で六畳の広さになります。下《しも》の世話をしてもらったり、体を拭《ふ》いてもらうのは人の目が気になるでしょうからね。やはり個室の方がいいでしょう」

頷く私を見ながら、川野辺はさらに続ける。

「各棟には、基本的に共有スペースは置きません。その代わり食堂、大浴場、ジム、カフェ、ディスコ、カラオケルーム、居酒屋、機能訓練室、理髪店、美容院、マッサージルーム、図書館、応急治療室といった設備を整えた棟を一つ。それから陶芸、手芸、絵画といったレクリエーション設備を整えた棟をやはり一つ別に建設します」

「なるほど、レクリエーションを必要とするのは、ほとんどが介護の手を必要としない人たちでしょうから、一カ所に集めてしまった方がいいというわけですね」

「そうです。住居棟の間取りはいずれも同じ。設計はそれぞれ一種類ずつで済みますからコストの節約になりますし、介護士たちも棟によって間取りが違うんじゃ、戸惑うでしょう」

「収容能力はどれくらいになるんですか」

「2LDKの棟は敷地面積が千五百坪で、一部屋四十平米で計算するとワンフロア百二十三室。一棟あたり四百九十二。ただ玄関ロビー、エレベーター、階段、廊下といったスペースをさっ引くと、ざっと四百といったところでしょうか、それが八棟ですから――」

「三千二百！」

もの凄い数に頭の中が白くなる。

「介護棟の方は、一室十平米として敷地がこちらは五百坪、さらにランドリーや汚物処理室、浴室などの介護室を各フロアに設置しなければなりませんから一棟三百五十室。三棟で千五十といったところでしょうか。両方合わせれば、四千二百五十室」

「2LDKの棟への入居者は一人とは限りませんよね」

「どれほどかは分かりませんが、多分そういうことになるでしょうね」

「ということはマックス七千四百五十人もの入居者になる可能性があるということですね」

「理論的にはそうなります」

「これだけの施設を建設しても、土地はまだ埋まりませんよね」

レクリエーション棟が二千坪だとしても一万五千五百坪。まだ土地は充分過ぎるほどに余っている。

「勤務者の居住施設を整えなければならないでしょ。今回建設する施設は介護付有料老人ホームなんです。これには厳密に基準が決められていますからね」

「確か、生活相談員、看護・介護職員、機能訓練指導員、計画作成担当者、管理者を置かなければならなかったんでしたよね」

私は要件を一つずつ思い出しながら言った。

「生活相談員は常勤一人以上で、利用者に対する割合は百対一ですから、最大七十五人。介護職員は、要介護利用者三人に対して一人ですから、三百五十人。看護職は五十人以上の施設で一人プラス利用者に対して五十対一ですから百五十人。機能訓練指導員は一人以上ですが、これほどの規模なら最低二十人はいるでしょう。計画作成担当者は百対一ですから七十五人。管理者は事務も含めてやはり二十人はいります。これを総計すると六百九十人」

「そんなにいるんですか！」

改めて聞くと気が遠くなりそうな人数である。ざっと十人に一人。介護に手がかかることは承知しているつもりだったが、実際に数字を突き付けられると果たしてこれで経営が成り立つのかという不安が頭を擡《もた》げてくる。

「何を驚いてるんです？」

川野辺が、怪訝《けげん》な顔をして訊ねてきた。

「いや、そんな数の人間を雇用して大丈夫なんですか」

「経営は成り立つようにするもんですよ。いまお見せしているプランはあくまでも叩き台ですからね。それにまだ、入居費用や月々の利用料を決めたわけじゃない。ただ言えることは、有料老人ホームというところは、まず最初に入居料ありきなんです。これは通常家賃を含むものなんですが、都市部の場合、郊外の相部屋でも六十五歳から七十四歳で七百万、都心近くの個室になると一千万を超えるんです。このあたりでそれくらい出せば２ＬＤＫの物件があったとすれば買えちゃいますよ。ましてや土地代がかからないとなれば、原価でいえば半分。おそらくこちらの利益を見込んでも、五百万あれば充分でしょう」

「しかし、この辺りの年収を考えると五百万は大金ですよ」

「収入で賄おうとすればね。ある程度の蓄財はあるでしょうし、何も全額取ろうってわけじゃないんです。入居金は一定期間内で償却されるものではありますが、それ以前に退去、死亡した場合には精算しなければなりませんから、ある程度返ってくるものなんです。食事の提供を望まれる場合は別枠で徴収しますが、これは家で暮らそうと施設に入ろうとかかる金額です。管理費、介護料も別枠ですが、これは家族に成り代わって世話をする従業員の人件費、施設維持費ですから、かかるものはかかる。しかたありませんよね」

「管理費は月々どれくらいを想定してるんですか」

「これも施設によって様々で一概には言えませんが、安いところでも十二、三万といったところですかね。もちろん一人頭です」

これが従業員に支払う給与の原資になるわけだが、もちろんこの中には電気代や水道料金、公共スペースの維持費が含まれる。しかし、六百九十人すべてが正社員である必要はない。パートだっているはずだ。それなら何とかなるかも知れない。

「多分、それだけの料金が徴収できるなら、経営的には無理なくやっていけると思いますよ。何と言っても、人件費は都会と違って安く抑えられるでしょうしね」

田舎の人間ならば、安く使えると言わんばかりの川野辺の口調にはカチンときたが、すべてのコストが安くつくというのが元々売りなのだから仕方がない。

私は、思わず口を噤《つぐ》んだ。

「それから従業員の居住施設ですが」川野辺はそんな私の心情を気にかける様子もなく続けた。「こちらはこの辺の人たちの住まいに関する考え方が分からないので判断がつきかねるんですが、独身者、既婚者、家族持ちと環境に応じて用意できればいいんでしょうが、用意したはいいけれど、オーバースペックでも逆でも困ります。おそらくこれだけの人員を確保するとなると、地元の人だけでは成り立たないでしょうからねえ」

「こればっかりは、どんな人間が応募して来るかによりますが……ただ、町には雇用促進住宅がありまして、そちらは確か２ＬＤＫの間取りだったと思います」

私はかつてクマケンが話した言葉を思い出しながら言った。

「月額は幾らです」

「三万……だったかな」

「そりゃ安いですねえ……。まあ、どんなものを建てるかによりますが、少し高くなるかもしれませんが、土地は有り余るほどあるんだしタダだ。タウンハウスのようなものなら、何とかなるでしょう。建設コストは毎月寮費として天引すればいいんだし、余った土地を分譲地として販売すれば、町には土地代が入るし、ウチはその上に建てる住宅の建築費用でビジネスになりますからね」

「えっ！　そっちでも儲けるつもりなんですか」

「もちろん。だってこれはビジネスですもん。もっともあこぎな真似をするつもりはないですよ。ただ税金を使った行政サービスのようには行かないってことです。ウイン・ウイン。サービスを受ける側にも提供する側にもメリットがある。そうでなければどんな事業も長続きはしませんよ」

川野辺は、あっさりと言ってのけた。

＊

老人施設建設に向けて、四井が乗り出すと決めたからには、早々に基本合意書を交わさなければならない。もっとも、こちらとしては土地を無償貸与するだけで、建物、運営費はすべて四井が賄う。考えなければならないのは、介護者の人員確保への協力や、町内に点在するレクリエーション施設の有効活用、町民病院との医療体制のリンクである。加えて半径百キロに存在する市町村から、憂いのない余生を送りたいという老人、要介護者を斡旋してもらうことも、各自治体の首長に頼まなければならない。

クマケンのチームは、新たに二名が加わり、総勢五名体制でさらに入念なプランを立てるべく、検討に余念がない。私は私で、来る町議会に計画案を諮《はか》るべく、議案の作成に取り掛かった。

過疎に悩み、企業誘致に失敗してきた町にとって、今回のプロジェクトは積もり積もった財政赤字を解消するという意味でも、起死回生の一発となることは間違いなかった。入居者、七千四百五十人。就労人口六百九十人。総計八千百四十人。本当にこれだけの人口が集まるのなら、町の人口はほぼ一・六倍に膨れ上がる。それだけでも億単位の税収アップになるだろう。

さらに、施設に食料、日用生活品を供給するのは、町の商店や農家を使うから、年商は格段に上がる。当然その分の税収入も格段に上がる。施設運営会社からも法人住民税や固定資産税などの税収を見込める。どう考えても、年間何億かの増収になることは間違いない。

こうなると、不必要な道路や公共施設をばんばんぶっ建ててくれたのが今となっては幸いであった。これ以上、何も整備するものが思い当たらないのだ。まあ、あるとすれば下水道くらいのものだが、これも住民の強い希望があって初めて手がけなければならないものだ。ぽっとん便所にしたところで、水洗にするための工事費を町が負担するわけじゃない。便所の改修、幹線下水道までの工事費は、利用者負担だ。一軒当たり、百万以上ものコストをかけて、いまさらぽっとんを水洗にしようなんて家は幾らもないに決まっている。おそらくは、雇用が確保され、次世代の人間たちが新居を建てるに当たって、自家用の浄化槽を据え付けた水洗トイレを備え付ける。それが普及したところで、徐々に下水道を整備していく。その頃には、町が抱えた負債は消滅しているだろうから、公共事業を行うだけの環境が整っているだろう。

つまり、施設が稼働し始めてからも当面の間、収入が増えても、支出は介護保険にかかわる増額分程度のものだ。しかし、それも老人とはいえ、介護の手がかからない人たちがメインなのだから、額が現状よりも急激に増えるということは考えられない。

議案の草稿を書く手が軽かった。町は救われ、昔のような活気を取り戻せる。そんな確信に私は満たされていた。

机の上の電話が鳴った。私はパソコンのキーを打っていた手を休め、受話器を持ち上げた。

「町長」

聞き覚えのあるだみ声が聞こえて来る。いや〜な予感。

「鎌田でがす」

カマタケである。

「あっ、こりゃどうも……」

何というタイミングの悪さか。よりによって、いま一番話したくない相手からの電話に、私は口籠った。

「いま時間ありすかね」

「ちょっと手が放せない仕事をしておりましてね。今日は、この後会議が控えていて、一日中体が空かないんですが、何か?」

私はそっけない返事を返した。

「いや、今度の町議会のことで、事前に打ち合わせをしたいと思ってっさ」

「それでしたら、議案書を作成したところで、議長へ提出します。それをご覧になってからでもよろしいでしょう」

「町長、議会つうどごはね、事前の根回しが必要などごだよ。いきなり議案書を提出して、予想もしなかった質問や、異議が出されれば無駄な時間を食いすぺ。俺はそれを心配してんの。まあ、あんだが就任演説の時に語った方針さは誰も異議を唱えながった。んだげんとも、何をやるにすてもだ、最終的には一つ一つを議会さ諮り、合意を取り付けなければなんねえ。それが民主主義っつうもんだからね。俺はそれを心配すてんの」

「鎌田さんにだけ、事前に議案書を見せると言うわけにはいきませんよ。それはルール違反というものでしょ」

「あんだも堅い人だね。根回し一つするがせねえがで、纏まるもんも纏まんなぐなるんだよ。俺の口がら言うのもおこがますいげんとも、不肖鎌田武造、議員生活五十年。新進気鋭の町長が、躓《つまず》くとこは見たくねえのっす。ましてや、誰もなり手のいながった、町長になってもらった人だがらね。これも親心っつうもんだでば」

親心とは恐れ入る。よくもこれだけ白々しい言葉が吐けるものだ。

その一方で、カマタケがどうしてまたこんなタイミングで電話をよこしたのかが気になった。と言うのも、四井が施設建設に向けてゴーサインを出したことは、クマケンが統率するチーム以外の人間はまだ知らないはずだ。町の人間が何かが内々で進んでいることは察知していても、実際何が行われようとしているかまでは分からない。

もっとも、利に聡《さと》いカマタケのことである。気配だけで内情を知ろうと電話をしてきたことは充分考えられるが、だとしてもタイミングが良過ぎる。

「どうだべ、町長。今夜一杯やりながら、話をせねすか？　夜なら空いてんだすぺ」

「食事をするのは構いませんが……。鎌田さん、それでも議長提出前に議案の内容をお話しすることはありませんよ」

「いいの、いいの。町財政を建て直すために、一生懸命働いている人を、慰労すんのも町議の役目。今夜は堅い話は抜きで一杯やりすぺ」

カマタケは執拗に迫ってくる。

何だか面倒な話になりそうなのは容易に想像がついたが、申し出を撥《は》ね付ければ後でどんなしっぺ返しが待っているかも知れない。議会が揉《も》めれば、せっかく決まった施設建設プロジェクトにどんな影を落とすかも知れない。

「じゃあ、七時に柔寿司でどうでしょう。あくまでも個人的な会食ということで……」

「分がりゃんした。ほんでや、七時に……」

カマタケは、念を押すように言い電話を切った。

*

柔寿司のカウンターには、三人の男が座っていた。

ここに来たのはこれまで四度ほどか。思い返してみると、いつも決まった顔ぶれである。

私が店に入ると、彼らが一斉に顔を向け、

「ややあ、こいづあ町長、ご苦労さんでがす」

何がご苦労なのかは分からないが、酔いの回った口調で言う。

私は、曖昧《あいまい》な返事をし、奥の座敷に入った。引き戸を開けると、カマタケが居住まいを正し、

「ささ、町長……どうぞ、こっちさ」

上座を勧める。

「いや、今日は私的な席ですから。鎌田さん、どうぞ……」

「何を堅いごどを、あんだは町長、私は議員。議員が上座さ座るわげにはいぎやへん」

カマタケは滅相もないとばかりに、上座を勧めた。

「それでは……」

私が席についたところで、予《あらかじ》めカマタケが注文しておいたものか、ビールと料理が運ばれて来る。

「町長と酒っこ飲むのもずいぶん久しぶりだね」

カマタケは私のグラスにビールを注《つ》ぐ。

「そうですね」

「ここの店も、最初はねえ、都会で修業して来たものを、そのまま出したもんだがら、客がなかなか付かなくて苦労したのっさ」

「その話なら、聞いたことがあります。何でも握りが小さくて、ご飯にならないといって、お握りのように飯の量を多くしたって……」

　私は、かつてクマケンから聞いた話を思い出しながら言った。

「つまみもね、トロだどが、コハダなんてものはこの辺の人は食わねえの。酢だこにコノシロ。要は安いが、腹さ溜まるものでねければなんねえの」

「しかし、それじゃ居酒屋と変わらんでしょう」

「居酒屋値段だがら、客も付くようになったんだ。んでながったら、ああして毎日来る人間なんていやしねえべさ。見だすぺ。カウンターさいるやつらを」

「あの人たち、毎日来てんですか」

「そうだよ。仕事帰りに必ず。ここさこの時間に来るど、毎日ああして酢だこをつまみに酒っこ飲んでる」

　見たところ、建設作業員か土木作業員といった風情《ふぜい》である。平均年収二百四十万円の町で、毎日来られる収入があるとはとても思えない。

「それで、やっていけんですか。酢だこって言っても、寿司屋でしょう。それに酒だって、家で飲むよりは割高だし。第一、帰りはどうすんです。通勤は自動車でしょうから――」

「帰りは、代行頼んで家まで送らせんの」

「それじゃ、いくら何でもやっていけないでしょう」

「おっかあが働きさ出てっから何とでもなんだべ」カマタケはいともあっさりと言うと続けた。「この辺の人はさ、酒どなっと目の色変わっからね。考えでもみらい。この町さ、会館と言われる施設がなんぼある？」

「三軒……でしたっけ」

「んだ。あんだは高校で町を出たから気がつかねえかもしんねえげんども、三軒とも二十年前までは、小っちゃな魚屋でさあ。その中の一軒が会館を始めたら、こいづが大当たり。大繁盛だ。んだもんで残る二軒が後を追って、会館をぶったてて――」

「それで、良くやっていけるもんですね。会館っていっても、どこも百人以上は入れるでかいもんでしょう」

「何たって、緑原は酒の消費量が県で一番。個人消費量でねえよ、絶対量がだよ。要は酒好きが固まって住んでるようなとこだからね」

「そうなんですか」

人口一万五千にも満たないこの町が、酒の消費量が県で一番とは恐ろしい。

私は初めて知る事実に驚愕《きょうがく》した。

「もっとも、それだけでやっていけるわけはねえ。あんなに立派な建物を借金して建てても採算がとれんのは、自分の土地さ会館を建てたからだ。要は、土地代がなければ、上物の価格なんて知れている。幸か不幸か、爺婆《じじばば》ばっかりの町だからね。葬式は頻繁にあるべ。この辺では七日間は家で葬式をやりすが、精進落としは会館で一席設けることになってる。二七日《にしちにち》、四十九日、百カ日、一周忌、三回忌、七回忌、十三回忌、三十三回忌もやんなかったら坊主が仏を無下にするもんでねえって脅すから、念入りにやる。同窓会や同級会。成人式に、結婚式。子供が生まれたといっては一席設ける。そんなもんだから、魚屋と酒屋、それに坊主は大繁盛だ。もっとも酒屋は、ディスカウントショップができたから、廃《すた》れる一方だけんどもね」

ぎくりとした。土地代がタダであることが、人口に比して異常に多い会館が儲かる秘訣だと聞くと、老人施設の入居費、施設使用料を安く抑えてもやっていけるという、ビジネススキームのことを暗に言われているような気がしてくる。

「なるほどねえ……そういうことですか」

私は、何気なく頷いて見せると、ビールを口に含んだ。

「ところで、町長。酔っ払わないうちに訊いておぎゃあすが、ここんどこ、四井の人たちが頻繁に町を訪れでんのは、あんだが所信表明演説で語った老人施設の建設のためすか」

前振りは終わったとばかりに、カマタケはずばりと訊ねてきた。

言を左右し、巧妙に言葉を言い繕《つくろ》いながらならば、こちらものらりくらりと言い逃れができようが、いきなり核心を突かれると、かえってそうもいかない。

「そうですよ」

「んで、四井の方は、何だって」

「それは、次回の町議会でお話ししようと思っていたところで……」

「ってごどは、四井は乗り気になったってごどだね」

「えっ……」

思わず口籠った私に、

「だってそうだすぺ。四井があんだが考えだプランさ乗った。んでながったら、なして議会さかけなきゃなんねえの？　何が承認してもらわねばならねえごどがあるがらだべ」

カマタケは畳みかける。

やはり悟ったのだ。四井が乗って、いよいよ老人施設建設が始まろうとしている。その気配をこの男は嗅ぎ取ったのだ。もちろんこいつの狙いとするところは明白だ。建設、あるいは従業員を斡旋《あっせん》する利権だ。

このくそジジイ！

私は、罵《ののし》りたくなるのを堪《こら》え、

「まあ、そういうことです」

苦々しく言った。

「いやあ、そいづは大したもんだ。やっぱ、大四井で働いていだ人は違うね」カマタケは白々しくも、大袈裟《おおげさ》に感嘆の声を上げ、「んで、どれくらいの規模になんの」と訊ねてきた。

「しょうがありませんね……。施設は工場誘致用地として、空き地になっている例の三万坪の場所に、鉄筋コンクリート四階建て八棟、三階建て三棟の計十一棟。他に共有施設が入る棟が一つ建設されます。入居者は七千四百五十人。就労者六百九十人というのが今のところの概算です」

「そりゃ凄い」カマタケは目を丸くする。「すかす、そんだけの人が集まるもんだべが。四井が絡むがらには、都会がら老人を連れて来る気なんだべ」

「メインはそうなるでしょうね。高額年金受給者は貴重な納税者になりますから。もっともそれだけではありません」

こうなっては隠し立てしたところで始まらない。

私はそれから暫くの時間をかけて、カマタケに計画のあらましを話して聞かせた。

「なるほどなあ。半径百キロに目を向ければ、息子娘も都会さ出て、老夫婦二人暮らしっつう環境の人は山ほどいんべす、一人暮らしの老人もいっぺえいるよなあ。それに道路が良くなったがら、距離もそれほど問題にはなんねえってごども良ぐ分がる。何も都会だけさ入居者を絞ることはねえよなあ」

カマタケは、感心した素振りを見せたが、

「すかす、都会はともかく、半径百キロさ絞って募集をかけるとしても、入居費用がばか高いんじゃや、金が払えるもんだべが」

　小首を傾げた。

「それはですね。土地を四井が購入するならともかく、無償で町が施設に貸与する。そうすれば、四井の投資は上物だけということになります。結果、入居費用は格段に安くなるというわけです」

「土地を無償貸与すんのすか」

「まあ、これには色々とご意見はあるかも知れませんが、そもそもあの土地は、整地が済んだ後、何年にも亘《わた》って放置されていたものです。住宅地として分譲するということも考えられたようですが、わざわざあそこに家を建てて、この町に住もうなんて人間はいないと判断された、いわば店晒《たなざら》し、もっと酷く言えば、見捨てられた土地です。ここに四井が来てくれれば、町の人口も増え、雇用基盤もできる。結果、税収も上がる。遊休施設同然になっていた公共施設もフルに活用できる。町の商店、農家も潤う。そして何よりも、どこの町よりも快適かつ安価な介護を提供できる。別の意味で町に金を落としてくれることになるんです。理に適《かな》った話でしょ」

「んだな。それにそんだけ大っきな施設を建てるとなれば、当然地元の建設会社も潤うべす、作業員だって大量に雇わなきゃなんねえもんな。でっかい金が地元の企業さ落ちるつうわけだ」

カマタケは爛々《らんらん》と目を輝かせる。

「まあ、直接的か間接的かは分かりませんが、そういう波及効果もあるかも知れませんね」

「あるかも知れないって、町長、そこが大事なとこだべ」

「どういうことです」

来た！　と思った。利権、ましてや孫が嫁いだ先の建設業者が潤うことは、カマタケの懐が潤うことと同義である。こんな美味《おい》しい話を前にして、この男が指を銜《くわ》えて見ているわけがない。

私はわざと白を切った。

「こんだけ、でっけえ施設を建てるとなれば、それこそ何十億、いや百億もかかっかもせねえ事業だべさ。その金が地元の事業主さ落ちれば、法人住民税で町の借金のなんぼかも返せっぺ。これこそ町政起死回生の一発になるべ」

「これほどの事業を元請けとして行える会社がここにあればそうかも知れませんね」

確かにカマタケの言うことには一理ある。しかし、カマタケの孫が嫁いだ先の建設会社が宮川市にあることは承知している。町に幾つかある建設会社は、土建屋に毛が生《は》えた程度のものであることもだ。

「いや、もしかして、こんだけの話を聞けば、会社をこごさ移してくるかもしんねえぞ。所在地なんて、どうにでもなんだから」

噴き出しそうになった。税金を回避するために、多国籍企業がタックスヘブンに書類上の本社を置くという話はないでもないが、税金を払うために移すなんて聞いたことが無い。

「だとしてもですねえ、事業の主体主が四井である以上、どこの業者を使うかは彼らが決めることで、町が色々と条件を出す筋合いのものではないでしょう」

「それは違うよ。あんだ、三万坪もの整地済みの用地。しかも町有地をだよ。無償で貸与するつうんだったら、町が見返りを求めて当然でねえすか」

町長ではなく、『あんだ』ときたところからもカマタケの必死な様子が窺《うかが》い知れようと言うものだ。

「四井出身の私が言うのも何ですがね。四井がこうした事業を行うにおいて、社内で求められるのは公正さです。私の経験から言っても、おそらく業者を選定するに当たっては、入札を行うでしょう。もちろん公共事業のように、一旦始めたからには予算をオーバーしても最後までやるなんて馬鹿なことはしませんよ。落札金額はびた一文上回ることも許されない。工期も厳守です。だからと言って、入札金額が一番安いところに落ちるかと言えば、それも違う。受注する側の実績、施工能力も厳しく問われる。まあ、地元の建設会社にそれだけの能力があれば、黙っていても仕事は落ちる。そういうもんです」

「市民ホールを造ったところもあれば、屋内プール、体育館を受注したところもあるよ。その実績を買ってっしゃ、町の強い要望っていうこともできるんでねえが」

「それ、全部同じ業者じゃないですか」

「んだって、大っきな工事を受注できるとこが他にねえんだがら、しょうがあんめえ」

「これだけ大きな施設を元請けできるところなんて、大手のゼネコンじゃないと無理でしょう」

「下請けにつけりゃいいがすぺど」

「丸投げじゃないですか」

「ゼネコンだって丸投げにすんだべ。同じこったよ。そんだら、地元の業者さ仕事をやった方がいいべさ」

カマタケは執拗に食い下がる。

「じゃあ、お訊きしますけど、地場の建設会社が元請けとなったらですよ、当然、設計施工から始まって、工期管理、資材調達、人員調達、もろもろの業務のすべてについて責任を負うわけです。まあ、丸投げにするにしても、資材や重機の調達に関する資金はどうなさるんです。こうした工事の場合、建設費の支払いは、工事がある一定のところに達した時点で分割して払うのが原則です。大きな工事といっても精々が市民ホールを建てた程度。手持ちの重機では足りないでしょうから、設備投資が必要になる。作業員にしたって新たに雇わなきゃならなくなる。資材の支払いだってある。何十億、いや百億レベルの資金の調達なんて、不可能じゃないんですか」

「重機なんてリースだべさ。今の時代、ばか高い金を出して買うやつなんていねえよ」

「工期の間しか使わない機材をリースすれば、料金は高くなりますよ」

「四井が後ろについてるんだ。金は必ず入ってくる。銀行だってなんぼでも金を貸すべさ」

「四井の検査は厳しいですよ。クレームをつけられれば、工期は延びるだろうし、金も嵩《かさ》む。少しでも躓けば命取りになりかねませんよ。それに、新たに人を雇えば、工事の間はいいかも知れませんが、終わった後はどうすんです。その時点で余剰になった雇用者を解雇したら、路頭に迷う人が続出ってことになるでしょう」

「それはゼネコンが受注したって同じことだべ。本社からはなんぼか赴任して来る人もいっぺげんとも、下請け、孫請けを必ず使う。そこで働くのは地場の人間だべ」

「もちろん、それは考えてますよ。少なくとも、施設が稼働し始めれば、建物のメンテナンス、植栽の手入れ。既存の公共施設や、近隣のレクリエーション施設との間で運行するバスの運転手。ランドリーその他の雑役。恒久的雇用が必ず生まれます。そこでは町在住者を優先的に雇用してもらうつもりですから」

「なるほどなあ。工事が終わった後のことまで、ちゃんと考えに入れてるわけだね」

カマタケの目に、今までとは少し違った怪しい輝きが宿る。どうやら口入れをして一儲けできると踏んだようだ。

「すかすね町長。元請けのことは、考えた方がいがすよ。議会の連中も、これだけの事業をやるとなれば、土地を無償貸与する見返りがどれだけあるのかさ興味を示すに決まってっからね。まあ、本体の大工事は別として、従業員向けの寮。それから、分譲住宅の建設は、せめて地元の業者さ請け負わさねえごどには、議員も納得しねえど思うよ」

ビールを口元に運んだ手が止まった。

四井が老人施設を建てることについては見当がつくだろうが、従業員の寮、そして分譲住宅の件までには思いが至らないはずだ。それを知っているのは、役場の中でも極僅《わず》か。

情報が漏れている。

私はそのことに愕然とした。

カマタケの狙いは、施設本体の建設よりもむしろ、そちらの方を身内の建設会社に請け負わせることにありそうだった。

なるほど、そういうわけか——。

「ご意見は承りました。町民の利益になるような政策を行うのが町長としての私の役目です。議案書には、できるだけ町の利益になるよう、配慮をする旨《むね》を盛り込むことにしましよう」

「そんだね。やっぱり町の産業が潤うことを第一に考えんのが、大切だからね」

カマタケの意向を議案書に盛り込む気など私にはさらさらなかったが、彼は自分の言わんとしていることが充分伝わったと考えたのか、満面の笑みを湛《たた》えながら、グラスを傾けた。

＊

「情報が漏れている？　本当すか」

翌日、クマケンを町長室に呼び、昨夜の経緯を話した。柔寿司での会食の料金は公費を使うような性質のものではない。それに、カマタケごときと割り勘というのも癪《しゃく》だから、私がポケットマネーで払った。顔を見るのも嫌な人間と飯を食い、金まで払ったのだから面白かろうはずがない。セコいと思われてもしょうがないが、私だって人並みの感情を持ち合わせている。

だからどうしても、私の口調は不機嫌なものとなった。

「老人施設建設のことについちゃ、所信表明演説でぶち上げたんだ。四井の人間が頻繁に訪れれば、何が起きようとしているのか、見当がついても不思議じゃない。だけど、あの野郎、従業員の寮や、住宅分譲地のことまで知ってやがった。これはまだ、お前のチーム以外の人間は知らねえはずだ。情報が漏れたとしか思えねえ」

「う〜ん」クマケンは腕組みをしながら、少し考えていたようだったが、「こんな町だからねえ。家さ帰って父ちゃん、母ちゃんさ話せば、あっと言う間に広がってしまってもおかしくねえべね。何しろ、町民が皆顔見知りな上に、暇だもの。噂話は大好きだからね」

　呻くように言った。

「この町で噂っちゃあ、尾鰭《おひれ》がつくのが相場だろ。だけど、今回の場合はその尾鰭がねえところが気になんだよ。カマタケの野郎、かなり正確にこっちの動きを把握してやがる」

「んだねえ。考えてみれば、役場の中でカマタケの世話になってねえ職員を見つける方が難しいかもせねえもんね。プロジェクトチームができたっつうのは、役場の中でも話題になったし、カマタケのことだもの、探りを入れてもおかしくねえべね」

「おかしくねえって、感心してる場合かよ。いったい誰から漏れたんだ」

　まったく危機感のないヤツである。一廉《ひとかど》の企業なら、特別に編成されたチーム内の情報が漏れることはまずありえないし、たとえ酒の席にしても、聞いてくる人間すらいない。それが、三人だったチームを五人に増やしただけでこの有り様である。危機感のないこと甚《はなは》だしい。

「そすたなごど調べたって仕方ねえよ。秘密は漏れるもんだ。すかす、カマタケも臆面のねえ男だね。面と向かって孫の嫁ぎ先さ、仕事を回せって言ってるようなもんだものね」

「ウチの町を含めて、周辺自治体の公共事業が、ぱたっとなくなっちまって、よっぽど困ってんだろう。それにしても、面と向かってって言うけどさ。あのオヤジ、たいした狸《たぬき》だよ。最初は老人施設本体の受注を地元に落とせと言っている振りをしながら、そんな能力がねえってことは先刻承知。狙いは、従業員の寮と、分譲住宅だったんだぜ。ああいう言い方をされれば、ハードルを一つ低くしてやったって印象を与えるよな」

「その程度のことなら、充分独力でやれるもんね」

「だけどな。分割発注はできねえぞ」

「なして」

「なしてって……あったり前だろ！　分割発注すりゃ、全くの別組織が事業を請け負うんだぞ。設計も施工も、人員手配も、資材購入もダブルでやったら、そんだけ金がかかんだろ。コストのアップは当然、入居費に跳ね返ってくんだろうが。ここは生活費は安い。だから賃金も安くて済む。それが売りなんだ。寮費にしても、建て売り住宅にしてもいかに安く良質なものを与えてやれるか、それが従業員の職場環境の満足度に繋がんだ」

「すかす、その部分だけでも地元の建設業者の業績が上がれば、税収アップさ繋がるっつうカマタケの話も分からねえでもねえけどね」

「それにしたって、カマタケの孫の嫁ぎ先の会社は、この町じゃねえ。合併をけんもほろろに断った、宮川に税収を持って行かれんだぞ。ウチの町にあるっていったら、土建屋か内装工事屋が精々だろ。それなら四井の入札をどこの会社が落としたって同じことじゃねえか」

「実はね、鉄ちゃん。俺もそごのところは内心何とかなんねえがと考えていたんだよね」

「そこんとこってどういうとこだ」

「いやね、どごが受注するがは別として、こんだけの大仕事だ。仕事に従事する作業員の数は半端でねえすぺ」

「そうだろな」

「現場監督を始めとする幹部は、おそらく東京とか仙台とか、本社か支店から派遣されでくんだべげんとも、周辺の小っちゃな工務店をかき集めても、人は足りねえ。だからここさ仮住まいをせねばなんねえ人も出てくると思うんだ」

「そうだろうね」

「ところが、この町にある宿泊施設といえば、例の植物園に隣接した宿があるだけだ。以前にもダムを建設した時には、監督を始めとする町外がらきた人で貸し切りになってしまってね。あそごに住めながった人は、町外の旅館に泊まってもらったのっす。それをどうにか、この町で面倒みれねえべがど思って……」

「二年やそこらで消えちまう人間のために、そんな施設を造ったら、後が大変じゃん」

クマケンの言わんとしていることは分かるが、無理なものは無理である。

「鉄ちゃん、俺だづが中学生の時に、町内四つの中学校が統合されたのを覚えてるすか」

「ああ」

「あの時、整地作業に来た自衛隊の人だづは、公民館さ泊まったすぺ」

統合中学校の建設に先がけて用地造成工事が始まったのは、私が小学校五年の時である。

用地は、主に山林と畑。そして墓地である。今では信じがたいことなのだが、小さな山を含む、用地を整地するのに駆り出されたのが、陸上自衛隊の建設部隊。国防色に塗られたブルドーザーが山を崩し、畑を埋めながら広大な敷地を整地したのだ。それも隊員たちを公民館にざこ寝させながらだ。

「まさか、民間の作業員を公民館に泊まらせるわけにはいかねえだろ」

「そりゃ、公民館は無理だべが、会館ではなじょったべ」

「会館って、魚屋のやってる会館か?」

「んだ。町には会館が三つもあって、どこも百畳間を持ってる。そごさ泊まらせれば、朝夕二食、酒の心配はねえ。風呂はそれごそ、簡単なものを屋外さ造れば、費用もそれほどかかんねえ」

「それじゃ、まるで飯場《はんば》じゃん」

「飯場は今の時代だって必要だよ。もし鉄ちゃんが、建設を大手ゼネコンさ任せるというなら、地元さもきちんと建設が始まった時点から金が落ちるんだ。潤うのは何も建設業者だけじゃねえっつうごどを、しっかりと分がらせでやんねえば、カマタケは納得せねえど思うよ」

なるほど、確かに言われてみれば、クマケンの言うことにも一理ある。

「よし。それじゃ、この件は検討課題に入れておくとしてだ。秘密が漏れることについては、何らかの手だてを講じないとならんな。少なくとも、結果的にカマタケの孫が嫁いだ先に仕事が行くとしてもだ、公正な方法によってなら良し。だがヤツの工作の結果というのはまずいからな」

「利権と言うなら、他にも色々あるよ」

「どんな」

「例えば、施設が購入する食料品す。肉屋はこの町に三軒あっけんども、委託肥育をやっているのは一軒しかねえ。他は市場から仕入れた肉を売ってるだけだ。肉の販売価格にそれほど違いはねえげんとも、裏を返せばそれだけその一軒の肉屋の利幅が大きいっつうごどになる。当然、大量仕入れが見込めるがら、その肉屋からの買い付けが多くなる。それじゃ残りの二軒は面白くねえ」

「そりゃそうだろうな」

「だがら、こちらで適正な価格ガイドラインを立てて、三軒から均等に肉を購入してやんなきゃなんねえべ」

「しかし、それこそ企業努力の賜物《たまもの》ってもんだろ。肉の原価を安くできるのは、それだけのことをしてるからだ。安い肉を提供できるのは、利用者にとってもありがたいことだ」

「んでも、そのガイドラインを設けないことには、カマタケが色々やる余地が出てくるっうごどだよ。肉だけでねえ。米、野菜、果物、魚の調達も同じだ。不特定多数の農家からなんてことになれば、収拾つかねえべ。これも納入を希望する農家に、生産物の種類、収穫期、収穫見込み量をある時期までに提出させ、一時期に集中しねえよう、できるだけ多くの農家から購入できるような仕組みを立てなきゃなんねえ。魚も同じだ。仕入れ先は、やっぱ町の魚屋さませねばなんねえべがら、こっちもルールを作らなきゃなんねえ」

「野菜はともかくとしてだなあ、肉や魚はどうかな。そんなもん、入札にすればいいだろ。安く提供できるところが、落札する。満足いく品を納品できれば良し。できなきゃさよならだ」

「そんなことしたら、裏で価格協定結ばれるよ」

「だからって、均等になんて言ったら、利用者が無駄銭払うことになるじゃねえか」

「んでもね、入札にしたらカマタケだけじゃなく、色んな連中が暗躍すると思うよ」

「どうやって」

「今年はお前の番、来年はこっちって、落札を仕切るぐれえのことは平気でやるよ」

「そん時は喧嘩するっきゃねえな」

私は声を荒らげた。カマタケのように貧しい町の町政に巣くい、己の懐を潤そうとしている人間が我慢ならなかった。正当な手段を以て、ビジネスをものにしようというならまだしも、たかが町議の権力を笠に着て、陰でこそこそする。そんなやつにびた一文もたらすつもりは爪の先ほどもない。

「今のお前の話で、俺も思いつくことがあったよ」

「何が」

「カマタケのような連中が暗躍する場はまだあるってことだ。施設で使用するシーツや毛布のクリーニング、公共スペースの中には、美容院、理髪店、喫茶店、寿司屋、居酒屋、レストランも入る。この町には同業者がたくさんいるよな。八千人以上の人間が、一カ所に固まるんだ。計画が公表されれば、誰もが大金を摑むチャンスだと思って、出店をものにしようと必死になるに決まってる。まあ、寿司屋は一軒しかねえから、無競争になるかもしんねえが、それでも出店に際しては入札に応じてもらう。その際に大切になるのが、最低落札価格だ。無理に落札価格を下げさせれば、皆商売人だ。損をしてまでやろうって人間はいるもんじゃねえ。利益を出そうと思えば質を下げるしかねえ。だから適正な利益を見込んだ落札価格をこっちが持ってねえとならねえ。そんな時にだ、今回のように内部情報がいとも簡単に漏れちまったらまずい。秘密を守れる人間がどうしても必要だ」

「すかす、さっきも言ったように、職員は皆、しがらみまみれだから……」

「お前がそんなこと言うなら、専門職としてそういう仕事ができる、町とは縁のねえ人間を採用するか。このご時世だ、ネットで公募すりゃ公務員って身分に魅せられて、応募してくる人間は、沢山《たくさん》いるだろうさ」

「鉄ちゃん、あんだの言うごどは一々ごもっともだ。意見を返す余地はねえ。すかす、職員を採用するどなっと、議会の承認が必要だよ」

「何でそんなもんがいるんだ」

「あんだが町長に就任する前に、町財政が好転するまで、新規の採用は一切控える。前町長が出した案件を承認したのは議会だがらね。人はそう簡単に増やせないんだよ」

またしても議会である。

思わず押し黙った私にクマケンは続けた。

「鉄ちゃん。あんだの町長としての資質は認めっけど、町民の代表としての議会を無視したら、うまく行ぐものも、うまく行がねぐなるよ」

「その議会を牛耳ってるカマタケには逆らうなって言ってんのか」

「そうは言ってねえよ。ただ少しは現実を考えねば……」

苦しそうにクマケンは言う。

「あんださはまだ教えでながったげんとも、今の議会の人間はカマタケを除げば、一年生ばかりなの」

「はあ?」私は初めて聞く事実に、耳を疑った。「どういうこと」

「前の議員は議長も含めで、赤字がどうしようもねえど分がった時点で辞めちまったのっす。遠からずして、給料は減らされっぺす、賞与も減るっつうごどは分がってだからね。年に一回あった海外視察もとっくに中止だ。議員をやってでも旨い汁は吸えないもの。議席も二十五がら十五に減ったしね。元々、立候補しても落ちるのは一人、精々二人だ。そすたな選挙に出て落選しようもんなら、恥だもの。功労金をもらってさっさど辞めでしまったでば」

「本当かよそれ」

迂闊《うかつ》だった。私は老人施設の誘致、赤字を埋めて町政を建て直すための対策造りに目を奪われ、議員の略歴にはこれまでまったく目を通してはいなかった。それに、町を挙げて町長になって欲しいと頼まれたからには、自分が打ち出す打開策には、賛成する者こそあれ、反対を唱える者は誰一人としていないと考えていた。

「はっきり言って、議員になったのは、肩書きが欲しかった人間ばりなんだと思うよ。本当に町のごどを何とかすべえど思ってるのはいねえ。実態を知ってでだら、面倒ごそあっても、いいごどなんてねえもの」

「じゃあ、何でカマタケは」

「たぶん、あの人も辞める気だったどは思うよ。んだげんとも、他のベテラン議員がいなくなれば、議会を今までにも増して自分の思うままに操れる。おそらく、カマタケはそう思ったんでねえがな」

なるほど、そういう理由か。どうりで施政方針演説をやっても、何の反応もなかったわけだ。ようやく謎が解けた。そして、あの時、いきなり立ち上がって拍手を促したカマタケに従って、気のない素振りで手を叩く……。あの様子からも、議会、いや町政を事実上握っているのは他の誰でもない。カマタケだ。

私は今更ながらに、歯噛みをすると、

「ちっくしょう、カマタケの野郎。そういうことか……」

呻くように言い、

「俺は絶対にあんな野郎の言いなりにはなんねえからな。ここまで、事が運んじまった限りは、絶対にこのプロジェクトは俺の思うがままに、進めてみせっからな」

握り締めた拳で机を叩いた。

どん、という音にクマケンが驚いたように私を見た。

＊

定例議会は一週間後に迫っていた。

議案書の草稿はすでにでき上がっていたが、カマタケが動き始めたからには、どんな展開を迎えるか分かったものではない。赤字を抱え破綻寸前の町にとって、老人施設誘致が、起死回生の一発になることは分かっていても、欲に目が眩《くら》むのが人間というものだ。議会でカマタケが疑義を唱えれば、同調する議員が出てくることは充分に予想された。そのためには四井の意向を完全に把握し、阿呆な連中の介入を許さないように、プランを固めておく必要がある。

川野辺を引き連れ、クマケンが部屋にやって来たのは、昼休みが終わった直後のことである。

「遠いところ、わざわざ御足労いただいて恐縮です」

朝に東京を発ち、そのままここへやって来た川野辺に向かって私は頭を下げた。

「いや、仕事ですから。それにたった三時間ちょっとで着いちゃうんですもん、こんなの出張のうちに入りませんよ。羽田《はねだ》が国際便枠を拡張すれば、上海《シャンハイ》は日帰り出張できると言われてる時代ですからね。東京と緑原なんて直行直帰圏内。そう遠からずして、出張の日当もつかなくなるんじゃないですかね。もっとも、そうなってしまえば、サラリーマンにとっては、僅かばかりの小遣い銭を稼げる手だてが一つ減ることになってしまいますけどね」

川野辺は苦笑いを浮かべながら言う。

「ところで、今日お越しいただいたのは、他でもありません。施設の建設に着工するに当たって、四井の意向を確かめておきたいんです」

用件は予め電話で伝えていたせいで、川野辺はダレスバッグの中からファイルを取り出し、

「何なりと」

と質問を促《うなが》してきた。

「まず最初にお訊きしたいのは、いよいよ着工となった時点で、どういった手順で建設業者を決定するか。その点はもう四井としての腹積もりはおありになるんでしょうね」

「もちろんです」

「建設会社は、やはり系列の四井建設をお使いになるんでしょうね」

「いえ、それはまだ決まっていません。四井建設になるとは必ずしも言えない。というか、私たちの意向としては、現時点ではまったく白紙の状態です」

「普通、これだけの施設を建設するとなれば、グループ会社になにかしらのアドバンテー

ジを与えるものじゃないんですか」

「かつては確かにそのような慣習がありましたが、今ではグループ会社だからといって、優先的に仕事を回すほど、四井の結束も固くなければビジネスももっとドラスティックに行われるようになってるんです」

「ほう、それはどうしてです」

「最大の要因は、バブル崩壊後に銀行が抱えた不良債権の後始末をするために、大銀行の合併が繰り返され、グループの基幹銀行であった四井銀行が事実上消滅してしまったからです。かつては四井グループの借り入れ金の約四割は四井銀行が担《にな》っていましたが、今では大手都銀五行がそれぞれ一五%ずつ。それ以外は、外銀、政府系銀行、地銀によって賄われているんです。もちろん、現在でもグループの社長が集まって会食を持ち、運営方針を話し合う『月曜会』は存続していますが、実態は過去の慣習をそのまま踏襲しているだけに過ぎません。第一、グループ各社のビジネス環境は日々激変して、複雑化している上に、何よりもスピードが求められる時代になってますからね。もはやグループ云々《うんぬん》なんて、言ってる場合じゃないんですよ。どの社も、うかうかしてるとビジネスチャンスを逃してしまう。安く買えるものも、買えなくなる。自社が生き残るのに必死なんですよ」

川野辺は、淡々とした口調で言った。

「となると、建設業者に関しては——」

「入札をするつもりです。もちろん、これだけの規模の施設ですから、やれる業者は限られます。おそらく中央のゼネコンが受注することになるでしょう。それも状況次第では、複数ということもありうるでしょうね」

「つまりジョイントベンチャーというわけですね」

「そうです」川野辺は頷くと続けた。「それに複数の業者が建設に携わるという意味合いにおいては、山崎さんが考えているより、遥かに多くの業者が参加することになるとは思います」

「それは下請けということですか」

「もちろん、これだけの工事ですから、下請け、孫請けは必ず入りますが、実際に建設に入る前の時点でも、ゼネコン以外の業者が入るということです」

「それはどういう？」

「たとえば、今回の施設建設に際しては、設計会社と建設会社を別にします」

「なぜです。ゼネコンには設計部門があるんでしょう。一括して受注させた方が、安くなるんじゃないですか。施工だってそのほうがスムーズにいくんじゃないですか」

「我々の経験上から言うと、そうでもないんですよ。設計施工を全部同じ業者にやらせると、どこでどれだけ利益を抜かれたのか分からなくなるんです。何もゼネコンがどこかで手抜きをするってわけじゃないんですが、設計と施工を分けた方が、それぞれにかかる経費の算出がより明確になるってことです。設計図ができ上がれば、妥当な建設費はおのずと明らかになりますからね。それを元に建設会社を入札で競わせれば、法外な見積もりは絶対出てこないというわけです。特に、今回の場合は、お金に余裕がある人を相手にする事業じゃない。原価が安くつくに越したことはないんですからね」

「しかし、そんなことをやって大丈夫なんですか。建設会社だって、一円でも多く利益を上げようとするでしょう。となれば、どこかで――」

「手を抜くかもしれない、とおっしゃりたいんですか」

川野辺が先回りして言った。

私は思わず頷いた。

「その点は心配ありません。私たちは建築のプロですからね。施工監理も自分たちでやる能力もあれば、仕様通りに建設が行われているかどうかを見極める術《すべ》は身につけてますから。少なくとも、四井という看板を掲げてやるわけですから、変なものは絶対に造らせませんよ。建設が始まった時点で、ウチの部署から社員をこの町に常駐させ、工事の隅々まで目を光らせますから」

「それは下請け、孫請けの仕事にも、だべか」

クマケンが訊ねた。

「下請けだろうが孫請けだろうが、我々には関係ありませんね。我々は元請けと契約するのであって、実際に工事を行うのが誰であっても、工期内に約束通りの金で満足の行くものを建ててくれさえすればいいんですから」

なるほど、川野辺の言うことはもっともである。何もかも込み込みの一括受注をさせたのでは、どこでどれだけ抜かれたのか、施主には分からなくなる。施工監理を自分たちで行うというのも一理も二理もある。大手の建設会社が利益を出そうと、下請けを締めつければ、彼らだって商売だ。やはりどこかで手を抜き、少しでも利鞘《りざや》を稼ごうとするだろう。特にビルのようなコンクリートを多用する建物は、一旦でき上がってしまえば外見からはどこに欠陥があるか分からなくなる。ましてや、今後何十年にも亘って使用し続けなければならない施設である。耐震偽装のような問題が後で発覚しようものなら、取り返しのつかないことになってしまう。

「川野辺さん。この際ですから正直に申し上げますが、実は町議の中で、今回の施設を建設するに際しては、積極的に地元業者を使うべきだという機運が高まっておりましてね」

私は、歯切れの悪い口調で切り出した。

「当然でしょうね。地場の業者にとっては、是非拘わりたいと思う魅力的な事業でしょう」川野辺はあっさり言い、「もちろん、入札に参加していただいても結構です。施工能力があって、こちらの予定価格を満たしてくれさえすればどこの業者であろうと、ウチは構いはしませんよ」

肩を竦《すく》めた。

「議員連中にしても、これほど大きな案件の元請けになれる地場の建設会社なんてありゃしないから騒ぎ始めてるんですよ。狙いは下請け、孫請けなんです。ゼネコンが元請けになるのは仕方ないとして、その部分では地場の建設会社を優先的に使って欲しいと言ってるんですよ」

「そりゃ、考慮しろとおっしゃるんでしたら、仰せの通りにすることも可能でしょうけど……。でもね山崎さん、我々四井の施工監理は甘くありませんよ。不都合箇所があれば即座にやり直しを求めますし、それによって工期に遅れが出れば、ペナルティを科しますよ。ご存知のように、民間の事業は綿密なキャッシュフローの計算が最初にあります。国の公共事業と違って予算も決まっていれば、工期の遅れも許されない。始めたら最後、できるまでやる、予算をオーバーしても、追加資金をじゃぶじゃぶと注ぎ込むといった性質のものではないんですからね。仕事を請けるとなれば、それなりの覚悟はしていただきます。腹を据えて取り掛からないと赤になることだってあるかも知れない。そこの部分さえしっかり心得ておいてくれれば、我々としてはどこの業者だろうと、一向に構いません」

まことにおっしゃる通りである。たとえカマタケに通じている建設会社が下請け、孫請けになろうと、正式な手続きを踏んで業者に選ばれるのなら、それを拒む理由など私にもありはしない。

「四井のご意向は充分理解できました。では次の質問ですが」私は話題を変えた。「議会で建設の承認が下りた。いや、これは下りることは間違いないんですが、その時点で、計画の詳細がマスコミを通じて報じられてしまうと思うんです。何しろこの施設は、周辺の市町村の老人、あるいは老人を抱えている家族にとって、大変インパクトのあるものです。ニュースバリューも高い。全国紙はともかく、地方紙はかなり大々的に報じると予想されます。それは構いませんよね」

たとえ地場の新聞にしても、定例の町議会を新聞社が取材することはあまりない。だが、これだけの大事業である。事前に提出事案の概要を知らせてやれば、地元紙はもちろん、全国紙の支社レベルに至るまで、記者が傍聴に訪れるだろう。となれば、いかにカマタケといえども、露骨な手段で利益誘導のための質問をしてくるとは思えない。

プランが公になることでの周辺地域の反応を探りたいという本来の目的もあったが、むしろ私の本音は、新聞という社会の公器を使ってのカマタケへの牽制《けんせい》である。

「それは構いませんが――」川野辺は、少し考えるように言葉を区切ると続けた。「山崎さん、これは実際蓋を開けて見ないことには分かりませんが、現時点では入居者は周辺自治体三割、都市部からの移住者を残り七割が理想と我々は考えているんです」

「と、言いますと」

「この施設の建設は、周辺地域に大きなインパクトを与えるものだと思います。ですが入居者が偏ってしまうと、第二世代、第三世代と住人が入れ替わるにつれて、先細ってしまうんじゃないか。そうした危惧を我々は抱いてるんです」

「おっしゃっている意味がよく理解できませんが」

「簡単な話です。おそらくここ十年の間は入居者は周辺地域に絞っただけでいけるでしょう。しかし、過疎化が進んでいるということは、老人人口も確実に減り続けているということです。高齢化が進んでいるというのは、年代別人口分布を見た場合、高齢者の比率が高いということを言っているわけで、絶対人口を指し示しているわけじゃありませんよね。施設利用対象となる年齢層が減ってしまえば、入居者も自然と減る。十年スパンで考えると限界集落ばかりになってしまうでしょう。だから、都市部に住む老人を早いうちから住まわせ、高い評価を得ておく必要がある。そういうことです」

なるほど言われてみればその通りである。宮川市の葛西市長が施設入居対象者は、何も都市部の老人に限ったことではない。周辺市町村を対象としても相当な需要があるのではないかと言ったのは、いま現在の状況を考えてのことだ。対象地域の年代別人口分布が高齢者に偏っているうちは、入居者に困ることはないだろう。しかし、定住者が増えなければ、いずれ対象年齢者の絶対数は減って行く。そう、地域に入居対象者を絞り込んでしまうと、天然資源の埋蔵量に限界があるように供給量がいずれ激減し、かつて栄えた炭坑の町が廃墟《はいきょ》と化したように、立派な施設も荒れ野に佇《たたず》む廃墟と化してしまうだろう。

「確かに言われてみればその通りですね。この計画は一時凌ぎであってはならない。恒久的に施設が存続しなければ、意味のないものになってしまいますもんね。入居者が集まらなくなったからといって、施設を縮小する、サービスレベルを下げるというわけにはいきませんからね。ましてや、従業員の固定数は決まっているわけだし、彼らの生活のことも考えないと……」

「人が集まらないと成り立たない施設というのは、業態の如何《いかん》を問わず同じ宿命を抱えているものです。企業の業績が落ちれば、従業員をリストラして帳尻を合わせようとするのが、現代の風潮ですよね。ショッピングモールにしても、収客力が悪くなると、隙間《すきま》を減らし、店舗を集約して空きが目立たないようにしようと試みる。でもね、一旦力が落ちたところを見せてしまえば、人足は乗数的に遠のいていく。企業の力も瞬《また》く間に落ちていくものです」

「まるでブロークンウインドウ理論そのものですね」

　建物の窓が壊れたのを放置しておくと、誰も注意を向けていなければ、やがて他の窓も壊されてしまう、というのがその理論である。

「その通りです。ただ、ブロークンウインドウと違うのは、窓なら修理すれば更なる破壊行為を防止することができますが、施設や町そのものの再生は極めて困難だということでしょうね。実際この町が辿った歴史を振り返ればよく分かるでしょう。若者が都市部へ流出し、過疎化が進んだ。当然、商店街は寂れシャッターの降りた店が町の中心部に目立つようになった。買い物が一度では済まない上に、活力が落ちた商店街は魅力を失い、急速に客足が遠のき、町自体への魅力が乏しくなった。結果、若者の町外への流出に拍車がかかった……」

「おそらく、いや絶対に施設に空きが目立つようになれば、入居希望者は激減する。それも歯止めがかからないような形でですね」

自分が幼い頃の町の賑《にぎ》わいを知っているだけに、廃《すた》れる様子は手に取るように分かる。私の声は自然に切実なものとなる。

「老人施設から活気がなくなったら、ただ死ぬのを待つだけの場所になってしまいますよ。そんな陰気な施設に誰が入居を希望しますか。賑わいを確保するためには、新しい入居者が常に訪れるようにしておかなければならない。そのためには、都市部に住む老人の目が、常にここ緑原に向けられるようにしておくことが肝心なんです。歳を取って、体の自由が利かなくなることは、誰しもが運命と諦めるでしょう。当然、施設の中にはそうした居住者も多く出てくる。そうした事態を迎えても、何の憂いもなく手厚い看護を受けられることはもちろんですが、ここに入居すれば、都会にいるよりも遥かに快適で楽しい老後が送れる。そうした印象を広く都会に住む老人に与えてやれるか、移住の決断をさせられるかどうか。それがこの計画の本当の意味での成否を握っている。私はそう思うんです」川野辺は熱の籠った口調で言うと、「もっとも、私や山崎さんが現役でいる間だけ、施設の運営がうまくいくと考えるならその限りではありませんがね」

　肩を竦めながら言った。

「それじゃ、公共事業の二の舞いですよ。おっしゃるように、都市部からのルートを確立しておかないと、将来に負の遺産を残してしまうことになりかねない。出だしを間違うと取り返しのつかないことになってしまう」

「すかす、なじょしたら、都市部の人を誘致できんだべね」

　クマケンが私の言葉を引き継いで訊ねた。

「それには前にも申し上げた通り、ウチの不動産部門を通じて現在住んでいる家を担保に、あるいは売却して老人施設に入居しようという方には、積極的にご案内することはもちろんですが、やはりメディアの力を借りたイメージ戦略が必要になるでしょうね」

「メディアといっても様々ですが」

　その分野については、現役時代に穀物取引という切った張ったの相場を専門としていたせいで、私には知識らしいものもなければあてもない。

「テレビ、新聞、週刊誌、インターネット……あらゆるメディアです」

「果たしてメディアがそう易々《やすやす》と乗ってきますかね」

「その点については我々はそう悲観してはいません。おそらくこの事業は、過疎地を活性化させるためのモデルケースとして、日本中から注目を浴びますよ。都市部へ人口が集中する一方で、過疎地はますます廃れるばかり。同じような問題に直面している自治体は全国に山ほどあるし、都会は都会で高齢者対策には頭を痛めているのが現状です。ましてや、国や自治体が高齢者に手厚い援助の手を差し伸べようと思っても、肝心の原資がない。事実上、老後のことは自分で考えろというのが、国や自治体のスタンスですからね。放っておいても、施設が全貌を露《あらわ》にするに連れて、メディアがこぞって取り上げることは間違いないと思いますよ。それも断片的な報じ方じゃない。特集を組んで子細に報じるでしょうね。だから、地元の人たちがどれほど魅力的なサービスを提供できるか。それがうまくアピールできるかが肝心なんです。初回入居者の評判が良く、後は質の維持向上に努めさえすれば、黙っていても人は集まってきますよ」

川野辺は自信に満ちた声で言うと、ニヤリと笑った。

＊

その日、夕方近くになって、私はクマケンのいる企業誘致室に顔を出した。

川野辺が来町して、今後の四井の方針について話した内容はすでに当初からの二人のメンバーには伝わっているはずだった。他の二人に伝えなかったのは、増員して以来、カマタケに情報が漏れている疑いがあったからだ。

「どうだ、仕事の方ははかどってるかな」

私は飯島と小松に向かって話しかけた。

「地元の高校生が通学している三校の卒業生から、大学で福祉を専攻した学生のリストアップは済みました。その後の就職先については、各大学に問い合わせをしてるんですが、個人情報に該当する内容なので、ということで協力をいただけませんでした。それで、実家の方に現在の職業を訊ねまして、七割方は把握し終えたところです」

飯島が歯切れのいい口調で答えた。

「でも、現実は厳しいですよね。大学で福祉を専攻しても、卒業後四年でそうした仕事に就いている人は、一割五分。残りはまったく福祉と関係のない仕事に従事してるんです。これからは老人人口が増える。だから福祉の仕事には事欠かないというのは事実かもしれませんが、労働に見合った給料がもらえないんじゃ誰だって背に腹はかえられないってことになるでしょうからね」

小松が深刻な顔をしながら言う。

「確かになあ。老人介護っていっても、いま民間企業が提供しているサービスに対する報酬が、介護保険をベースにしてる限り、企業に入る金には絶対的な天井があるもんね。経験を積み、年齢を重ねても給料は上がらないとなりゃ、家庭を持つに持てないってことになる。バイトに毛の生えた程度の収入じゃ誰だって嫌気がさすよ」

「実際、今でも介護の仕事に就いているって人は、民間の老人施設でも、裕福な人が入居する経営基盤がしっかりした施設で働いている人ばかりなんです。これじゃ、福祉を勉強しても何の意味もない。それこそ時間と金の無駄遣いってことじゃないですか。もったいないですよ」

小松が可愛らしい頰を膨らませる。

「確かに洋子ちゃんの言う通りだ。おそらく大学時代の専攻とは無縁の業界に就職した人の中には、できることなら福祉の道に進みたいと思っている人もかなりいると思うんだ。だから今回町に誘致する施設では、国の力に頼れる部分、つまり介護保険や老人医療といった部分は使うことは使うが、後は独立採算で、充分に従業員が家庭を持ってもやっていけるだけの賃金制度を設けようと考えてるんだ。キャリアや能力が賃金に反映されない職場には人材も育たなければ、人も居着かないからね」

「そりゃそうですよ。大企業に人材が集まるのは、何も経営基盤がしっかりしているからだけじゃない。人よりも少しでもいい給料をもらえるからです。出すもの出さなかったら、誰も行きませんよ」

東京の大学を出た者らしく、飯島が言った。

「だけどさ、福祉ってのは、金だけじゃやってけない世界だからね。奇麗事を言うつもりはないけど、奉仕の精神がなけりゃとてもじゃないが務まらない。ある意味、看護師と似た性質を持っていることも事実だ。まあ、大学進学時とはいえ、一度はそうした道を志《こころざ》したんだ。違う道に進んだ人たちの中にも、機会さえあれば、高給とは言えないまでも世間相場程度の賃金が保障されるんなら考えてもいいって人が絶対いると思うよ」

「その点、ウチの町はいいですよね。都会ならとても一家を養っていくには難しい賃金でも、生活費そのものはずっと安くて済みますもん」

「まあ、役場職員と同じ程度の賃金体系を作る。それが目標なんだがね」私は、小松の言葉に応えると、「そのためには、いかに施設の内容を魅力的なものにして、居住者の方々に日々の生活を楽しく送ってもらえるか。全室が埋まり、ウエイティングリストができあがる程度に繁盛させなきゃならなくなるわけだが……」

話題を施設運営開始後のソフトの部分に変えた。

「アイデア段階で出たものについては、大丈夫実現可能でがすよ」クマケンが口を開いた。「町民プールへの無料バス運行は今でもやってるごったがら、午前二回、午後二回、シャトルバスを運行すればいい。もっとも満室になってすまったら、バスの台数を増やさねばなんねえが、歩いたって十分やそごらの話だがらね。それに一度に大量の人を運んですまったら、今度はプールが芋洗い状態になってすまうべ。居住者の利用にも自然とパターンが生まれんでねえがど思うんだね」

「毎日、泳ぎたいって人はそう出てくるもんじゃねえだろうからな」

「それがら、釣りに関しては、松花《まつはな》漁協の組合長さ内々に打診したんだげんとも、週末に船を仕立てるのは何の問題もねえど。むしろ、年間契約にすてくれんだら、組合員さ語れば大喜びで割引さ応じる人も出てくんべってさ。もちろん船釣りでなくとも、陸さもいいポイントはなんぼでもある。船代払うのがやんたら、自由に浜や磯がら釣ればいいんだがらさ」

「菜園をやりたいという方には、休耕地は山ほどありますからね。それに後継者がいなくなって、生産は止めたけど、樹はそのまんまって、リンゴ園がかなりあるんです。これは、結構売りになると思うんですよね。手入れをすれば、美味いリンゴが山ほど採れる。初秋から初冬にかけてが収穫期ですから、例えば希望者にはリンゴの樹を一本、無料貸与すれば、お歳暮には送料だけで都会では大変価値のある贈答品を送ることができるってわけです」

「ほう、そりゃいいね」

担い手がいないのも、何が幸いするか分からない。本来は憂慮すべきことなのだが、見捨てられ滅びていくものが、形態は変われど新しくこの町にやってくる人々によって復活するのは喜ばしいことだ。私の弾む声に、飯島が笑みを浮かべる。

「陶芸指導は窯元《かまもと》が週一度ならボランティアでやってくれるつうす、中には趣味でもう始めてる人もいるべから、いずれ居住者の中で指導的役割を果たす人も出てくんべ。今のところ目処が立たねえのは、絵画と手芸の指導者くれえがな」

クマケンがリストに目を通しながら、ぼそりと言った。

「後はカラオケ、カフェ、ディスコ、居酒屋、理髪店、美容院、マッサージといった娯楽や厚生施設の運営業者ですね。これは、町にある既存の商店経営者に運営を委託するということになりますが、規模が規模ですからねえ。誰もが出店したいと言い出すに決まってますから、やはり入札にしないと収拾がつかなくなるでしょうね」

飯島が少し不安そうな顔をする。

「カラオケ、理髪店、美容院、マッサージは入札でいいとして、残りのものはどうなんだろう」

「つうど、随意契約つうごどにすんのすか」クマケンが驚いたような顔をした。「なして？　そすたなごどになったら、大変なごどになるよ。指名されだどごはいいべけんど、外れたら金の成る木を目の前にして指銜《くわ》えで見てでなきゃなんねえんだがら」

「ありゃいいってもんじゃないからだよ。問題はセンスだ。安かろう悪かろうじゃ、無いに劣るってもんだ」不安な色を浮かべる三人に向かって、私は続けた。「都会からの移住者が半分を占めるとなりゃ、目も舌も肥《こ》えてる。眼鏡に適《かな》って当然。つまんないものを作ったら、そっぽを向かれるし、入居後の満足度も違ってくる。やはり一定レベル以上のクオリティを維持するためには、簡単に入札ってわけにはいかない。そう思うんだ」

緑原と都会では、東京で修業し独立と同時に開店した柔寿司の例を取ってみれば、感覚に大きな差があるのは明白だ。私は握りがここでは通用せず、シャリを倍の大きさにしてようやく商売が成り立った話を引き合いに出した。

「公共スペースで出すものは、食べ物なら見た目、味、量とも居住者の満足行くものじゃなけりゃ駄目だ。ディスコは内装は四井に任せるとして、センスがあるＤＪが必要だ。それも今風のじゃない。入居者が若い頃を思い出して、ノレるような雰囲気を醸し出さなきゃなんねえ。まあ、寿司屋は町に一軒しかねえし、柔寿司の大将は東京でみっちり修業してきてるから、客層に合わせて出し物を変えられるだろうが、他の店は不安があるな。だから、金額ベースの入札ではなく、経営を行う四井の人間に、サンプルを食べて貰って判断を仰ぐのが一番いいと思うんだ」

「それじゃ、もしも町に四井のお眼鏡に適う業者がいなかったらどうなんだべ」

「町外に業者を求めることもあるかも知れんね。例えば仙台辺りの……」

「それじゃ、町の人たちが納得せねえんでねえすか」

クマケンが言いたいことは分かっていた。私はすぐに彼の言葉を遮《さえぎ》り、

「二つ、三つの業者を生かすために、施設の評判を落とすわけには行かないんだよ。この部分は、入居者に楽しいエンターテインメントを提供できるかどうかのキモの部分だ。

我々が作るのは、大人のアミューズメントパークじゃなきゃなんねえんだ。住人たちにとっては、出店が地元だろうが他所《よそ》から来てようが関係ない。ささいなことに拘って、評判が落ちたら、施設の運営は軌道に乗る前に失速しちゃうよ」

「難しい問題ですね」小松がぽつりと言った。「仙台辺りから連れて来れば、センスのいいものを供給できますから、それなりのクオリティが維持できるでしょうけど、その分確実にコストは増しますよね」

「んだ。従業員をこごさ貼り付けなきゃなんねえんだものね」

クマケンが同調すると、小松が続けた。

「ですから、今ここで結論を急ぐことはないと思うんです。遊び人っていっちゃ何ですが、町に残ってる若者も捨てたもんじゃないんですよ。最近じゃ、週末になるとオールで仙台のクラブに出入りしてる人だって結構いるし、そうした人たちに、ＤＪをやってみないかって持ちかければ結構手を挙げるのも出て来ると思いますよ」

「しかし、対象年齢からすれば、フィフティズ、シックスティズの人たちだよ。若い人たちはクラブだろうが、俺たちの年代はディスコだもんね」

「要はセンスの問題でしょう？　そんなのオーディションやって見れば一発で分かりますよ。時間は充分にあるんだし、施設が出来る頃にはそれなりのノウハウが身に付くんじゃないでしょうか。第一、雰囲気造りのために、高い業者を使うってのは、資産に限り有る老人に快適な生活を送って貰うっていう本来の趣旨からは外れるんじゃないでしょうか。ディスコなんて、昼間からやってるわけじゃなし、多分週末の夜とかに開く程度のことになるんでしょ。だったら、バイトで充分ですよ。それにもう一つ、娯楽というか、若かりし頃を懐かしんでもらうなら、当時の音楽コンサートを定期的に開くってのもいいかなって思ってたんです」

「音楽コンサートって、クラシック？　そりゃ、年に何回かは可能だろうけど、度々《たびたび》ってわけにはいかないよ。バイオリンやチェロを弾ける人なんてそうそういやしないんだからさ」

「そうじゃないんです。私が言いたいのはフォークソング……」

「フォーク」

都市部からやってくる人たちは団塊の世代が中心を占めるだろう。だとすれば、なるほど確かにこの年代の歌といえばフォークだ。

「この周辺の高校生の間では、結構バンド活動が盛んでしてね。もっともメインはロックなんですけど、バンド組んでる割にはライブの機会が少ないんですよね。だから、そうした人たちに五〇年代、六〇年代に流行《はや》ったフォークや海外のロックのコピーをやってもらったらどうでしょう。おそらく、ボランティアで引き受ける若者はかなりいると思いますよ」

「なるほどねえ」

私は小松の発想に唸《うな》った。何しろ当の私にしたところで、東京にいた頃には、たまにだが週末に銀座にある五〇年代、六〇年代の主にアメリカのポップスやロックをコピー演奏するライブハウスに出掛け、若かりし頃の思い出にどっぷりと漬かるということがあった。こうした店は東京の繁華街に少なくない数あって、週末ともなれば大行列の盛況ぶりである。確かに歌というのは、過去の記憶を呼び起こす不思議な力を持っているものだ。

「だから、彼らに頼んで、井上陽水《いのうえようすい》もどき、吉田拓郎《よしだたくろう》もどき、チューリップもどきと、プログラムを替えて、週末コンサートを開く。もちろんヘタじゃ話になりませんから、これもオーディションをやって、鑑賞に耐えるレベルに達している人たちだけを出演可能にするってのはどうかなって」

「いい。いいよそれ」

私は一も二もなく賛成した。

「すたら、鉄ちゃん、前言撤回だね。施設に入るのは原則町内の業者を優先するっつうごどでいがすね」

クマケンが、ほっとしたような表情を浮かべながら念を押して来る。

「ああ。できるんだったら、それに越したことはねえんだ。洋子ちゃんが言うように、施設が開設するまでには、三年やそこらの時間がある。それまでに地元の店が、一定のサービスレベルに達する目処がつけば、もちろん俺に異存はないよ」

私は、小松の肩をポンと叩き、笑みを浮かべた。

＊

「――以上が我が緑原町に誘致する老人居住施設の概要であります。町議のみなさんにおかれましては、この計画にご理解賜《たまわ》り、ご賛同くださることをお願い申し上げます」

役場本館の二階にある町議会場で、私はレーザーポインターの電源を落とした。議場に明りが灯《とも》り、議員たちの姿が浮かび上がった。

「それでは質疑に入ります」

議長が言うが早いか、

「まず最初に白沢泰明《しらさわやすあき》君」

指名された議員が壇上に歩み寄るとマイクを前にして声を上げた。

「何とも夢のあるお話をお聞かせいただきやして、さすがに東京の大商社さお勤めになっていだ町長だと、感服いたしやした。なるほど町長の語るように、年寄りを集めれば介護する人間が必要になる。まごどにおっしゃるごどはごもっともでござりす」

まったく毎度のことながら、議員連中の質問は前置きが長過ぎる。私は内心で溜息を漏らしながら、それでも表面上はいやいやとばかりに、頭を垂れて見せた。

「そこで、まず最初の質問でございますが、わだすは、交通安全協会の役員を務めておりやすが、その立場から一つ懸念を申し上げますと、高齢者のドライバーがかように増加いたしやすと、自家用車による交通事故が激増することが懸念されやす。町長もご存知の通り、町内には僅か一カ所すか、信号がありません。まさにドライバーにとっては天国。ついついスピードを出し、結果――」

もううんざり。遠い昔、高校二年の頃に有線放送を通じて流れてきた町議の質問が頭に浮かんだ。

「私が住んでいる近くの鎌ケ谷の公園さ、公衆便所がねえのはどういうことだべ。何が便所をあそこさ造ってはなんねえという理由でもあんのすか。造ると祟《たた》りでもあるどいう言い伝えでもあんだべが」

あれから四十年も経っているというのに、この町の連中ときたら、時代から取り残されたようにまったく進歩がない。

「この際、町内に信号を増設すて、事故防止さ努めるべきだと考えますが、町長の見解をお聞きすたいと思います」

「山崎町長」

まじめに返答をするのも馬鹿馬鹿しい限りだが、仮にも町議会という公式の場で発せら

れた質問である。私は挙手をし演壇に歩み寄ると、

「高齢者のドライバーによる事故が問題化しているのは全国的傾向ではありますが、運転するか否かは個人の判断に任されることであります。高齢者の運転に規制を課すかどうかは、国の行政当局が決めることでありまして、町としては、運転免許を所持している人間に云々言える立場にはございません。それから事故防止のために信号の増設という件ですが、私としては現在の町の交通事情を勘案いたしますと、その必要はまったくなし。不必要な信号の設置は、スムーズである現在の交通をいたずらに妨げる要因となることの方が大きいと考えます」

当たり前である。僅かばかりの町の中心部を除けば、日中でもほとんど人気のない田畑ばかり。すれ違う車も稀《まれ》といった環境なのだ。人っ子一人いない豊かな自然の中で、信号が青に変わるのを待つ。そっちの方がドライバーにフラストレーションが溜まり、事故を誘発しかねない。

「すたれば、次の質問ですが――」

それからは、さらに下らなさに輪をかけた質問のオンパレードになった。

人口が一気に増えれば、物価が上がるんじゃないかとか、都会の人間が大挙して押し寄せれば、生活環境の違いから、地元住民との間で軋轢《あつれき》が生じるのではないかとか、はたまた都会の人間は、革新支持が多いから、共産党が与党になるんじゃないかとか、とんでも

ないことを言い出す輩《やから》が出る始末。さすがにこれにはただ一人の共産党議員が立ち上がり、激怒しながら抗議して、議会はあわや収拾のつかない事態に陥りかけたが、とにかく聞いているだけにうんざりするような質問の数々となった。

これもまた、明治の昔に鉄道建設の話が持ち上がり、汽車が通ると泥棒が来る。汽車が火の粉を撒き散らし、山火事が起こるといって、千載一遇のチャンスを逃したことの再現である。

いったい、どこをどう突いたら、これだけネガティブな反応が起きるのか。ならば町が背負った、莫大な負債を解消するための起死回生の一発があるのかと、堪忍袋の緒が切れそうになった時、

「鎌田武造君」

いよいよカマタケが壇上に立った。

禿げ上がった頭が滲《にじ》み出した脂で異様に光るのが、なんとも不気味である。

「皆さん、色々とご意見がおありのようですが、私は、今回の老人施設の誘致につきましては、町再生のための特効薬になると考えていると同時に、町長に就任されて間もないというのに、これほどの策を立案し、また実現にまでこぎ着けたことに最大限の賛辞を贈るものであります」

カマタケは、本音なのか、あるいは何か腹に抱えるものがあるのか俄《にわか》に見当がつかな

い言葉を並べながら話し出した。

「皆さんご存知の通り、このまま何ら有効な打開策を講じなければ、町財政はここ数年の後には破綻し、財政再建団体への道を辿ることは必至であります。特に過疎に加え、急速に高齢化が進む緑原町にとりましては、確固たる産業基盤を持たないという状況からも、一度財政再建団体に陥れば、住民は満足な行政、医療サービスを受けられなくなり、町民の生活が立ち行かなくなることは明白であります。町長にあっては、是が非でもこの事業を成功させ、町財政を建て直すことへ邁進していただきたいと切に願うと同時に、不肖鎌田武造、町議会議員生活の最後のご奉公として、全面的に山崎町長をお支えすることをここに誓うものであります」

カマタケは大袈裟な抑揚をつけながら見得を切った。

「さて、私の質問でありますが、第一は、四井商事に無償貸与する予定の建設予定地は、かつて我が町が雇用促進の事業の一環として買収、整地いたしました三万坪の土地であります。もちろん、みなさんご承知の通り、中央資本誘致は失敗し、長きに亘って野ざらしになっていたものでありますから、今回のような形で、有効利用の目処が立ったことはまことに喜ばしい限りでありまして、町長が無償貸与の方針を打ち出したことは充分に理解できるものであります。しかし、あの土地を造成するにあたりましては、用地買収費用、整地費用として、町が負担した金額は五億五千万円に上ります。もちろん、施設開業の暁には、町への経済、税収両面においての波及効果は絶大なものがあり、無償貸与しても見返りは充分ではありますが、巨大な施設建設を伴う事業の性質上、実施に当たっては地場産業へ仕事が優先的に回るよう、ご一考願いたいと考えます。この点につきまして町長の見解をお伺いしたいと思う次第であります」

やはり来たかと思った。カマタケがこの事業に一枚も二枚も噛み、利権をむさぼろうとしているのは明白だったが、表向きの理由を聞けばもっともと考える人間も少なくないだろう。いや理論展開という意味では、むしろカマタケのように考えるのが当たり前だ。公の場で私から言質《げんち》をとってしまえば、後は自分の意のままになる。おそらくカマタケはそう考えているに違いない。

「山崎町長」

カマタケに代わって私は演壇に立った。

「施設建設につきましては、ただいま四井商事都市開発事業本部におきまして詳細が検討されている最中でありまして、建設業者等の選択がどのような方法で行われるのか、私は一切関知しておりません。また、施設の建設、運営はすべて四井の責任、監理下において行われるもので、町が口出しをする類《たぐ》いのものではないと考えております」

カマタケの蟀谷《こめかみ》がぴくりと動くのが分かった。

「しかし、ただいま鎌田議員がおっしゃられたところにはもっともな点もあることは事実です。おそらく、本工事は県内におきましても、過去、類を見ない大規模工事になることは明らかであります。地場産業が工事に加われれば、大変な波及効果を及ぼすことは明白で、可能な限り地場の業者を参加させてもらえるよう、四井には働きかけをしていく所存です」

カマタケが「よおし」というように、満足そうに頷く。

「ただ」私は声に力を込めて続けた。「私が四井におりました頃の経験から申し上げるのですが、民間企業の事業というのは、公共事業と異なり、予算、期限厳守が大原則であります。極端に申し上げれば、一円の予算オーバー、一日の完工遅れも許されません。よって、参加する業者には、万が一工期が遅れた場合、なにかしらのペナルティが科され、またそれによる業者側人件費等の補塡《ほてん》は一切行われません。したがって、業者の技術力、工事実績はかなり厳しく審査されるものですし、大抵が入札という形式をとりますから、受注する側には予めこうした諸条件をすべて飲むことが契約条件となります。どうかこの点は、利益を追求することを宿命づけられた民間企業の事業ということでご理解を賜りたく存じます」

カマタケの顔が喜んでいいのか、怒っていいのかビミョーなものになったが、すかさず手を挙げる。

「鎌田武造君」

「それでは、施工能力のあるとみなされた業者が出した見積もりが、他地域の業者と同一であった場合は地場の業者を選択する。そう考えて宜しいのですね」

「山崎町長」

「その通りです。ただし、四井はこうした大規模開発をこれまで何件も行っておりますし、マンション建設等を通じて、正当な入札価格は確実に把握しております。ですから、法外に安いというケースにおいては、入札価格の正当性を検証するために、見積もり計算書の詳細の提出を求めてくると思われます」

再びカマタケが手を挙げた。

「鎌田武造君」

議長が眠そうな声を上げた。

「よく分かりました」カマタケはいやにあっさりと引き下がると、「それではもう一つ、町長にお訊ねします」

質問を変えた。

「先ほどの説明によりますと、施設には公共スペースがあり、そこに設置されるカフェや寿司屋等の運営は業者に任せる意向だとおっしゃいましたが、これは地元業者を優先すると考えて宜しいのでしょうか。そこのところ明確にお答え下さい」

「山崎ちょーちょー」

「共有スペースに入る店舗の運営につきましては、町の業者をできるだけ優先させるということで、四井から内々の合意を得ております。ただし、共有スペースは、老後の生活をいかに楽しく過ごして頂けるかという観点から、施設が永続的に居住者を集められるかどうかの、いわばキモの部分であります。したがいまして入札という方法ではなく業者を選択することになるかと思います」

再びカマタケが壇上に立つと、

「それは随意契約ということでしょうか」

目を爛々と輝かせた。

「形式的には随意、ということになるかと思いますが、施設が完成するまでにはまだ三年の時間がありますので、詳しいことは現時点では申し上げることはできません」

カマタケが何を企んでいるかは、聞かなくとも手に取るように分かる。

契約が随意となれば、町で飲食店を営む人間に近づき、口を利いてやる代わりに何かしらの見返りを得ようとしているのだ。

そうはさせるかカマタケ。

私は心の中で呟きながら、演壇を降りた。

＊

元より町議とは言っても、プロの政治家はカマタケ一人である。いや、カマタケですら職業議員と呼んでいいのかどうか判断に困る。他の議員はと言えば、推《お》して知るべし、歴代の議員は前回の選挙で出馬を取りやめていたから、肩書き欲しさに手を挙げたズブの素人の集まりだ。議会のボスのカマタケが異議を唱えない以上、反旗を翻《ひるがえ》す人間などいやしない。

議会は四井への土地の無償貸与を承認した。翌月には児玉本部長が町にやってきて、調印式を行い、事業はいよいよ施設建設のフェーズへと入った。

「失礼します」

調印式が終わった半月後、私の部屋に一人の男が訪ねてきた。身長は百八十センチほどもあるだろう。がっしりと張り出した肩。そこに盛り上がる筋肉。短く刈った頭髪。ぴしっと決めたスーツ。ほれぼれする偉丈夫《いじょうふ》。絵に描いたような商社マンである。プロジェクトの現地担当責任者として町への常駐を命ぜられた、羽村幸介《はむらこうすけ》だった。

「やあ、遠路はるばるご苦労様ですね」

四井商事は本体だけでも従業員が六千人からいる大企業だ。当然面識はなかったが、やはり古巣の同僚は親しみを覚える。顔に自然と笑みが浮かんだ。

「本日から、こちらに駐在することになりました羽村幸介です。ご挨拶に伺いました」

羽村は丁重に頭を下げる。

「面倒な挨拶は抜きにしようや。俺もひょんなことから町長になっちまったけどさ。元々は四井の人間だ。こんなところでＯＢ面《づら》されたんじゃ迷惑かも知れんが、同じ釜《かま》の飯を食った仲。気楽に行こうや」私は応接セットを指して、ソファに腰を下ろすと、「酷い田舎でびっくりしたろう」

町を初めて訪れる都会の人間に投げかけるお決まりの質問をした。

「それほどでもありませんよ。私は青森の出身でしてね、東北の田舎風景には慣れてますから」

「へえ、君は東北かあ」

「ええ、青森市郊外の……まだ実家もそこにあります。冬の寂しさといったら、こんなもんじゃないですよ。それに比べたら、宮城にはまだ華《はな》がありますね」

「あと少しすれば、山の木々が一斉に芽吹く。それから程なくして桜が満開になる。晩秋まではいい所だよ」

「でしょうね。正直なところ、大規模な老人の町を宮城にぶっ立てるって聞かされた時には、大丈夫かと思いましたが、やっぱり東北は広いですね。津軽《つがる》とは大違いだ」

羽村は、白い歯を見せながら、窓の外に目をやった。

「君、入社は何年」

「昭和六十一年入社です」

「ってことは――」

「今年四十三になります」

「四十三でその体？　何かスポーツやってたの？」

「ええ、中学から大学卒業するまでずっとラグビーを……」

「大学はどちら？」

「早稲田です」

「早稲田！　早稲田でラグビーやってたの？」

「補欠で公式戦には一度も出たことありませんでしたけど」

「なるほど、それでその体かあ」

私は納得しながら、羽村の体を改めて眺めた。

「本社ではずっと都市開発事業本部におりまして、途中、大阪本社に五年ほど。その時の上司が川野辺さんでしたし、東北出身ということもあって今回ここへの赴任を命ぜられたというわけです」

「四十三というと、本社では――」

「施設管理部第四課の課長をやっておりました」

羽村は先回りして言った。

「施設管理部というと、こういう大きな案件の施工管理を担当していたんだね」

「大学時代の専攻が建築でしたので、入社以来ずっとです」

「なるほど、そりゃ適任だ。川野辺さんもいい人材を送り込んでくれたもんだ。で、家族はどうするんだね」

私は質問を変えた。

「それが今回の辞令で頭を痛めた唯一の点です。子供が二人おりましてね。上の子が高校二年。下が中三で、生活環境はともかく、学校のことを考えると、こちらに連れてくるのはちょっと……」

「だろうねえ。仙台に住むってわけにはいかんだろうし、かといって地元の学校じゃねえ。進学のことを考えれば二の足を踏むよな。じゃあ、単身赴任ってわけか」

「そういうことです。まあ、これも商社マンならしょうがないですよ。他の事業部だったら、アフリカとか南米とか、言葉も違えば日本食にもありつけない。満足な医療施設もないってところに駐在を命ぜられてもおかしくないんです。それに比べりゃ、天国ですよ」

羽村は、満更お世辞とも思えぬ口ぶりで言った。

「しかし、本社の課長となれば、部下が十人はいたろう。施工管理を一人でやるとなると、大変なんじゃないか。テナント希望の業者の選択とか、従業員の雇用や契約と、現地サイドでやらなきゃならない仕事は沢山あるだろう」

「その点は、本社も当初の計画をちょっと変更しましてね。私は、がちがちの技術屋で、ソフト面についてはずぶの素人なんです。それで、もう一人、急遽《きゅうきょ》こちらに常駐する社員を送り込むことになったんです。若手ですがなかなか切れ者ですよ」

「ほう、それは心強いね。どんな人物かね」

「渡部和美《わたなべかずみ》と言いましてね。都市開発事業本部の企画部企画課の四年生。京大法学部出身の女子社員です」

「女子社員？　女の子をここによこすのか」

「総合職として採用されたんですから、転勤ありですよ。驚くほどのことじゃないでしょう」

「確かに、私がいた食料事業本部でも総合職の女子社員の転勤はあったがねえ……、しかし国内なら東京、大阪両本社のいずれか、海外ならシカゴとかシドニーとかの大都市という不文律があったもんだが」

「この話は本人のたっての希望なんです。まあ、彼女は事業部内ではちょっとした有名人でして。京大出の総合職なんて男性社員なら、珍しくも何ともありませんが、女性社員は全社でも数人ほどしかいません。しかも、バリバリのキャリア志向。実際、仕事も出来る。しかも、目標達成に向けてのモチベーションは極めて高い。事業部にとっても今回のプロジェクトは、今まで経験したことのない事業です。それに成功すれば、新しい事業形態が創出できると期待してますから、経験よりも能力重視で彼女に白羽の矢を立てたんでしょう」

「なるほどねえ。四井らしい考え方だな」

四井は組織よりも、人材重視。既成の概念に捕らわれない人間や発想を大事にする会社だ。六千人もの従業員を擁する企業ともなれば、えてして官僚的組織になりがちなものだが、守りに入る風潮を好まない。頭で考え、理屈で動く人間よりも猪突猛進型、「おもろい」の一言で、本格的に組織が動くかどうかは別として、可能性を探らせるだけの度量は持っている。

「彼女は二週間後にはこちらに赴任して来ます。住まいは私と同じ、雇用促進住宅に住むことになっています」

「都会の生活に慣れた人には、快適とは言えんかもしれんが、まあ三年そこそこだと思って、我慢してくれ」

羽村は、黙って頷くと、

「ところで町長。新たに決まったことで思い出しました。入居者募集の概要が決まりましたよ」

ビジネスマンらしい目になって言った。

「そりゃまた随分気の早い話だねえ。施設のオープンは、まだ先のことじゃないか」

「都会から居住者を引っ張って来るってんなら、移って来る人たちも準備がいるでしょう。家を処分するにしても時間がかかるでしょうし、人生終焉《しゅうえん》の地になるとなりゃ、下見もしたいに決まってます。資金の算段もあるでしょうし、三年なんてあっと言う間です」

なるほど、言われてみればその通りだ。私は頷きながら、先を促した。

「まず、最初に施設建設を担当する建設会社の入札を行います。設計書はこのひと月以内に整う予定ですから、請け負い希望業者を公募、施工能力、実績、見積もり金額を総合的に判断して、妥当と思われる業者を選定する。これはすべて東京事業部で行います」

「うん、それから」

「業者が決まれば着工ということになるわけですが、建設開始と同時に、東京と、ここ緑原の現地の二カ所にモデルルームを建てます。部屋は、いまのところ居住型と介護型の二つを用意する予定ですから、実際の部屋と寸分違わぬものを用意します。その上で、夏過ぎから系列の四井トラベルサービスを使って、随時東北ツアーを実施する……」

「東京のモデルルームを訪れて、関心を持った人に、現地を見てもらおうというわけだね」

「そうです」羽村は頷いた。「宮城と言うと、東京からは随分離れた土地だと思われるでしょうから、実際に新幹線を使えば東京から仙台までは僅か一時間半で来られる。時間的には充分通勤圏内だと認知させ、遠隔地という固定観念を振り払わせる」

「大切な要素だね」

「ツアーの内容については、施設開業後、居住者がどんな生活を送れるか、つまりソフトの部分を実体験していただきます。水泳、テニス、スカッシュ、ゴルフ、ゲートボール、陶芸、絵画教室、園芸、農作業、釣り……。この地がいかに老後の生活を送る上で魅力に満ちあふれているのか、どんなパンフレットを作って、美辞麗句を並べ立てるより、体験に優るものはありませんからね」

文句なんかあろうはずもない。

「おっしゃる通り！」

私は顔をほころばせた。

「宿泊は仙台で一泊、二泊は植物園の宿泊施設でと考えております。食事は三陸の海の幸、緑原の山の幸をふんだんに。それから、一食、乃至《ないし》二食は、都会との価格格差を実感していただくために、町内のレストラン、もしくは食堂で実費で食事を摂っていただこうと思っています」

「いい、アイデアだね。ツアーだけだとしても魅力的だし、実際に住もうという町を事前に体験できれば、移住への不安はかなりの部分解消できるだろうし、実感も湧くだろう。たとえ町が気に入らなかったとしても、ちょっとした旅行に出たと思えば、納得いくだろう」

「実は、これ、全部渡部の発案なんです。どうですか、ちょっとしたもんでしょう」

羽村は、含み笑いをしながら言った。

「なるほど、確かに使えそうな人材だね」

「もっともこの企画の目的は、入居希望者に移り住んだ後のことを実体験してもらうことにありますから、旅行社が普段企画するツアーでは実現不可能な部分があります。先ほど申し上げたソフトの部分。ここのところは町の協力を仰がなければなりません。もちろん無料とはいいません。ゴルフ、海釣りで船を仕立てるというなら、チャーター費用はきっちり料金の中に入れ、旅行者負担としますけど」

申し分ない提案だった。

「全力を挙げて協力させていただきますよ。既存施設はご自由に使っていただいて結構。陶芸や農作業を体験したいとおっしゃるのでしたら、地元の窯元や農家に協力を仰ぎましょう。渓流釣りがしたければ、役場の職員にガイドをさせますし、海釣りに関しては、すでに漁協にこの企画を立てるに当たって打診してありますから、船のチャーターは問題ありません。レストランについても、数は少ないですが、都会では信じられない値段で美味いものを食わせてくれるところがありますから、きっと気に入ってもらえると思いますよ。そうだ、どうかな今夜。あなたの赴任祝いということで、一杯いきましょうか」

私は上機嫌で言った。

「ごっつぁんです、先輩！」

羽村が、満面の笑みを湛えて答えた。

＊

「渡部さん、この店、なかなか美味いんだよ。東京じゃなかなかお目にかかれない、三陸ならではの魚があってさ。頼めば定食も出してくれるから、贔屓《ひいき》にしたらいいよ」

夕暮れの町を歩きながら羽村が言った。

渡部和美が緑原に赴任して来たのは、羽村から遅れること二週間ちょうどが経った日のことだった。

最初の夜に一緒に一杯やりに訪れた柔寿司を、羽村はすっかり気に入ったらしく、この間に四回も来てしまったのだと言って笑った。この夜も渡部の赴任祝いに歓迎の席を設けようと申し出た私に、羽村は「ならば柔寿司で」と言い、役場から直行ということに相成った。

「羽村君、緑原には柔寿司ばっかじゃないんだけどね。他にも美味い蕎麦を食わしてくれる店もあれば、焼き肉屋だってかなりレベルの高いもんがあるんだぜ」

私は、上機嫌の羽村に向かって言った。

「分かってますって。実際、山城《やましろ》食堂のソースカツ丼にはすっかりハマりましたからね。東京でもソースカツ丼を出す店はあるけど、ここのはちょっと違うんですよね。ソースが餡《あん》になって、上からかかってんの。天津丼みたいな代物。それに何てったって肉が美味い」

「肉は地元の養豚業者が育てた『伊達シルク』ってブランド豚を使ってるからね。素材もいいし、手間暇かけてるもん」

「それでワンコイン。たった五百円ですよ。私、今日の昼も山城食堂のソースカツ丼だったんですよ。だから焼き肉はパス」

「羽村さん。毎日外食なさってるんですか。スーパー行かれました?」

渡部が訊ねた。

「単身赴任だもん。食事は全部外食」

「だめですよぉ」

「だってしょうがないだろ。俺、料理なんてできないもん。だったらご近所になることだし、君、作ってくれよ」

世間ではありがちな会話だが、私は一瞬ぎょっとした。四井は人材重視を自他共に認めるだけあって、ユニークな人間が揃っている。仕事にはもちろん熱心に取り組むが、有り余るエネルギーは遊びの面でも存分に発揮される。「酒に背中は見せられない」と豪語する人間は数知れず。若手どころか、結構歳のいったおっさんまで、風俗通いをしている人間は山ほどいる。もちろん、そうした日頃の行状は、接待の場で大いに役立つのだが、社内の男女関係もなかなか賑やかになるところが悩ましい。

週に何度か、定期的に皇居を見下ろす会議室を予約する女性社員がいることに、不審を抱いた総務部の社員が覗きに行ってみたところが事の最中。はたまた、昼食で賑わう社員食堂で、一人の女性社員がつかつかと歩み寄って来たかと思うと、男性社員の頭からスパゲティをぶっ掛けた、なんて話には事欠かない。

前者の時には「皇居を見下ろしながらヤルなんて、気持ちよかったろうなあ」と大いに羨ましがられ、後者の場合は、「おおっ!」と社員食堂内に歓声ともどよめきともつかぬ声が上がり、少なくとも同僚たちの間から非難めいた言葉が上がらなかったのだが、会社は違った。色恋沙汰も隠れてやっている分には構わないけれども、社内風紀を乱すという形で表に現れれば別である。そして、こうしたケースの場合、厳しい沙汰が下されるのは男の方と決まっている。女はそのまま構いなし。本社に残り、男は地方、あるいは海外の辺境の支店に飛ばされて、一件落着となるのがお決まりのパターンだった。

同じ住宅に住み、ことあるごとに独身女性の部屋に夕食を摂りに行っていれば、何が起こるか容易に想像がつく。東京でのことならまだしも、こんな狭い町でそんな光景が繰り返されれば、どんな噂が立つか分かったもんじゃない。四井の信用と沽券《こけん》に関わる問題に発展しかねない。

「別に羽村さんの体なんか心配してませんよ」

ところが渡部は、冷たい声で羽村の言葉を一刀両断に切り捨てた。

「へっ？」

羽村が間の抜けた声を上げた。

「これから建設する施設の各部屋には、キッチンがついていて、ミールサービスを望まない方は、自炊することになってますよね。だったら、どんな食材が手に入るかは、すごく大きな関心事だと思いますよ。スーパーにはその地域の生活レベル、町の文化が如実に表れるものです。住居を決める際に、最も効率的に、その土地の雰囲気を把握するにはスーパーを訪ねてみること。これは鉄則ですよ」

「そんなもん、新しい居住者がやってくれれば、その人たちに合った品揃えが自然と整うもんじゃやねえの」

羽村が苦しい言葉を吐く。

「ニーズが生まれてから揃えますじゃ遅いんじゃないですか。三カ月もすれば、ツアーの人たちがここを訪れるようになります。特に女性たちは必ずスーパーを見る。その時に、今まで当たり前にあったものが無ければ、こりゃあ、大変な場所だ。こんな所では生活できない。きっとそう思われてしまいますよ」

「でもさ、渡部さん。あなたの言っていることは分かるけど、地域に根ざした習慣、特に食生活なんてそう簡単に変わるもんじゃないんじゃないかな。ツアーの人たち用に、品揃えを充実させても、売れなけりゃ商売として成り立たないもの。そこは、もっと別の方法を考えてみたらどうかな」

言わんとしていることはもっともだったが、私は窘《たしな》めるように言った。

「少なくとも、首都圏近郊、平均的所得のサラリーマンが多い地域のスーパー程度に品揃えが充実してないと、女性は不安を覚えるんじゃないでしょうか」

「そう言われると自信がないところもあるな。調味料、ドライフーズ、野菜は問題ないとしてもだね、不安を覚えるのは鮮魚だな。これは都会の人が見たら、違和感を覚えるかも知れないね。チーズとかの輸入品も極端に種類が少ないかも……」

「鮮魚、ですか？」意外とばかりに、渡部は問い返してくる。「三陸が近いから、むしろ魚は東京よりも充実してるんじゃないんですか」

「それこそ人の食習慣なんて変わらないってことの好例さ。昔は交通が不便だったからさ、ここら辺に来るのは干魚や塩漬けの魚。少し技術が発達してからはそれに冷凍魚が加わった。だから、今でも意外と店頭に並ぶ鮮魚の種類は限られてる。まあ、その点から言えば、それこそニーズがあるところに物は集まって来るというわけでね。新しい人たちの需要があれば、店だって商売だ。これまで取り扱わなかったものだって、扱うようになるだろうさ。まっ、鶏が先か、卵が先かみたいなもんだよ」

「おっしゃることは分かりますけど……。だったら何かマイナス要因を少しでも和《やわ》らげる手段を考えないとなりませんね」

渡部は深刻な顔をして口を噤《つぐ》んだ。

渡部は身長百五十センチそこそこ、女性にしても大分小柄な体つきで、髪形こそショートレイヤーにしてキャリアウーマン然としていたが、黒いスーツに白のブラウスというい でたちと相俟《あいま》って、就職活動に明け暮れる女子学生といった方がぴったりくる。切れ長の目、下唇がぽってりした顔立ちは、どこかコケシのようでもあり、和風のなかなかの美人である。しかし、なるほど、さすがに四井が任命しただけのことはある。使命感は確かに並々ならぬものがあるようだ。

「大将、こんばんは。また来たよ」

話がひと区切りついたところでちょうど柔寿司に着いた。羽村が入り口の引き戸を開けながら言った。

「いらっしゃい！」

威勢のいい声が我々を迎えた。白木の付け台と酢飯の匂いが仄《ほの》かに漂って来る。

店の中には、いつものように、入ってすぐのところに土木作業員か建設作業員といった風情の三人連れがいた。その奥にいる男の姿を見て、私はぎくりとした。カマタケである。

テロリと光った頭がいつにも増して輝いている。酢飯の爽やかな匂いの中に、彼の脂ぎった頭の異臭が漂ってきそうだ。

「やあや、こりゃ町長！　今日はまた何っしゃ。お客さんすか」

カマタケは、目を丸くしてわざとらしく驚いて見せる。

「いや、今日はこの二人を歓迎するために一席設けましてね」

渡部はもちろん、羽村もカマタケに会うのは初めてのことだ。これからこの町に住み、現場を取り仕切る二人を紹介しないのも、何だか不自然な話だ。

「鎌田さん。紹介します、こちらは四井から赴任してきた羽村さんと渡部さんです。羽村さんは施工管理を、渡部さんは施設の運営企画、いわゆるソフト面を担当することになっています」

「こりゃまずまず、遠路はるばるご苦労様でござります。町議会議員の鎌田武造でござります」

カマタケは、カウンター席から立ち上がると、名刺を差し出した。

「四井の羽村でございます。宜しくお願いいたします」

「渡部でございます」

二人もまた名刺を差し出しながら、それに応えた。

「いやあ、それにしても、運営企画が女の人すか」

カマタケは、どんぐり眼《まなこ》をますます丸くして渡部を見た。

「それが何か?」

冷たい口調。今どき都会では女性がビジネスの第一線で働いているのは、当たり前に見慣れた光景だが、緑原のような田舎ではあり得ない話だ。大体、役場にしたところで、課長補佐はいても、それ以上のポジションについている女性はいない。まあ、カマタケが驚くのは無理のないことかも知れないが、無遠慮な口調が渡部の癇《かん》に障《さわ》ったらしい。

「こんただ、かわいい女の人がねえ、ど思ってさ。男だらけの現場で仕事なんかするよりも、こんだけの器量好《よ》しなら、なんぼでもいい縁談があっぺさ」

渡部のような女性を前にして性別を話題にするのは禁物である。何よりも気に障ることだし、第一、こんな話の持って行きようは立派なセクハラだ。

「四井では私のような女性は少なくないんですよ。実際、取締役にも女性がおりますから」

はたして渡部は可愛い口を尖《とが》らせた。

「すかす、今回のような大きな仕事を任せられつうどごをみっと、優秀なんだべね」

「渡部君は京大出身なんです」

「きょうだい？」

「京都大学です」

「帝国大学出てんのすか！　やや、そいづあご無礼いたしやした」

学歴が仕事の能力に比例するわけではないが、カマタケのような人間には、それなりの効力を発揮するものだ。案の定、彼はのけ反り、ぺたんと椅子に腰を下ろした。

「運営企画は、入居者の誘致と、施設稼働後、入居者にいかに快適な環境を提供できるか。いわば施設のソフト面を担当します。町の皆さんとは緊密な関係造りが大切になりますから、鎌田さんにもいろいろとお世話になることがあると思いますが、一つ宜しくお願いしますよ」

もちろん社交辞令だが、私が間を取り持つ言葉を吐くと、

「私にできることがあったら、何でも協力しやすよ。町のことだら、何でも知ってっから、遠慮しないで相談すてけらい」

カマタケは、満面の笑みを湛えながら胸を張った。

「じゃあ、我々はこれで……」

私は二人を促して、奥の座敷に入った。

それから暫くの間は、三人での楽しい会食となった。話題はもっぱら四井のこと。そしてこの町のことである。特に私が念を押したのは、さっき会ったカマタケのことである。町議会の古ダヌキにして利権屋。彼の動きには充分に注意しなければならない。しかし、無下《むげ》に扱うと、どんな手に打って出てくるか分からないから、その点はうまく付き合わなければならないことを二人に告げた。

「日本全国どこへ行っても変わらないんですね。箱物を建てるとなると、必ずそこに利権が絡む。国会議員も箱物はもう無理だとなると、道路だけはと必死になる。大体カリフォルニア一州にも満たない国土に、これ以上道路造ってどうしようってんでしょうね」

渡部は呆れた口調で言った。

「人口密度が違うから、一概には言えんのだろうがねえ。ただ、確かに国会議員でも、道路、道路って騒ぐヤツはどっからさん臭いよね。『お金欲しいです。私腹黒いです』って顔に書いてあるもん。いい加減、有権者も気づけよって思っちゃいますもん」

羽村が刺身を摘《つま》みながら苦笑いを浮かべた。

「結局、公共事業に依存している労働者人口が減らないと、どうしようもないんだろうねえ。はっきり言って、四井のような大企業に勤められるのは、ほんの一摘みの限られた人間でしかない。まあ、私も、こういう町の町長になって改めて思うのは、社会というのは本当に残酷なものでね。体を酷使して働く以外に収入を得る手だてのない人間が圧倒的多数を占めるんだよね。だから公共事業ってのはある意味福祉的意味合いを持つ面があることは事実ではあるんだ」

「額に汗して働く人たちですね」

羽村がぽつりと呟いた。

「その言葉にはちょっと抵抗がありますね」渡部がすかさず口を挟んだ。「世間じゃとかく額に汗って言うと、肉体労働者を讃えるようなニュアンスで用いられますけど、そもそも額に汗しない労働なんてありませんよね。私たちは一応ホワイトカラーってことになってますけど、充分汗かいてますよ。学者だってITベンチャーの人間たちだって同じように汗してます」

「額に汗の意味は物理的なもんじゃないってことだね」

私は言った。

「そうです。ほんと、テレビに出てくるエセ文化人が、額に汗って言葉を肉体労働の代名詞みたいに使うのを聞くと、頭に来るんです。何でこんな馬鹿をテレビで喋らせるんだって。大体そんなに肉体労働が尊いってんなら、そういう仕事に従事する人たちの賃金が一番高いはずじゃないですか。だけど現実は違いますよね。はっきり言って、誰でもやろうと思えばできる分だけ、安いじゃないですか。それが世間の評価であり本音でしょ。高い賃金を得るのは、それに相応しい労働をした人間だけ。つまり知恵を絞り、創意工夫を凝らした人間の労働。それも結果を出し続けて手にできるものじゃないですか。誰にでもできるってわけじゃないし、物理的に汗をかくかどうかは別としても、少なくとも頭で汗をかいていることは事実。だから、テレビの司会者や、キャスターとか、エセ文化人が、好き勝手なことを言って、そのくせとんでもない報酬をもらっている現実を見ると、『じゃあお前らは何なんだ。額に汗もしないで金稼いでるのはあんたたちでしょ』って突っ込みを入れたくなっちゃうんですよね。利権を漁《あさ》る政治屋も一緒。私、鎌田さんのような人種は大嫌い！」

どうやら、渡部は酒に弱いらしい。かなり呂律《ろれつ》が怪しくなって来ているし、言葉も過激だ。もっとも身長百八十センチ、体育会出身の大男と互角に飲んで、こんなおちびさんが平然としていたのでは化け物だ。

「確かにそうだね。額に汗して働いてるのはみんな一緒だ。僕らだって、一生懸命に知恵を絞り、町のため、会社のために働いてるんだものな」

羽村が相づちを打ったその時だった。

「ちょっといがすぺか」

襖《ふすま》が開くと、カマタケが顔を覗かせた。私たちの視線がぬめっとした頭に一斉に向いた。

「私もこのお二人に、歓迎の意を表させていただきたいと思ってっさ。ちょっと酒を注がせてけねえべが」

カマタケは徳利《とっくり》を翳《かざ》しながら「えへへ」と下卑《げび》た笑いを浮かべた。

白けた空気が座敷に広がった。普通の感覚ならば、雰囲気の変化にすぐに気づき、退散するところだろうが、カマタケときたらそんな気配は微塵《みじん》もない。膝立ちした姿勢でずかずかと座敷に乗り込んで来る。

「まずは、れでーふぁーすと、だったぺが、女の人優先つうごどで」

カマタケは渡部の傍らに擦り寄ると、徳利を差し出した。渡部はあからさまにムッとした顔をしたが、それでもぺこりと頭を下げると盃を取り上げ、なみなみと注がれた酒を一気にあおった。

「ややや、こいづあたまげた。見事な飲みっぷりだね。あんだ、かなりいける口だね」

「それほどでも。たしなむ程度です」

無愛想な口調で渡部が答える。

「やっぱ、京大つうがらには、伏見《ふしみ》つう美味しい酒を飲み慣れでっぺがらね。なるほどなあ、天は二物を与えずっつうげんとも、嘘だね。天は二物どころが三物も与えんだね。勉強できで、酒も強い。おまけに美人と来てんだものね。ご返杯をお願いすてもいいべが」

カマタケは今度は盃を渡部の前に差し出す。盃が満たされたところで、それを一気に飲み干すと、

「んじゃ、今度はこちらの方に……」

羽村の前に進み出た。

「羽村です。よろしくお願い致します」

さすがは体育会出身者である。羽村は姿勢を正すと、両手を突いて頭を下げ、これまた両手で盃を捧げ持つようにして酒を受けた。大振りのぐい飲みが、御猪口《おちょこ》のように小さく見える。

「すかす、でかい体だね。四井つうよりも、体張って稼いでいるような人だね」

カマタケが大仰に驚いて見せる。

「彼は早稲田のラグビー部出身なんですよ」

「早稲田……つうど、私立すか？」

これである。久方ぶりに耳にする世間離れした言葉……。私が高校を出る頃までは、緑原に限らずこの周辺地域には官立神話が存在していて、どこの大学であろうと、私立はぼんくらが行くところ。国立ならどこの駅弁大学でも、通ったとなれば「大したもんだ」と持て囃《はや》されたものだった。

実際私にしても慶應に入学したと知れるや、「やっぱ酒屋のぼっちゃんだもの」と、おめでとうの前にその一言で片づけられる始末だったのだ。あれから三十年以上も経って、まだこんな人間が、しかも町議として生き残っているとは思わなかった。

カマタケは、たちまち羽村に興味を失ったらしく、再び渡部に擦り寄ると、

「ところで、渡部さん。さっきあんだは施設のソフト面を担当するって言ってだけんども、具体的にはどういうごどなんだべね」

やはり、四井の仕事を探るのが目当てであったらしい。いよいよ本性の片鱗《へんりん》をちらつかせ始めた。

「いろいろありますけど、最初は町内外の環境調査から始めるつもりです。余暇の過ごし方は日々の暮らしの中で重要な要素となりますから、既存のレクリエーション施設の状況を調べ、レジャースポットも把握しなければならないでしょうね。船を出す釣りやゴルフといったお金のかかるものは、料金交渉もしておかなければならないと思います。自炊希望者のために、食材の供給状態や価格も摑んでおかなければならないでしょうね。その上で、ひと月に生活費が幾らかかるかを算出します。それが纏まったら、正式なパンフレットを作ります。配布が可能な状態になった頃には、モデルルームができ上がっているでしょうから、そこからはツアー客を迎え入れる準備に入ります」

そんなに喋って大丈夫かと思わず慌てる程に、渡部は饒舌《じょうぜつ》に捲《まく》し立てた。果たして、カマタケの目がぎらぎらと輝き始める。

「ツアー客って何？」

「旅行社に依頼して、東京に設置するモデルルームを見て、関心を持った方々に、実際に

現地を訪れてもらうんです。終《つい》の住み処を提供しようってんですから、現物を見ないで移住を決断するなんてできるわけないじゃないですか。旅行のついで、美味い物食いがてらってんなら、駄目元で来て見るかって人もいるんじゃないですかあ」

「なるほどなあ。うまいこと考えるもんだねえ。すて、実際の施設運用面もあんだが考えんの？」

「ソフトって、そういうことも含んでのことです。施設の建設が進めば、当然人の手当てもしなけりゃいけませんし、中に入る業者さんの選定もしなけりゃなりませんよね」

いよいよ渡部の呂律が怪しくなってきた。気のせいか目が据わっているようでもある。

「鎌田さん。いいじゃないですか。そんな仕事の話は止めましょう。今日は二人の歓迎会なんだから」

私はたまらず口を挟んだ。渡部の様子もさる事ながら、業務の内容や仕事の手順がカマタケに知れては厄介なことになると思ったからだ。ところがカマタケは、渡部に顔を向けたまま、まるで犬を追い払うかのように、後ろ手でシッシッとサインを送る。

「それも渡部さんがやんのすか？」

「そのために私はここに赴任して来たんですが、何か？」

「いやあ、あんだはそう言うげんとも、人を雇うとなるど、田舎ではなかなか大変だよ。施設の業者を決めるにしても、地域のしがらみつうが、しきたりつうが都会の人には分がんねえごどがいっぱいあっからね。町の協力なくしては、立ち行かないよ」

「町の協力とおっしゃるなら、山崎町長から充分な支援を受けていると思いますけど」

「すたら、どうやって従業員を雇うの？　賃金体系はなじょにして決めんの？　都会の相場さ合わせせんの？　まさが田舎者だからって、安い給料で稼がせるわけでねえべさね」

「鎌田さん、それは私からご説明いたします」

さすがにたまりかねたと見えて羽村が間に入った。

「なすて、あんだが答えんの？　施設の運営面は渡部さんの担当だすぺ」

「私は渡部の上司です。常駐の責任者です」

大男にきっぱり言われると、やはり威圧感を覚えるものか、一瞬カマタケは押し黙った。

「説明の必要があるとおっしゃるなら町議会でもどこへでも伺いますが、せっかくですから今鎌田さんが質問なされたことに対して、四井の方針を述べさせていただきます」羽村は、歯切れのいい口調で前置きすると続けた。「そもそも、今回のプロジェクトの基本コンセプトは、生活資金に限りのある高齢者に、いかに安心して豊かな老後を送っていただけるかというところにあるんです。そのためには、施設の運営においては、無駄は絶対に許さない、かといって質を落とすことなく、どれだけ基本コストを抑えることができるか。成否の鍵はその一点にかかっているんです。入居費用はおそらく都会の同規模、同質の物件に比べて、劇的に安いものになるでしょうが、そんな価格で提供できるのは土地を無償貸与されたからです。バラエティに富んだ娯楽が提供できるのも、ゴルフならプレイ代、釣りなら船賃が都会より遥かに安いからです。人件費も同じです。はっきり申し上げて、従業員の給与は、大会社のようなレベルには到底及ばないと思います。しかし、周辺の相場、いや、都会で時給幾らといった形で使われるパートよりは格段にいいレベルのものになる。少なくとも役場と同じレベルを目指したい。それが四井の目標とするところです」

「やっぱ、地域のレベルさ合わせるっつうごったね」

「役場のレベルに合わせることができたら、凄いことですよ。鎌田さんも知ってるでしょう。町じゃ役場に職を得たいと願っている人がいくらでもいるんですよ。都会の大学を出て、わざわざUターンして来てまで役場に就職する人間もたくさんいるんですよ」

私は諭すように言ったが、カマタケは一向に納得する気配はない。渡部に背を向け、私の方に身を乗り出すや、酔いの回った目を向けてきた。その背後で、菩薩《ぼさつ》のように白い部分が多くなった目をしながら、渡部がバッグの中を探ると、煙草をくわえて火を点《とも》す。

「町長。役場職員は公務員だべ。滅多なごどでは馘《くび》の心配もねえ。仕事だって楽なもんだべ。それに比べて老人施設はさ、完全介護を必要とする人もいるんだべ。お下の世話。食事も口さ入れてやんねばなんねえ人もいんだべさ。大変な重労働だよ。役場の職員なんか比べもんになんねえよ。そいづをだね、周りの人件費さ合わせでなんて言ったら、そいづあ共産党がよぐ語る、搾取つーやつでねえべが」

と、そこまでカマタケが捲し立てた瞬間、ぷあああっと何度目かの煙を吐いた渡部が、全く表情を変えることなく、口元に当てた手をすうっと下に下ろした。一瞬だが、白い部分の方が多くなった彼女の目に、黒い瞳が見えたかと思うと、明らかにカマタケの足の裏を狙ったのが分かった。

じゅっ――。

肉の焦げる湿った音がした。

「ケエーッッッ！」

交尾の現場を覗かれた鶴のようなけたたましい叫び声を上げながら、カマタケが飛び上がった。

「ったく、煩《うるせ》えんだよ。このくそジジイ。都会の時給なんぼで働かされてるヘルパーが、幾らもらってるか知ってて言ってんのかよ。介護士の資格を持って、老人介護に人生捧げたいと思っても、それじゃあ一生結婚もできねえ、それどころか一人で食ってもいけねえって、泣きの涙で辞めていく人間は後を絶たねえんだ。それに比べりゃ、役場並みの給料がどんだけいいか分かんだろ」

見事な渡部の啖呵《たんか》を前にして、カマタケは顔を引き攣《つ》らせて口をぱくぱくさせている。

それが見えているのかいないのかは分からないが、渡部は勢いのまま言った。

「大体よ。お前は何の権利があって、あれこれ四井のやろうとしてることに口を挟みやがんだ。四井には四井のやり方がある。そして会社のポリシーは、公明正大だ。有能なら採る、能無しは採らねえ。それが採用基準だ。覚えとけ！」

＊

渡部が赴任してきて一カ月後、荒涼とした野原だった工場誘致用地に、モデルルームの建設が始まった。そこから百メートルほど離れた場所には建設管理棟が徐々にその姿を現し始めた。

モデルルームには、基本となる2LDK、完全介護が必要となった時のためのワンルームと二つのタイプの部屋が造られ、家具も設《しつら》えられる予定である。もっとも、ワンルームは身動きがままならぬ人のためのものであるから、病院の個室と変わりはない。ロビーには完成時の施設全容の模型が置かれ、カフェテリアや食堂、娯楽ルームのイメージ図が掲げられることになっている。

その日、羽村と渡部が役場にやって来ると、プロジェクトチームの面々を集めて施設運営に関する定例会議が持たれた。渡部が席についた面々の前に、プレゼン用の資料を置いて行く。スクリーンが明るくなり、パワーポイントの画像が浮かび上がる。

「それでは、始めさせていただきます」

渡部は歯切れのいい口調で、施設の概要、オープニングまでのスケジュールを説明し、施設利用料へと話題を転じた。

「利用者に負担していただくお金は、まず最初に入居金として2LDKタイプ一部屋あたり一千万円、完全介護必要者のワンルームタイプが四百万円といたします。更に月額管理費一人あたり十万円、希望者には食費四万円、その他におむつ代や医療費自己負担分、レクリエーション費用等、個人使用のものは別途徴収いたします」

「一千万円すか……」クマケンがのけ反った。「少し、つうか随分高くねえすか。そんでや、この辺りの人はなかなか入居するごだあできねえべ」

「これには根拠があります。一つは初期投資の額から割り出すと、これくらいの額を徴収しないと、初期投資額が回収できず、月額の費用を高く設定せざるを得なくなってしまう。それでは、固定収入を年金だけに頼っている入居者には大きな負担になってしまいます。入居費用は家賃の前払いですし、首都圏で、ワンルームのビジネスホテルのような施設に入居することに比べれば、考えられないほど安いと言えます」

「すっと、ここさ入居する人は主に都会からやって来る人つうごったね」

「マーケティング調査の結果です」渡部は続けた。「改めて周辺地域の老人介護施設を調査して分かったのですが、この町を含めて周辺自治体に住んでいる高齢者家庭は、自活できるうちから介護施設に入居するケースはほとんどありません。一人暮らしをしている老人にしても、健康に問題がなければ、そのまま一人で生活することをむしろ望んでいるのです」

「考えてみると当たり前のことですよね。体が動くうちは、自宅に住んでいれば家賃はかからない。誰からも世話を受ける必要はない。ましてや、快適な施設ができたからといって、入居料を支払ってまで移り住もうって人はそういるもんじゃありません。生活コストが安くつく上に、豊かな老後が過ごせることに魅力を感じるのは、やはり都会生活者です。だから、我々は2ＬＤＫタイプに入居する人は、都市部に住んでいるリタイヤ層に絞り込んだわけです」

羽村が言った。

「なるほどねえ、確かに言われてみればその通りだね。この辺りに住んでる人は、豊かな自然もあって当たり前だ。健康なうちに施設に入っても出費が増えるだけで、メリットと呼べるものは何もないものね」

私は相づちを打った。

「都市部から移り住んで来る居住者の多くは、自宅を処分するでしょうから、特に一戸建てをお持ちの方にとっては、一部屋一千万円の入居金はそれほど負担にはならないと思います」

「ちょっと待ってけらい。そすたら、介護を必要とすない人は、月額管理費をなして払わなければなんねえんだべね。入居費用を払った上に、家賃みてえに毎月金を払うのはおかしくねえべか」

クマケンは小首を傾げながら訊ねた。

「将来の保険のようなものです。月額管理費は、施設で働く従業員の人件費の原資になるものです。熊沢さんがおっしゃるように、ご自分で自活できる方々にとっては、従業員の世話になることはあまりありません。食事の用意とか、施設の保全管理とか、その程度のものでしょう。ですが、永住型の施設に入居する限り、いずれ介護の手を借りなければならない時が来るでしょう。その時に月々の料金が跳ね上がったのでは、払えるものも払えなくなる人だって出てくるんじゃないでしょうか。要は先々の前払い金と考えていただければ分かりがいいでしょう」

「要支援、要介護となった時には、介護保険の適用を受けられるといっても、一割の自己負担金が課せられますからね。杓子定規《しゃくしじょうぎ》にやっていたのでは、ケアも充分とはいえません。負担を少しでも軽くするためには、当面支払う必要のない方からも徴収させていただく。それに、こうした名目の費用は、普通にマンションを購入した場合でも、管理費、修繕積立金、駐車場代と金額の多寡はあっても当たり前に徴収されるものですからね。抵抗感はないと思いますよ」

羽村が渡部の言葉を継いだ。

「要するに、同じ金額でも都会と田舎じゃ価値が違うということだね。都会で２ＬＤＫの永住型の介護施設に入居しようとすれば、何千万円もの金を払わなければならない。ところがここに来れば、遥かに安い金額で余裕ある生活を送れる……」

「何千万円どころか億単位になるでしょう。それどころか、そもそもそれだけの間取りの施設なんて、都会じゃどこを探してもありませんよ。介護施設といっても、体のいい病院か、ビジネスホテルといったところばっかりなんですから。あれじゃ飽きちゃうし、第一、気が滅入《めい》ります」

私の言葉に渡部が頷く。

「それともう一つ、ワンルームの料金を低く抑えたのには理由があるんです」羽村がすかさず言った。「こちらに入る方は、最初から介護を必要とする人でしょうから、入居する本人はいきなり見ず知らずの土地に来れば心細い思いをするでしょう。送り出す家族にしたところで、いかに東京から三時間ちょっとのところだといっても、頻繁に様子を見にやっては来れない。やはり開業当初は、この部屋の利用者は町周辺の自治体の要介護者の老人ということになるだろうと考えているんです」

「なるほど、自活できる人の元には、夏冬に家族も訪ねてくるだろう。新たに田舎ができるようなものだから、そのうち町を訪ねてくることへの抵抗感もなくなる。介護が必要となった頃には、入居者自身も他の入居者や従業員との人間関係もできているだろうから、寂しい思いをしなくてすむ。そういうわけだね」

「それに、開業当初から、空き室があったのでは、経営そのものが成り立ちませんからね。仙台辺りの同様の施設の相場が四百から五百万ですから、そこからみても入居者には割安感はあると思いますよ。第一、施設が黒字にならないと、町に税金も落ちませんもの」

渡部が言うことはもっともである。施設ができたはいいが、肝心の入居者が集まらないのでは話にならない。私には大いに納得できる話ではあったが、クマケンは小難しい顔をする。

「何だか、話を聞けば聞くほど、営利目的の施設っつう、感じがすて来んだけんども……。いいんだべが、老人施設をそんなふうにビジネスライクに捉えですまって……」

「事業として成り立たなければ、悲惨な目に遭うのは入居者であり、町ですよ、熊沢さん」

渡部がきっぱりと断言する。

「そしたら金のねえ人はどごさ行ったらいいんだべね。四百万円って簡単に言いすが、ここら辺の人にとっては大金だよ。まあ、確《たす》かにそんだけの金を払えば、老後の面倒を見て貰えるどなれば、財産売っ払ってすまえば何とかなるべげんとも、そんでも金が捻出できねえ人はなじょすればいいんだべねえ」

「お前が言うことは分からんではないけどさ。そもそも、町が莫大な負債を抱えた最大の原因は、そうした発想に起因するところが大きかったんじゃないのか。誰もが使える道路、誰もが使える施設……。確かに公費を使う限りは、そうした発想を持つこと自体は大切なことだし、否定はしない。だけどさ、税金払ってるからには何もかもただにしなけりゃならないって発想は間違ってる。お前らが住民に対して誠実でなければならないことは言うまでもないが、サービスには金がかかる。特に、第三者の手を借りなければならないものにはな」

いまさら公務員然とした発想をクマケンが持っていることに、私は少しばかり苛《いら》ついて、声を荒らげた。

「そしたら鉄ちゃんは、貧しい人は切り捨てるっつうのすか」

「そんなことは言っちゃいない。町には特養もある。老健もある。そこには、毎年決して少なくない血税を注ぎ込んでいる。今度建設される施設の経営が軌道に乗れば、税収が上がる。今までは予算が増えれば、道路だ箱物だと土建屋を儲けさせるようなことに使ってきたが、これからは違う。入居費用も賄えないような老人に、安心して余生を暮らしてもらう施設を充実させるために税金を使えるんだ。そのためには、この施設が企業として立派に収益を上げなきゃならないんだ」

「だけど、改めて思うのは、町長が今おっしゃった箱物も、こうして見ると随分役にたつものも少なくないということです。総合病院までは、施設から徒歩五分。おまけに設備は超一級。町民ホールもあればプールもある。ダムだって、農業用水って本来の目的にはまったく役に立ってはいないけど、もともと生息していた岩魚《いわな》は巨大化してるし、誰かが不法放流したブラックバスも釣れる。第三セクター方式で経営に失敗した農園も、貴重な野菜の供給源として使うことができる。老人施設ができるだけで、税金の無駄遣いと思われていたものが、すべて生きてくるんです」

「実は、もう少し案が具体化した時点でご相談申し上げようと考えていたことなんですが……」羽村が渡部に続いて口を開いた。「施設の敷地内に、ショッピングモールを建設しようかと思っているんです」

「ショッピングモール?」

私は、初めて耳にする発案に、問い返した。

「ええ。この町の商店街は人が閑散としてますよね。昼間でも人通りはほとんどない。こう言っちゃ何ですが、人よりも猫の数の方が多いくらいだ」

「その通りだ。そんなところにショッピングモールか?」

「細々と家族経営をしている商店の方々に出店して貰うんです。何しろ入居者、就労者を合わせれば、八千人以上の人間が施設に集まってくるんですからね。人の数だけ見れば一つの町に匹敵する規模ですよ。しかも確実に昼間人口はそれだけある。自活能力のある人のなかには、自炊をしたいと願う人も多いでしょうし、電化製品や家具の類いは基本的に持ち込みです。耐久消費財や日常生活用品に対する潜在的需要はかなりのものが見込めると思うんです」

「つまり、経営に苦しむ町の商店を一カ所に集めようってのか」

私は、あっと声を上げそうになりながら、身を乗り出した。

「自活能力のある入居者と言っても、毎日の買い出しは便利がいいに越したことはありませんし、足がない人もいるでしょう。買い物には行けても、高齢で荷物を抱えて帰ってくるのが大変だという方もいるでしょう。施設とショッピングモールが隣接していれば、都会の高級スーパーでしかやっていない、ホームデリバリーも可能になります。台車を押して各棟を回ればいいだけの話ですからね」

「そりゃいい話だ。店を開いているだけで、客なんて来やしない町の商店にとっては、まさに起死回生の一策になるな」

「もちろん、出店はただというわけではありません。家賃をいただかないことには、モールの建設費用が捻出できませんからね」

「しかし、そうなると、今町に三軒あるスーパーが入りたいって言い出すんじゃないか。

資本力で言ったら、あっちの方が上だ。結局――」

「カマタケさんがおっしゃってたじゃないですか。地元の企業を優先しろって。スーパーは三軒とも町外資本ですし、そもそもモール自体がスーパーみたいなもんですからね。部分的に協力を仰がなければならないところは出てくるでしょうけど、それでいいんじゃないですか」渡部はあっさりと片づけると、「そんなことよりショッピングモールの建設は、商店のみならず居住者にとっても、便利さといった以外のメリットもあるんです」

「なじょな」

クマケンも興味津々といった体で訊ねた。

「老人だけで集まってたんじゃ面白くないでしょ。歳を取っても、社会や若者と触れ合っていたいんですよ。刺激が必要なんです。買い物を楽しみながら、社会の流れ、流行と触れ合っていたい、そう願っているものなんです。生活コストが高くつくことを知りながら、都会生活を捨てられないのは、そんなことにも原因があるんです」

「すかす、日常生活品はともかく、電化製品とか、家具とかつぅ需要はあんだべか。入居者は大抵都会で使っていたものを持ち込んで来るんでねぇべが。後何年生きるか分かんねえ、つうどごさ頭が行けば、新しいものでも買い控えるもんでねぇのすかね。それに、住居を畳まなくてはならなくなった時のことを考えれば、今度は始末が悪いっつうごどになんねえすか」

どうしてすぐに考えがネガティブな方に行ってしまうのか、クマケンの頭の中を見たくなる。しかし、羽村は待ってましたとばかりに、歯切れのいい口調で答えた。

「もちろん以前お住まいだったところで使っていた物を持ち込んでいただいて構わないんですよ。だけど、入居対象者は六十歳以上ですからね。平均寿命から考えて、二十年以上は生きるわけです。耐久消費財とはいっても、必ず買い替えの需要はあるでしょう」

「収入が限られた人には、出費も馬鹿になんねえべね」

「ですから、耐久消費財に関しては購入するも良し、その他にリースという選択肢を与えます」

「リース？」

「四井は、四井リースという関連会社を持っていますからね。全然問題ありません。むしろ、これだけ人が集まれば充分ビジネスとして成り立つ。居住者にとっても、月々の支払い能力のある人にとってはありがたい選択肢だと思いますよ。耐久消費財の償却期限は四年です。それが経過すれば、安い価格で買い取るも良し。その時点で新しい製品が欲しくなれば、買い替えるも自由です。製品の始末、メンテナンスはすべてリース会社がやるわけです。どちらを選ぶかは居住者が決めればいい。一方の店にとっても、購入、リースのどちらでも収益は変わりませんから、まったく問題はありません」

「既存の民間介護施設の多くでは、テレビや家具は備え付けのところが多いんです。当然、こうしたものは、施設の入居費用で賄われるんですが、それじゃ何だか病院の個室に入るようなもので、ぱっとしませんよね。長く住む空間に、自分の好みじゃないものが置かれていたら、誰だって嫌気がさしますでしょう」渡部がにっこりと微笑みながら言い、さらに続けた。「野菜は農協直販としてもいいでしょうし、地元農家の共販所にしてもいいと思いますが、すべてを地物で揃えるというわけにはいかないでしょうから、町内に三つあるスーパーのいずれかの協力を仰いでも構いません。運営はお任せします。肉は地元の商店で最高のものが揃えられていますから、こちらはテナントとして入っていただくだけでいいでしょう。魚は都会の人が居住するようになれば、当然今まで以上の品揃えが必要となりますが、魚屋が仕入れてくれさえすればいいだけの話です。日用雑貨、家電店、家具屋さんも同じです。ただ、問題は衣類ですね」

「というと？」

「町に衣類を扱っている店は一つだけしかないんですが、問題は品揃えとセンスですね。なにしろ、あまりに都会離れしているというか……はっきり言って、巣鴨《すがも》のおばちゃんしか着ないようなものしか置いてないんですよねえ。輸入物の高級ブランド品とはいいませんけど、やはりある程度センスのいい品を揃えて貰わないことには、都会の人の購買意欲をそそるというところまではいかないと思いますよ。よほど勉強していただかないとならないでしょうね」

「ですよねえ。町で服を買うなんて、若い世代は絶対しませんもの。普段着だって仙台に行っちゃいますよ。都会の人は、歳を取ってもおしゃれをしたいでしょうから、それなりのものを揃えないと駄目ですよね。ディスプレイも考えないと……。変な並べ方をしたら、それこそモール全体の雰囲気にかかわってきますよ」

それまで黙って話を聞いていた小松洋子が初めて口を開いた。

「いずれにしても、モールができるのは、町の商店にとっても喜ばしい限りだ。確かに言われてみれば、新たに町ができるのと同じこと。家賃を支払ってでも、余りある収益を上げられるだろう。それに、モールができるとなれば、近隣町村からの集客も見込めるだろうしね。町にとっての波及効果は大きいね」

私が言ったのをきっかけに、羽村が話題を転じた。

「ところで、施設の建設に際しての下請け会社なんですが」

「決まったのかね」

「先日、総元請けの八葉《はちよう》建設から連絡がありましてね。下請け五社が決まったそうなんですが、その中に例の鎌田さんと縁続きの会社は含まれていないんです。それとなく、八葉の方には孫請けのことも訊いてみたんですが、どうもはかばかしい返事が返ってこないんですが……大丈夫ですかね」

「それをこちらに訊ねてくるのは筋違いだろう。施設建設は四井の事業としてやるんだし、四井は自分たちの尺度で業者を選択したんだ。町として口を挟むのは筋違いというものだ。まあ、鎌田さんのことだ。いろいろ言ってくるかも知れんが、間もなく工事が着工というこの段になって、あれこれ言ってきたところで、どうすることもできないさ」

「採用についてはどうなんだべね。それに公共スペースさ入る業者の選択もあるすぺ。あの人、絶対何が言ってくるど思うよ」

クマケンが顔を曇らせる。

「言ってきたところで、どうなるもんでもないですよ。何でみなさんが、そんなに鎌田さんに、気を遣うのか、私にはさっぱり理解できませんけど」

渡部が、つんと取り澄ました顔をして言った。

カマタケは渡部の一件以来、すっかり鳴りを潜《ひそ》めていた。いや正確にいえば、施設建設にまつわる事柄についてはだ。渡部に足の裏に煙草を押し付けられたことに激怒したカマタケは、「これは立派な傷害事件だ。警察に訴える」と息巻いた。それはそれで無理もない。痴話喧嘩がまま起こる四井でも、スパゲティを頭からぶっかけられた人間はいても、さすがに根性焼きを入れられた者など寡聞《かぶん》にして知らない。まあ、あったとしても情痴の縺《もつ》れの結果であるのだから、事を荒立てる人間などいやしないのだが、煙草の一件が警察沙汰にならなかったのは、渡部が激怒したカマタケに向かって、

「訴えるなら訴えろ。あんたも叩けばホコリの一つや二つ出てくんだろ。この程度の傷害

なら、せいぜいが罰金刑。こっちは法律を専門に勉強したんだ。贈賄、斡旋収賄はそうはいかないよ！」

と威勢のいい啖呵を切ったからだ。

カマタケは衆議院議員選挙違反で検挙された過去がある。それに町議会議員としての立場を利用して、懐を潤してきたことは誰でも知っている。それが表沙汰にならなかったのは、狭い人間関係で成り立っている地域性によるものだ。渡部のような他所からやって来た者に、そう言われれば、藪《やぶ》をついて蛇が出ることにもなりかねない。ましてや相手は京大法学部出である。

結局、事件は当事者以外の誰に知られることもなく、うやむやになってしまったのだが、以来カマタケはすっかりおとなしくなった。事情を知らないクマケンが心配するのは当たり前だとしても、あんな事件を起こしておいて、いささかも動じる様子もない渡部も大したタマである。

「そんなことより、問題は従業員の確保ですね」渡部は早々に話題を変えた。「町からいただいた周辺三校から福祉関係の大学に進学した卒業生のリストを元に、ダイレクトメールを送ったのですが、正直反応はいまいちといったところなんです」

「役場職員並みの待遇が約束されるんだら、飛びついてくる人間も少なくねえど思ってたんだが、駄目すか」

意外な言葉を聞いたとばかりにクマケンが問い返す。

「何しろ三年後のことですからね。現時点で判断しろという方が無理なのは分かってますけど、家族構成を早いうちに摑んでおかないことには、開業間近になってどっと押し寄せられても、こちらの態勢が整わないことにもなりかねません」

「なして？」

「最大の問題は学校です。就学中の子供がどれくらいいるのか、それによっては小中学校の学級数を増やす手だてを町は講じなければならなくなるでしょ。ここ十年、町の子供が激減したせいで、かつてに比べて小学校、中学校とも生徒数は半減してるんですよ。いずれも公立なので、教師の人事は県の教育委員会が行うことですからね。学級増をするなら、二年前には打診しておかないと、教師が不足します」

「そうかあ。だとすっと、子供の年齢によっては、幼稚園、保育園、それに高校も問題になるね。生徒数が減ったごどで、教室には空きがあっけんども、先生がいないんでゃ話になんねえものね」

「幼稚園、保育園は町が運営しているから、増員すればいいが、小中高はそう簡単にはいかんな。特に高校は編入というわけにはいかんだろうから、在学中の子供を抱えている親にとっては、動くに動けんということになるだろうね」

クマケンの後を継いで私は言った。

従業員の子供の教育問題は、これまで考えもしなかったことだ。入居者ばかりに目が行き、そこで働く人間たちの生活環境までは思いが至らなかったのだ。

「現時点での反応を見る限り、従業員の確保はあまり楽観視できるものではないと思うんです。施設が完成したとしても、雇用する従業員には三カ月のＯＪＴ（実地訓練）を予定してますし、未経験者が大部分というのでは不安があります。最低でも半分は経験者で固めるのが望ましい……」

「まあ、未経験者は新卒を採用するつうごどにすれば、それごそ仙台、盛岡の大学の卒業生で、かなりの部分が賄えるとは思いすが……。問題は経験者だね。やっぱ都市部から来てもらわねえごどには、埋まんねえべね」

「それについては、何か考えがあるのかな」

私は渡部に向かって訊ねた。

「やはりこちらも入居者と同じように、メディアの力に頼るしかないでしょうね」

渡部は言った。

「メディアって……そんたに力があるもんだべが」

「以前にも申し上げましたが、今回の事業は社会の高齢化が急速に進む日本では、相当インパクトのあるものだと思います。永住型老人居住施設、町興しのモデルケースにもなるでしょうし、何よりも老後の過ごし方の概念を一変させることにもなると思います。もちろん、田舎に移れば都会に住むよりも生活コストは安いというのは誰もが知っていることです。ですが生活の質を落とさず、いや、むしろ向上させる。しかも民間と自治体が共同でこうした事業を行うというのは、たぶん初のケースだと思います。テレビ、新聞、雑誌。これから、あらゆるメディアが大きく取り上げることは間違いありません。そこで、同時に従業員の募集も行う——」

「上がらない給料に、泣きの涙で介護の仕事を離れなきゃならない人だっているんだ。住居が保証され、収入も田舎で過ごすには充分。家庭も持てるとなれば、移り住んで来てもいいと考える人はいるかもしれんよな」

「とにかく、やってみることです。これは卵が先か鶏が先かの話ではないんです。居住者、従業員の双方が、同時に集まらないことには事業として成り立たないんですから」

渡部は断固とした口調で言った。

＊

「全国の皆さん、緑原は豊かな老後の生活を送れる場所であると確信しております。町も一丸となって、新しくできる施設を応援いたします。是非一度、旅行がてらお訪ね下さい」

って、それだけかよ。

私は思わずテレビ画面に向かって毒づいた。

テレビクルーが仙台からやって来たのは、モデルルームが完成した直後のことである。町長インタビューとして一時間以上もかけて延々と質問を受けたのに、実際に放送されたのは僅か十秒にも満たない。まるでどっかの社長が自社製品を売り込む、はすっぱなテレビコマーシャルのようなものだ。

「や〜や、町長、大したもんだね」

クマケンが手を叩きながら、はやし立てる。

「うん、かなりいい内容でしたね。これは相当インパクトがありますよ」

羽村が満足げに何度も頷く。

「もう一回見ましょうか」

飯島が録画していたＤＶＤを再生する。施設を紹介したのは、夕方五時からの民放全国ネットのニュース番組である。『みちのくに出現・これが巨大永住型老人介護施設の概要だ！』といかにもテレビらしいタイトルがつけられた十五分の特集コーナーは、建設されたばかりのモデルルームに立つ女性レポーターというお決まりのパターンで始まった。リビングダイニングは八畳のフローリング。キッチンの傍には、四人掛けのダイニングテーブル、さらにソファとテレビが置かれている。広いとは言えないがなかなかこざっぱりした佇《たたず》まいである。壁紙は白で統一されており、窓からは緑豊かな山並みが見える。残り二つの部屋はフローリングと畳敷の六畳で、間取りの説明が終わると、渡部が画面に現れ、

「都市部での永住型老人介護施設と言いますと、ワンルームが主体ですが、ここでは快適な生活を送っていただくために、キッチンとリビングを設け、寝室とご家族が訪ねてきた場合の和室をご用意いたしました」

歯切れのいい口調で言う。

「なるほど、夏休みや冬休みには、家族揃って過ごせる別荘にもなるというわけですね」

煽《あお》るのはメディアの常だが、うまいことを言うものだ。確かに何泊しても宿賃はかからない。自炊も可能である。別荘ととれなくもない。

レポーターは風呂が内風呂で、しかも手すりがついていると言っては、感嘆の声を上げ、管理室とオンラインで繋がっているインターフォン、非常ベルを指差しては、万一のことがあってもすぐに常駐の職員が駆けつける態勢が整っていると、介護施設なら当たり前過ぎることにも目を丸くする。

やがて画面は切り替わり、モデルルームロビーに設えられた施設の完成模型が大写しになる。

「素敵なのは部屋だけではないんです。何とここでは共有スペースに、三陸の海の幸を満

喫できるお寿司屋さんやレストランカフェ、ディスコとライブハウス、美容室、理容室、さらにはショッピングモールまで造られるんです。最新式のＣＴスキャンやＭＲＩが設備された総合病院までは徒歩五分。屋内プールにスカッシュ、テニスコートも完備しているという豪華さです」

確かに、共有スペースはこれから建設されるものだから、その通りだとしても、他の施設はほとんど利用者のいない既存施設を流用するだけのものだ。完備と言うのは間違いだが、テレビというのは不思議なもので映像になるとそれなりに立派なものに見えてしまう。それから先は、来場者のほとんどいない植物園で、和牛のステーキに目を見張り、がら空きのゴルフ場でクラブを握っては、一日五千円で楽しめるとはしゃぎ、川で岩魚を、海でカレイやコチを釣っては手を叩くと言ったシーンが延々と映し出された。嘘はないにしろ、ここまでやられると見ているこっちの方が大丈夫かと不安になってくる。レポーターは、終わり間近に入居金を渡部に訊ね、

「一千万円でございます」

「えーっ。こんな素敵な場所で、老後を過ごせてそんなお値段なんですかあ」

甲高い声を上げると、いま四井トラベルサービスで視察ツアーを募集していることを告げた。そしてまたしても、私のエンディング――。

「やあや、何回見でもいいもんだっちゃね。この番組見た人は、これだったらここさ来た

いっつう気になっぺね」

またしてもクマケンが無邪気にはしゃぐ。

「しかしなあ、大丈夫かね……」

私は重い口を開いた。

「大丈夫って何が？」

「決まってんだろ。内容だよ。すこし演出過剰じゃなあい。なんかさあ、あまりにもいい所に焦点を当て過ぎてないか」

「いいところをアピールしなくてどうすんです。第一それでなければマスコミに取り上げて貰う意味がありませんよ」

羽村が口を尖らせた。

「そりゃ分かるよ。内容にも嘘はない……。だけどさ、株屋の営業じゃないんだからねえ。第一、その株屋にしたところで、最近じゃリスクの部分も事前に客に告知しなきゃなんないってことになってるんだ。やはりマイナス面もきっちりお知らせしておいた方がいいんじゃないかねえ」

「町長はそうおっしゃいますが、じゃあマイナス面って何です」

羽村が食い下がる。

「やっぱり冬の厳しさじゃないか。緑豊かな時期は確かに快適だけど、冬はあの通り枯れ野原になってしまうだろ。寒さもそれなりにきついし……」

「そりゃ東京だって同じですよ。それに、四季のうつろいと共に暮らすっていうのは、この売りなんですから」

「町長、ネガティブなことを先に考えたら駄目ですよ」渡部が言った。「確かに今の時点では、ここはうら寂しい町です。だけど、これから八千人もの人が新たにやってくれば雰囲気はがらっと変わります。老人ばかりじゃ寂しさが増すばかりというのは偏見だと思います。楽しい余生を暮らせないから、寂しくなるんです。体を動かせるうちは動かす。趣味に興じるもいい、スポーツをするのもいい、読書をするのもいい。充実した老後を過ごしている老人は、決して寂しい思いなんかしませんよ。そうした環境を整えて差し上げるのが私たちの仕事でしょう。それに、町には新たに若い世代もやってくる。子供も増えます。その時のことを考えれば、今日の番組は決して過剰な演出で長所ばかりを強調したものとは言えないと思いますよ」

　言われてみればその通りかも知れない。現況を考えれば、うら寂しい東北の寒村だが、施設ができれば町が活気に溢れることは間違いない。そもそも、私が町長に就任し、目指したものはこの沈鬱《ちんうつ》な町の空気を一掃し、新しい風を吹き込むことにあったのだ。建設が始まった以上、後戻りはできない。なけなしの蓄えを注ぎ込み、ここへやって来る人々の期待に応えるために、全力を尽くす。それが私のすべきことだ。

渡部の携帯電話が鳴った。

応答する渡部の顔がぱっと輝く。

「はい……はい……そうですか、ありがとうございます」

回線を切った渡部は、

「やっぱりテレビの効果は絶大ですね。放送終了と同時に、四井トラベルサービスに問い合わせの電話がもう十五件もあったそうです」

「そりゃ凄いな」

私は感嘆の声を上げた。

「それで、最初のツアーはいづになんだべね」

クマケンも声を弾ませる。

「第一回目は七月十五日からですから、二週間後ですね」

渡部はファイルの中からパンフレットを取り出した。華美でもなければ粗末な代物でもない。ペラ一枚の紙の両面にカラー刷りの写真と文字が並んでいる。見出しには、終身型介護施設見学ツアー、三泊四日の旅、四万円とある。

「交通手段は往復とも新幹線を使っていただきます。宿泊は一泊が仙台、二泊は植物園の宿泊施設です。食事は朝は宿泊施設で、初日の夜は柔寿司。二日目は町のステーキハウスで、三泊目は仙台の牛タン屋で摂っていただきます」

「日中の行動はどんな具合なの」

「初日は、モデルルームの見学と、プレゼンテーションルームで施設とサービスの概要の説明を受けていただきます。午後からは、それぞれが関心をお持ちになる施設を廻っていただきます」

「町の施設に関しては、私たちが役場の車で案内します。窯元、燻製屋《くんせいや》、プール、テニスコート。それから釣りをしたいとおっしゃる方には、熊沢さんが川にご案内して岩魚釣りをしていただく……」

「任しておいてけらい。今の時期なら一時間で五匹は堅いね。ブラックバスは形のいいのが、もっと釣れるよ」

　小松の言葉にクマケンはドンと胸を叩く。

「二日目は、ゴルフをお望みの方には、伊達北《だてきた》カントリー倶楽部でプレイしていただきます。釣りをお望みの方には三陸で海釣りを楽しんでいただく」

「ご婦人方は？」

「リンゴ園、第三セクターが経営している農場を見学していただいて、南三陸金華山《きんかざん》国定公園を回ります。特にリンゴ園を訪問していただいた方には、特別に一万円でリンゴの樹一本のオーナーになっていただくおまけがつきます」

「一万円で樹一本って、大丈夫なのか」

一本の樹からどれほどのリンゴが採れるのかは分からないが、百ではきくまい。好印象を与えるのは結構だが赤字覚悟の大盤振る舞いは困る。私は訊ねた。

「元々、樹のオーナー制度はリンゴ園が以前より行っているものです。手入れはもちろん、収穫まで全部やって、一年一万四千円。一万円は破格値ですが、限定五十本ということでご協力いただけるそうです」

「じゃあ限定数が完売したら、定価販売になるわけか」

「そうです。ただ視察をしていただくよりも、秋が深まった頃に自宅にリンゴが届けば、町のことを改めて思い出していただけるでしょう。陶芸も同じです。窯元では茶碗造りに挑戦していただきますが、釉薬《ゆうやく》を塗って登り窯で焼いた完成品は、リンゴ同様、自宅へ送り届けます。こちらは送料を希望者に負担していただきますが、乾燥以降の作業料は窯元にご協力いただいて無料となります」

小松が言った。

「三日目は松島を見学していただき、仙台で一泊。午後二時の新幹線で東京に向かう。三時半すぎには東京に着きますから、夕方からは自宅でゆっくり過ごしていただく……」

正直なところ、施設の現物がないのはインパクトに欠けるような気がしないではない。モデルルームを見ただけで、果たしてどれほどの人が移住を決意してくれるのか不安もあるが、ないものはしょうがない。

「よし、それで行こう。特別なことをする必要はないが、とにかく手際よく、かつ丁重に来町者をもてなすことだ」

私は席を立った。

＊

二週間後、ツアーの第一陣が町にやってきた。この間に参加者は五十人に膨れ上がり、大型観光バス一台が満席になる盛況ぶりである。施設建設用地の前で、彼らを待ち受ける中には、四井東京本社の都市開発事業本部、それから子会社である四井不動産からわざわざこの日のためにやってきた社員の姿もあった。

羽村によれば、四井不動産は首都圏の高齢者層を対象に、ここへの移住を前提とした持ち家のリフォーム、あるいは売却を積極的に展開し始めたというのだ。

子供が独立して家を構えた高齢者にとって、通勤圏内にある家は所持していてもあまりメリットといえるものがない。まだ使える家は若い年代の使い勝手のいいようにリフォームし、賃貸に出す、あるいは新築の家を購入するより安い価格で売却すれば、老後の生活資金とすることができる。耐久限度に来た家は、四井が買い取って取り壊し、新たに近代的住宅を建てれば、新築住宅として販売できる。かねてより浮かんでいたプランがいよいよ本格的に動き始めたのだ。

賃貸に出しても月に三十万円から四十万円台。売却すれば四千万円から五千万円になる物件の持ち主ばかりというから、移住に当たっての入居金や月々の固定費の支払いに不自由するはずもない。もっとも優良かつ有望な入居候補者である。一方の四井不動産にしたところで、賃貸でも利鞘《りざや》が抜け、新築物件となれば、さらに大きな利益を手にできるのだから、力が入るのは当然というものだ。

羽村がそっと耳打ちしてきたところでは、リフォーム、売却がらみの老人のツアー参加費は、四井不動産が負担しているのだという。夫婦二人で八万円もの参加費も、ビジネスで上がる利益に比べれば微々たるものだし、今住んでいる家を処分しても、老後の受け皿が整っていることをアピールできる絶好の機会である。

さらに参加者を迎えた中には、新聞記者、テレビの取材クルーといったマスコミの姿もあった。地方局、地方紙がやってくるのは想定内のことだったが、驚いたのは全国キー局、全国紙までもがやってきたことだ。バスが到着する前に、私もインタビューを受ける間に、記者と雑談を交わす機会があったのだが、

「町長、これは画期的なことですよ。高齢者問題はこれから日本の社会が抱える大問題ですからね。ところが政府は当事者任せにしておいて、確固たる老人ケアの仕組み造りに取り組む様子もない。都市部での介護施設の経費は高額だし、与えられる居住スペースもビ

ジネスホテルに毛が生えた程度です。余暇を過ごそうにも、料金がばか高いし、遠くに赴《おもむ》かなくてはならない。なるほど、これだけ大きな施設を造り、高齢者を一カ所に集めてしまえば、介護の効率がいいし、運営コストも安くなる。高齢化に悩む過疎地に、高齢者を集めるというのはまさに逆転の発想ですね」

という好意的な論調で一貫していた。更には、

「これは地方活性化のモデルケースになるでしょうね。何としても成功してもらいたいもんです」

と言い出す記者もいて、なかなかの好感触である。

バスが到着すると、ツアー客がモデルルームの中に案内される。プレゼンテーションルームに着席したところで、私の挨拶である。

「私。町長の山崎と申します」

一同が、ほうっ、という目で見る。こんな山間地《さんかんち》の町長といえば、しょぼいスーツに身を包んだ、小学校の校長のような人間が出てくるのが相場である。ところがこちらは新調するまでもなく、スーツはもちろん、ワイシャツ、ネクタイに至るまで、ブルックス・ブラザーズ。しかも靴だって黒のウイング・チップだ。

「本日、ここに皆さんをお迎えできたことを大変光栄に思います。ご紹介いたします施設は、豊かな老後とは何か、限りある資産を最大限に利用して、快適な生活を送っていただ

けることを基本コンセプトとし、町、そして日本最大の総合商社であります四井商事が一丸となって建設に着手したものです。私がここで長々と施設の概要や、町の長所を述べることはいたしません。これから三日間、ご自分の目でご覧になって、ここがこれから先のお住まいとして、適した場所かどうかをご確認いただきたいと思います。その上で、皆さんと一緒に施設を、そして町を育て、楽しい毎日を送れる日々が来ますことを願っております」

マイクを羽村に譲り、私は部屋を出た。外に待ち構えていた一人の若い男が歩み寄って来ると、

「私、『週刊時代』の三宅《みやけ》と申します。ちょっとお話をお聞きしてよろしいでしょうか」

名刺を差し出して来た。もちろん、願ってもないことである。

「最初のツアーだっていうのに、随分人が集まったもんですね。正直驚きました」

三宅は目を丸くした。

「メディアに取り上げられてから、問い合わせが凄いんです。東京のモデルルームも見学予約がいっぱいだそうで、嬉しい限りです」

私は気分良く答えた。

「それはおめでとうございます。実は弊誌の読者層は比較的高齢のサラリーマンが多くてですね、以前から老後の生活プランについての記事を定期的に掲載しているんです。今回

は、その一環として緑原町の施設を特集で取り上げたいと思いまして」

「ありがとうございます」

「施設の概要、町の立地、レクリエーションの豊富さといったところは、四井のプレスリリースを読んだり、実際に現地に来てみてよく理解できました。入居費用が都市部の同型施設では考えられないほど安いというのも大変魅力だと思います。それを踏まえた上でお訊ねしたいのは、これほど大規模な高齢者施設をお建てになるとなれば、介護にあたる従業員の手当てが必要になるかと思いますが、その点は目処はついているんでしょうか」

　利点ばかり強調して、人が集まったはいいが、肝心の人手がないというのでは詐欺である。それに施設での働き手に頭を痛めていることは、時間の経過とともに知られてしまうことだし、解決しなければならない問題の最優先事項でもある。むしろ、ここは窮状を訴えて、メディアをうまく使う手だ。

「実は、そこが目下のところ一番頭を痛めているところなんです」私は正直に言った。

「周辺市町村の高校から福祉関係の大学に進学した人たちを中心に、ダイレクトメールを送ってはいるんですが、何しろ開設は三年後のことですからね。反応は正直、あまりはかばかしくはないんです。今日時点で、積極的に就職を希望しているのは、百名弱。目標の六百九十人には遠く及びません」

「かなり低調ですね」

三宅は深刻な顔をしてメモを取る。

「周辺自治体出身で三年後の大学、高校卒業予定者を対象に、積極的に募集をかけるのは言うまでもありませんが、施設は開業当初から問題なく運営を行わなければなりません。つまり即戦力が必要になるわけです。現在集まっている百名弱は、都市部で介護の仕事についていたり、あるいは給与の面でどうしても介護の仕事を離れなくてはならなくなった経験者ばかりなんですが、年齢が偏ると賃金構造が歪んでしまう。できるだけ、バランスのとれた年齢構成が望ましいわけです」

「Uターン、Jターンの方々、しかも介護の経験がある方に絞ると、リソースにも限りがありますよね」

「いや、別に対象をそこに絞ってなんかいませんよ」

「えっ？　そうなんですか」

三宅は意外な顔をした。

「メディアの報じ方が、どうしても入居者から見た施設にばかり目が行ってしまっていることもありますし、町として四井に協力できるのは周辺自治体出身者のリストを集めることしかできないせいで、そうなっているだけのことなんです。施設には家族で住める寮を完備しますし、給与も役場職員並みを目指しています。都市部で過酷な労働を強いられながらも、一向に所得は伸びない。そんな暮らしを送られている介護士の皆さんにとっても、ここは魅力的な施設と映るはずなんですがねえ」

「それは記事として取り上げてもいいんですか」

思った通り、三宅はまんまと食いついてきた。

「もちろんです。居住者のメリットを報じていただくのはありがたいことですが、ここがいかに快適な職場になるか。今回建設する施設は、単に高齢者のものだけでなく、職員となる方々にとっても、労働が対価という形で現れる職場になることを目指しているんです。できればそこのところを御誌には記事にしていただきたいものです。もし、詳しいことをお聞きになりたいのでしたら、プレゼンが終わり次第、四井の方からしっかりとした説明をさせていただきますが」

「お願いします」

三宅は目を輝かせた。

終章

三年の時が流れた。

工業団地誘致のために開発された三万坪の用地に、かつての荒れ野と化した面影はなく、代わって巨大な近代的施設が全貌《ぜんぼう》を露《あらわ》にしていた。アイボリーに塗られた壁、ワインレッドの瓦が乗せられた、三階建ての要介護棟と四階建ての住居棟。二階建ての共有スペース。そして瀟洒《しょうしゃ》なタウンハウス風の従業員宿舎。広い駐車場を持つ平屋建てのショッピングモールも完成しつつあった。各建物の間は、煉瓦が敷き詰められた歩道で繋《つな》がれ、チャイニーズタローやツツジが植栽されている。

入居者は着々と集まっていた。開業を二カ月後に控え、要介護者向けの個室は九〇%、永住型住居は八五%が埋まり、介護に従事する従業員はほぼ一〇〇%、採用が決定していた。

時は三月。来月早々には、開業に先立ち、従業員の宿舎への入居が始まり、実地研修が行われることになっていた。

かつては寂れ、廃《すた》れて行くのを待つばかりとなっていた町は、施設建設が始まってからというもの、それまでの惨状が嘘のように活気を取り戻していた。

何しろ、建設従事者だけでも、三百人以上もの人間が常駐しているのである。多くは、町の外から通いで現場に通勤する者たちであったが、元請けとなったゼネコンの社員も少なくない。町に一つしかない宿泊施設は二年間連日満室。三つある会館の大広間も作業員の宿舎として借り上げられた。しかも単身赴任がほとんどだから、食事はすべて外食である。昼食の出前で、食堂はどこも朝からてんやわんやの忙しさで、夜は夜でこれといった娯楽のない町だ。楽しみといえば、食事と酒しかない。柔寿司を始めとする飲食店は賑《にぎ》わい、酒屋も繁盛した。コンビニもしかり、クリーニング屋も特需《とくじゅ》で沸き返った。おかげで当初は赤字になると思われていた町の予算も黒字に転じ、当面の危機を脱することができた。

こうした状況は、経済とは別に思わぬ効果を生んだ。飲食店で供される料理の品揃えや味、盛りつけといったものが、日を追う毎にソフィスティケイトされて来たのである。

かつて、東京の有名店で修業を積んだにもかかわらず、普通の握りじゃ腹の足しにならないと言われ、シャリの量を多くし、『おにぎり』を造らざるを得なかった柔寿司は、黙っていても握りが出てくるようになったし、仕入れるネタもタコや、コノシロといったチープなものではなく、高級食材が並ぶようになった。手をかけたツマミの品数も増えた。中華屋にしたって、ラーメンの麺も工夫するようになったし、かつては生醬油《きじようゆ》を間の抜けた鳥ガラスープで薄めたような代物が、思わず唸《うな》るほど美味《うま》いものに変わった。蕎麦屋も、手打の麺を供するところが出てきたし、洋食屋のメニューもかつてとは比較にならないくらい変わった。

それも一店が工夫を凝《こ》らせば、ライバル店が負けじと更なる工夫を凝らす。気がつけば、出張で町にやってきた都会の人間をどこの店に連れて行けばいいのかと迷うほど、急激にレベルがアップしたのである。しかも、値段は都会と比べて遥かに安いときているから願ったり叶《かな》ったりである。

久しぶりに四井本社の川野辺が、本部長の児玉を連れて町を訪れて来たのは、そんなある日のことである。施設を一巡して役場に戻ったところで、

「しかし、前に来た時とは大違いだな。思った通り、周りに目障りな建物が少ない分だけむしろ景色とも調和がとれている。それに室内も明るいし、設備も申し分ない。これでケアが万全ならば、移り住んで来る人も満足してくれるだろう」

児玉は満足した口調で茶を啜《すす》った。

「来月からは、従業員の入居が始まります。一月間、毎日実地を想定しての研修を積ませ

ますから、万全の態勢で入居者をお迎えできると思います」

渡部が笑顔をたたえながら答えた。

「従業員は経験者が多いんだったね」

「七割が介護の仕事の経験者です。主に東京や仙台といった大都市で働いていた人たちで、その半分がUターン、Jターン組です。やはり、好待遇、好環境というせいもありますし、マスコミが従業員募集の告知をしてくれたお陰で反響が凄くて、かなり質のいい従業員を確保できたと思います。残る三割は、高校、大学の新卒者です」

「経験者がそれだけ多いとなると、介護の仕事は熟知してるんだろうが、それぞれの勤務先によって、サービス内容や手順に違いがあるんじゃないのか。人によってやることが違うと、トラブルにならないかね」

川野辺が訊《たず》ねた。

「各セクションの長には、三カ月ほど前からこちらに来て貰《もら》って、事前研修を行うと同時に、マニュアル作りを始めています。もちろん介護という仕事は、奉仕の精神が何よりも大切です。臨機応変に対応しなければなりませんが、やはり基準は決めておきませんとね。正直、後は開業以降、実地の中でサービスレベルを向上させるよう、しっかりした従業員管理をするよう努めないとならないと思ってはいますが……」

「そうだよな。サービスってのはどこまでやれば合格って明確な基準があるわけじゃないからな。まあ、相場に比べて高い給料を払うんだ。その点は、従業員に高いモチベーションを持って仕事に当たって貰うよう、現場の長にしっかり管理してもらわんといかんだろうね。器は良し、しかし魂が入っていないんじゃ話にならんからな」

児玉は念を押すように言うと、

「しかし、山崎さんも大変ですな。これだけの数の人間が町民として新たに増えるとなると、何かと大変でしょう」

こちらに顔を向けた。

「町の人口が一気に一・六倍以上になるわけですからねえ。正直何が起こるのか分からない部分があることは事実ですが、減るよりはよっぽどいい。嬉しい悲鳴ってやつですよ」

私は笑みを浮かべながら言い、「一番心配していたのは、従業員の子弟の数を早期に把握することだったんですが、これも来月の新学期から小中各学年、それぞれ一クラスを増やすことに何とか間に合いました。保育園も保育士を二名の増員です」

と続けた。

「学校の施設の拡張は大丈夫だったんですか」

「幸い、と言っちゃ何ですが、ずっと過疎化が進んでいましたからね。かつては一学年五クラスあった中学校は昨年度まで三クラスしかなかったんです。小学校もまた推《お》して知るべし。だから空いてる教室と机をそのまま使えばいいだけなんです。問題は教員の手当てだったんですが、こちらもうまく県の教育委員会から増員していただけましてね。四月から朝夕には久々に子供たちの通学風景で町は賑わうでしょう」

「そりゃ何よりですな」

児玉は目を細めてうんうんと頷《うなず》く。

「ところで本部長、肝心の施設の入居状況ですが、要介護者向けの個室はともかく、永住型の２ＬＤＫの方が八五％ってのは、どうなんですかね。私が心配することではありませんが、一五％も空きがあっても採算は採れるんですか」

「ああ、そのことね」児玉はニヤリと笑うと、「実は、入れようと思えばすぐに満室になるくらいの入居希望者は集まっているんだがね」

再び茶で口を湿らした。

「どういうことです」

私は理由が分からず問い返した。

「この施設の反響はものすごいものがあってね。何しろマスコミの取り上げ方が尋常じゃなかったでしょ。テレビはニュースや報道特番で、この施設の概要や周辺環境の特集をバンバン流した。新聞や雑誌だって同じだろ。何しろ、こんなコンセプトの老人施設ってのは日本にはないからね。広告費に換算したら、大変な額だよ。もしかすると施設の建設費の半分程度にはなっていたかもしれない」児玉は呵々《かか》と笑い、「そんなせいもあって反響があったのは、一般のお客さんだけじゃなかったんだよ。社内からもかなりの数の問い合わせがあってね」

一転して真顔になって言った。

「社内って、四井商事のことですか」

「商事もそうだし、グループ企業各社からもだよ」

「親をここに入れたいと？」

「いや、親じゃなくて、引退間近の従業員なんだが。ウチの会社には海外駐在を経験した人間が多くいるだろ。実際君もシカゴとロンドンに長く住んだよね」

「ええ」

「いきおい、土着性がないというか、見知らぬ土地に住むことに躊躇しない人間がかなりいるわけだ。環境が良くて、生活コストが安く済むならそれに越したことはない。快適な生活を送れるなら、別に東京に住まなくてもいい、と考えている人間も多いんだな」

「でしょうね。実際、引退後はかつて駐在していた国や、オーストラリア、タイ、フィリピン辺りで暮らしている人も数多くいますもんね」

「そこに、この施設開設のニュースだ。利に敏《さと》い商社マンが、関心を示さないわけがないだろ。グループ企業の人間にしたところでビジネスマン。同じ事だよ」

「それじゃ、ここに住みたいとおっしゃる方々が？」

「かなりの数の社員が、この二年間に四井トラベルサービスのツアーでこの地を訪れているんだな。それで実際に現地を見て、君たちが組んだツアーで釣りや、ゴルフを楽しみ、美味い物を食って、モデルルームを見て、ここなら是非引退後は住みたい。四井の事業なら、社内の人間にアドバンテージを与えるべきだって言い出してね」

「そんな話が持ち上がっていたんですか」

思わぬところに市場があったものである。確かに四井ほどの会社なら、毎年定年を迎える人間の数は半端なものではない。私の同期は二百人からいる。団塊の世代の頃には確か三百人を超えていた時期もあったはずだ。遠い海外でも快適、かつコストの安い場所なら、そこで余生を過ごすことにも抵抗がない人間も多い職場だ。新幹線とバスを乗り継いで東京から僅か三時間ちょっと。しかも言葉や食べ物に不自由しないとなれば、大きな魅力と映っても不思議じゃない。

「中には引退後に不安のない生活を提供するのも、企業の福利厚生の一環だ。事実、退職したって会社の保養所も使えれば、四井倶楽部にだって出入りできるじゃないかと、無茶なことを言い出すやつもいてさ。そこで会社も考えたわけだよ。せっかく四井が音頭を取って、こんないい施設を開発したんだ。期待に応えるのも会社の使命じゃないかとね」

「本気でみなさんそんなこと言ってんですか。会社を退職した後も、職場の同僚と毎日顔を突き合わして暮らしたいなんて思うんですかね。それじゃ、なんだか家族寮に入るのと同じじゃないですか」

同期、同僚と言っていられるのも、会社が終われば、あるいは休みの日には顔を突き合わさずにすむからだ。職場でのポジションや仕事の実績とか、サラリーマン時代のことごとくを熟知している人間と毎日顔を合わせることに抵抗を覚えない人間がいることが、私には信じられなかった。

「それがいるんだなあ。まあ、四井はでかい会社だからね。事業部が違えば会社が違うのと同じ事だし、ましてやグループ企業ともなれば似たようなバッジをつけていても他人同然だ。それに、やはり最大の魅力は生活コストと環境でね。大会社のサラリーマンだって引退すりゃ年金と退職金でやり繰りしなけりゃならないのは同じ事だ。限りある金の運用は、誰でも頭を痛めるところだからね。それに、入居者が七千四百五十人もいるとなりゃ、ちょっとした町に住むのと同じ。町内会で顔を合わせる程度だと思えば、何でもないさ」

「それじゃ、残る一五%の枠は、四井関係者に振り分けるということですか」

「結論から言えばその通りだ」児玉は頷く。「ただいつまでも部屋を空けておくわけには行かんのでね。対象者は事業開始から三年以内に四井グループを退職する者とし、首都圏に持ち家があって、それを四井不動産に売却することを条件にしたんだ。それでも大変な倍率でね。もっと枠を広げろと、非難囂々《ごうごう》さ」

児玉は、肩を竦《すく》めて笑った。

「ひゃあ……。四井の人間が、そんなにこの町に移り住んで来るとなると、何だかやだなあ。会社時代のことを知られてると思うと、お前が町長やってんのかよって、つっこまれそうで……」

「何言ってんだ。君はこれだけのプロジェクトを立派にやったじゃないか。四井OBとして、胸を張れる実績だよ」

児玉は、微笑みながら目を細めた。

＊

児玉たちは、一時間ほど町長室にいて帰って行った。それと入れ替わりに、秘書の女性が、

「先ほどから鎌田さんがお待ちです。時間が空いたらお話ししたいことがあるって言って……」

と困惑した表情を浮かべながら言った。

今日のアポイントメントは、四井の人間だけである。

「いいよ。入って貰って」

秘書と入れ替わりにカマタケが入って来た。

「やあや、町長。申しわげねがすね。忙しいどこ」

このところすっかり影を潜《ひそ》めていたカマタケだが、相変わらずテロリと禿げ上がった頭を光らせ、胴間声を張り上げ、

「あの女子《おなご》が一緒だったどごを見っと、あの人だづは四井の人だね」

恨めしそうな目をドアの方に向けた。

「あの女子はないでしょう。渡部さんですよ」

私はムッとした声で言った。

「まず、いづ会ってもきしゃきしゃっつい女子だ。俺を見でも挨拶一つすねえ」

足の裏に煙草を押し付けられて早三年。長い時間が経過しても、恨みを忘れていないのはいかにもカマタケである。

「それで、今日はどんなご用事でしょう」

私は軽く溜息を吐《つ》きながら訊ねた。

「実はね、町長。俺、町議会議員を辞めっぺど思ってっさ」

「はあ？　町議会議員をお辞めになる。そりゃまたどうしてです」

「この年になって今さらなんだげんと、事業を始めっぺど思ってっさ」

「事業をお始めになるって……だからと言って議員を辞める必要はないんじゃないです

か。町議会議員の方々は別に本職をお持ちの方々ばかりじゃないですか」

「いやあ、他に本業があるといっても、今度始める事業が事業だがらね」

カマタケが議員を辞めるからと言って、困ることは何一つない。ただ、町が財政危機に陥《おちい》り、議員報酬が減らされても職を辞さなかったカマタケが今になって、どうして突然辞めると言い出すのか。もちろん町政に携わっていても、私が町長である限り、町が行う事業の利権で甘い汁を吸うことはできないわけだが、それにしてもこのタイミングである。何やら悪い予感がした。

「その事業って何です。何を始めるんです？」

私は訊ねた。

「今度できる施設のすぐ傍の県道沿いに、大きな田んぼがありすぺ」

確かに、施設から二百メートル程のところに、千五百坪ほどの田んぼがある。

私は静かに頷いた。

「あそごは、俺の持ち物なんだげんともさ、町長の起業家精神に感化されたんだね、俺も老人の豊かな老後さ役立つビジネスつうものを始めっかなど考えたのっさ」

考えなくともいい。どうせロクなもんじゃねえに決まってる。

私は心の中で毒づいた。

「確《たす》かにあんだが四井ど組んでぶっ建てた施設は、日本全国どごさ出しても恥ずかしくねえもんだ。すかす、決定的につうが、一つだけ欠けているもんがあんだでば」

「何ですか、それは」

「娯楽施設だ」

「娯楽施設なら、たくさんありますよ。プールだって、釣りだって、ゴルフだって、陶芸だって……」

「あんだは、頭はいいげんとも、堅いところが欠点だよ。娯楽って言っても、そすたな健全なものばかりじゃ飽きてすまうべさ。大人には大人の遊びが必要だすぺ」

大人の遊びというところがもう怪しい。嫌な予感は確信へと変わった。

「まさか、いかがわしいビジネスを始めようってんじゃないでしょうね」

「あんだ、何がいやらしいごど考えてんでねえの。ピンサロとかキャバレーとかやって、ちんちんの立たねえ年寄り相手にしてもしょうがねがすぺ。年に関係なく、老若男女が楽しめる娯楽っていったらやっぱパチンコだべさ」

「ぱ・ち・ん・こ?」

「そう、パチンコ」

「それをあの場所で始めるってんですか」

私の声が裏返った。

「いや、俺もうまいどごさ目を付けだもんだど思ってっさ。この辺りにパチンコ屋どいえば、隣町さ一つあるだけだべ。入居者のみながみな車を持ってるわけでもねえべがら、たまにゃパチンコをやんべど思っても、不便でねえがなど思ってっさ。それにパチンコってのはボケ防止にもいいって言うしね」

「パチンコがボケ防止にいいなんて、聞いた事ありませんよ」

あんた、何を考えてんだと言いたくなるのをすんでのところで堪《こら》えて、私は声を荒らげた。ところがカマタケときたらシレっとした顔で、

「町にとっても悪い話でねえど思うんだよね。パチンコは儲がる商売だがらね。利益が上がれば、当然法人住民税を払わなきゃなんねえ。町の税収さも貢献でぎる。不肖、鎌田武造長きに亘《わた》る議員生活の恩返しに、町の財政難解消に少しでも役にたつべと思ってっさ。そんで孫の嫁入り先さ、話を持ちかけたのっさ」

と言いやがる。

「嫁入り先って、例の建設会社ですか」

「んだ。そすたら、向こうも大乗気でさ。警察の生活安全課や公安委員会、この地区の遊技協会さも相談すたら、開業は問題ねえどお墨付きを貰ったのっす。ただ、やっぱ議員つう公職にある人間が大人の遊び場をやるどなるど、何かと都合の悪いごどもあんでねえがど思ってっさ。イメージっつもんがあんだがら。そんで、議員は辞めで、この際パチンコ屋の経営さ専念すた方がいいんでねえがど考えだわけっさ」

警察に公安委員会とすでに手回しは済んでいるらしい。いかにも寝技を得意とするカマタケらしいところが癪《しゃく》に障《さわ》る。

「しかし、どうですかね。高齢者相手にパチンコ屋を開業して、儲かるもんですかね。それに、余生をゆっくりと過ごしていただく施設の側にパチンコ屋ができるっていうのはいかがなものかと……」

「県内のパチンコ屋の営業状況は、この二年の間に随分調べだからね。採算は採れると思うよ。何しろ小っちゃな町ができるほどの人が新たに集まんだからね。それに施設の従員はシフト勤務だすペ。つうごどはだ、週末でなくとも休みの人はいるわげだ。それにパチンコつうどギャンブルつうイメージがあんべけんども、麻雀にしたってゴルフにしたって、賭けでやる人の方が世の中多いべさ。違法行為をするわけでもねえ、ましてや、やりたくねえ人は来なけりゃいいんだすね。何も問題はねえべさ」

ほんとうに転んでもただじゃ起きない男である。

施設建設に絡む利権の恩恵に与れないとみるや、今度は自らの資金を投じてでも金儲けを企む執念は見上げたものだ。この才覚を、町政のために早くから発揮すれば、町も財政破綻一歩手前のところまで追い込まれずに済んだであろうに、返す返すも腹だたしい。それに今回のプロジェクトからカマタケの影響力を排除したことが、こういう結果に繋《つな》がったのだと思うと、とんでもないしっぺ返しもいいところである。

第一、議員が辞職の意思を伝えるのは、町長たる私にではない。議会をしきる議長に辞意を伝えるのが筋である。わざわざ私にそれを伝えに来るのは、何とも嫌みである。

「私も、町政からは身を引きすが、これがらはばんばん稼いで、ばんばん税金払って、町発展の一翼を担う決意でござります。まず、そういうわげですので、一つこれからも宜しくお願いいいたしやす」

カマタケは勝ち誇ったような笑いを浮かべながら、深々と頭を下げた。

＊

六月吉日。いよいよ開所式が執り行われた。

完成した巨大な施設の共有スペースの中央ホールには、紅白の幕が張り巡らされ、宮城県知事、近隣市町村の首長、緑原の町議会議員、四井からは本部長の児玉や川野辺、牛島、真島、それに常駐者の羽村と渡部はもちろん、社長までもが列席した。海外の国家事業ならともかく、国内の一地方の案件に、大四井の社長が出席することは極めて異例のことであり、そこからも四井がこの事業に寄せる関心の高さが窺《うかが》い知れた。

式は粛々と執り行われ、やがていくつかのグループに分かれ、施設の見学へと移った。

私は四井の社長、知事、周辺市町村の首長の案内役を務め、館内を先頭に立って歩いた。

永住型の居住施設の窓からは緑豊かな山並みが一望できる。ピカピカのフローリングのリビング、和室の六畳からは真新しい藺草《いぐさ》の匂いが漂ってくる。

「いい環境ですなあ。これで入居費用が一千万円ってのは、破格の値段ですね。なるほど、これなら売れるわけだ」

四井の社長を務める福永《ふくなが》が、驚きの声を上げる。

「都心でこれだけの広さの居住スペースを持った永住型老人ホームに住もうと思えば、立地によっては億単位のものになるでしょうからね。それも場所代に金を払ってるようなもんですから、土地取得価格を抑えれば、その程度の入居金でも充分にやっていけるんです」

「私はアメリカに三回、都合十五年の駐在経験があるんだが、休暇の時にフロリダ辺りを旅すると、豊かな老後について考えさせられることが良くあったもんです。まあ、向こうは親は親、子供は子供。老いた親の面倒を子供が見るなんて習慣はあまりありませんから、老後のことは自分で考え、手当てするのが当然という風潮がありますよね。加えて、彼らは日本人と違って、リタイヤできるということは、老後の手当てに目処《めど》が立った人間の特権ともいうべきもので、労働という呪縛から解放されることだと考えるわけです。メキシコ湾に沈む夕日を、テラスのベンチに座って、ただぼうっと見詰めている。時間を浪費することの贅沢さ。そうした彼らの日常に、憧れの気持ちを抱いたものです」

「分かります。時のうつろい、四季のうつろいを肌で感じながら、好きな時に好きなことができる。それも現役の時に存分に働いた報酬なのだと思えば、喜ばしいことですよね。ところが日本では、やはり国民性が違うと言いますか、土着性が強いと言いますか、とにかく人生の節目で環境を変えるという覚悟をなかなか持てないという意識が強く根付いているように思います」

「現役の頃と、住環境も周辺環境も変わらないというんじゃ、気が滅入るのも当然ですよ。今までは早朝に出た家に、一日中じっとしてなきゃならないというなら、手持ちぶさたになるのも当然です。芝居を観る、買い物に行くといったって、毎日そんなことができるわけがない。第一、一歩外に出りゃ、金がかかるんですからね。お金をセーブしようと思えば、せいぜい散歩に出掛ける程度のことしかできないでしょう。それなら、この町のように、川や海が傍にある。菜園を耕作したいなら、それもできる。天気がよければゴルフに行って、昼には戻って来れる。そんな環境に身を置いた方が、よほど充実した日々が送れるというものです。シルバーなんてありきたりなもんじゃない。ゴールドよりももっと価値のあるプラチナ。そう、まさにプラチナタウンですよここは」

福永はしみじみと言った。

「なるほど、プラチナタウンですか。いいですね、そのネーミング」

「これは何が何でも運営を成功させなければなりませんね。ご承知の通り、老後の生活はこれから高齢化社会が進むにつれて、大きな社会問題となるでしょう。かといって、莫大な負債を抱えた国が、国民の老後の生活の面倒を見てくれるわけがない。働かなければならない時代に、怠《なま》けたお陰で老後の生活に事欠くことになった人間は、自業自得。そうした人たちのすべてを社会が面倒を見なければならないというわけではありませんが、真っ当に働いた人間には、一定の蓄えさえあれば憂い無き老後を送れるような施設が必要になるでしょう。その時必要なのは、我々のような大企業の力です。企業は金儲けだけすればいいというものではありません。貢献してくれた従業員に、ひいては社会に、持てる力を還元する義務があると思うんです」

「本当にそうですね。人間、誰でも老いる時が来るものです。そしてどんな老い方をするのか、どんな最期を迎えるかなんて誰も分からないんですから」

「これは、私たち企業の経営者にとっても、極めて重要なモデルケースになるかも知れませんね。例えば、利益の一定部分を大きな企業コンソーシアムを造って基金として貯める。土地の安い地方に、ここと同じような施設を造り、大都市よりも廉価な価格で入居を可能にする。もちろん、入居できるのはコンソーシアムに入っている企業の退職者だけとは限らない。誰でも利用できる。そんな仕組みがあってもいいのではないか。そんなふうにも思いますね」

「実現すれば、夢のような話ですね。本当はそうした仕組み造りを国が先頭に立って考えなければならないのでしょうけど、いまの体制を考えると実現することなどあり得ません。民間企業がやった方が、遥かに早く、いいものができることは間違いありませんからね」

「しかし、あなたのような社員がウチの会社から去ってしまったというのは、実に惜しいものです」

福永が振り向き様に言った。

「いやあ、私は四井の中ではほんとうに平均的社員でして……」

私は思わず頭を掻《か》いた。一瞬、八代の恣意《しい》的な人事が、四井を去った本当の理由だと、それとなく匂わせてやろうかとも思ったが、こんなにも面白い事業に巡り合え、実現にまで漕《こ》ぎ着けた満足感の前には、もはや些細《ささい》な出来事だ。

「それに、もし、この仕事を評価して下さるとしたら、それは私が四井という会社に育てていただいたお陰です。なにしろ、人の四井、『そら、おもろい、やってみなはれ』。ただし責任はちゃんと取れよってのが四井の社風ですから」

私は静かに微笑みながら続けた。

「そう言って貰えると、私も何だか君のような人材をわが社から出せたことが誇らしく思えるね」

福永も、白い歯を見せて微笑んだ。

住居施設の見学が済むと、ショッピングモールに向かった。

明日には居住者の第一陣が入居を始めることもあって、どの店も商品を店頭に並べ、営業の準備は整っている。生鮮食料品は、野菜は地元の第三セクターと農協が共同で運営し、肉と魚はいずれも町内の専門店がテナントとして入った。衣料品店、雑貨屋、薬局、本屋、レンタルビデオショップも町内の商店である。さらにはホームセンター、家具屋、電器店、歯科医院まである。食品の鮮度と質は折り紙つきだし、価格も都市部に比べて二割から三割安いと各店舗の経営者は胸を張る。なるほど改めて見ると、入居施設からは通路で雨にも濡れず、二分もあれば行けるから便利なことこの上ない。

これには福永を始め、各市町村の首長たちも目を丸くして驚いている。

唯《ただ》一つ当初の計画が変更されたのは、施設内に保育所が新たにできたことだ。子供にとっては老人の知恵を学び、老人にとっては心のケアになるという相乗効果を期待してのことだ。

視察が済むと、いよいよ祝宴となった。私と知事、それに福永が公共スペースの中央に設《しつら》えられた壇に上り、樽酒《たるざけ》を木槌《きづち》で割った。盛大な拍手が上がり、升《ます》に入れられた酒が出席者に行き渡ったところで知事が乾杯の音頭を取った。

公共スペースに出店するレストラン、寿司屋、居酒屋、カフェが造った料理がテーブルの上に並び、和《なご》やかな雰囲気の中談笑が始まる。傍らのディスコでは、地元と近隣市町村からオーディションで選ばれたアマチュアバンドがフォークソングのライブを行っている。曲目はもちろん懐かしのフォークソングである。吉田拓郎もどき、井上陽水もどき、遠藤賢司《えんどうけんじ》もどき、古井戸《ふるいど》もどき、チューリップもどき、かぐや姫もどき……団塊の世代が涙を流して喜びそうな歌を次々に披露する。

発表の場が限られている彼らにとっては、またとない歌手気分を味わえる場である。それぞれが服装やヘアスタイルに至るまで、本物を真似して雰囲気を盛り上げる。来賓のおじさん、おばさん方の中には談笑することを忘れ、椅子に腰を下ろしてじっくりと歌に聴き入る人間も少なくない。

「町長、ちょっとよろしいですか」

振り向くと、中年の紳士が立っていた。

「私、高城町《たかしろちょう》に工場を持っております、高坂《こうさか》と申します」

差し出された名刺の肩書きには、ボード電子工業代表取締役社長とある。本社の住所は東京である。高城町はここから五十キロほど離れたところにある人口二万程度の町である。

「聞き及びますところでは、今回こちらの施設に入居なさる方々の中には、東京の企業で最近まで現役で働かれていた方が少なくないそうですが」

高坂は、真摯《しんし》な口調で訊ねてきた。

「ええ、永住型住居にお住まいになる方は、引退したばかりか、辞めて数年という方も多くおられるようですね」

「どうですかね。もし、私共のような会社が人材を募集した場合、こちらに来てもなお、働いてもいいとおっしゃる方がおられると思われますか」

「再雇用ということですか」

「ええ」

「可能性としてはないわけではないでしょうが……どうなんでしょうねえ」

私は考え込んだ。再就職を望む人間ならば、自ら進んで田舎に移り住むことなどしやしないだろう。もう充分に働いた。これからの余生はのんびり好きなことをやって過ごす。そう決意したからここにくることにしたに違いない。なのにまた、朝の九時から会社に出て、夕方まで働く。そんなサラリーマン生活を望んだりするものだろうか。

「ウチの会社は高城町で、従業員を百人ほど雇って自動車用電子部品の基板を製作しております。東京の社員を含めても三百人ほどの小さな会社です。私共のような中小企業からしますと、大企業が持っているノウハウは大変魅力的なものなんですね。財務、法務、審査、業務管理、貿易業務。喉から手が出るほど欲しいものばかりです。ですが、東京のような大都市で、大企業を引退した方に来て貰おうと募集をしても、なかなか応募者が集まらないんですね」

「そうなんですか。世の中には定年退職後も、再就職を望んで職探しに懸命になっている方が多くいらっしゃると認識しておりますが」

「こう言っちゃなんですが、ハイレベルの知識を持っていらっしゃる方は、現役でいた頃の評価も高い。当然高い報酬をもらっていた方が多いわけですから、引退後は悠々自適の生活が送れるんじゃないですかね。退職をした後も、職探しに懸命になっているのは、えてして現役でいられた頃にはあまり高い評価を得られなかった方が多いんです。ですからこちらが欲しいと思う人材は、名もない私どものような会社に応募せずとも、再就職の口には苦労しないでしょうし……。とにかくこれといった人材にはまず巡り合えないもんなんですね」

「退職後の会社なら、自分を評価してくれるところであれば、どこでも良いような気がしますけどね。働く気がある人なら」

「巨人の選手と同じですよ」

「何ですか、それ」

　高坂の言っていることの意味が俄《にわか》には理解できず私は訊ねた。

「巨人軍の選手がトレード要員になると、まだ現役続行ができるってのに、さっさと引退しちゃうでしょ。へたに他の球団に移ってしまうより、元巨人の選手の方が仕事もあれば、世間体《てい》もいい。第二の職場を見つけるにしても、現役の時と同格、またはそれ以上じゃないと体裁が悪い。そんなふうに考えている人が結構いるもんなんですよ」

確かに言われてみるとその通りかも知れない。名より実を取る方が賢い生き方だと分かっていても、世間体を気にするのが人間だ。乞《こ》うて行くより、乞われて行く方が、与えられるチャンスが多いと分かっていても、なかなかそうはできないのも人間である。実際四井の社員にしても、出向や移籍の打診をされると、「娘が嫁に行くまでは」と、泣いて縋《すが》る者もいた。愛娘の結婚式の時に、父親の勤務先が『四井商事』と言われたい。ただそれだけの理由でだ。だから、高坂の会社が募集をかけても、こと有能と折り紙のつく人間が、そう易々《やすやす》と応募して来ないのも分かる気がしないでもない。

「なるほどねえ、巨人軍とは言い得て妙というものかも知れませんね」

「ですがね、町長。都市部での生活を捨てて、東北の田舎に終《つい》の住《す》み処《か》を構えようなんて人は、そういった既成の概念、俗物的な考えからは解き放たれた人ではないかと思うんです。まあ、巨人でいえば清原《きよはら》ってとこですかね」

清原は充分俗物だと思ったけれど、まあ、そんなことはどうでもよろしい。

「しかし、高城町にあるのは工場ですよね。仮に、ここに移り住んで来た方が、就職を希望しても、工場っていうんじゃ勝手が違うんじゃないでしょうかね。もちろん、中にはメーカーで生産管理とか、現場の仕事に携わっていた方もいらっしゃるかもしれませんが……」

私は言った。

「工場でも、従業員が百人もいれば、人事、労務、経理のセクションはありますし、東京本社からスタッフ部門の人間が五人ほど常駐しています。そこに週に二回程度、おいでいただいて働いていただければ、生《は》え抜きの社員も大企業のノウハウを学ぶことができるでしょう。審査や法務に関する事柄は、最終決裁者である私にレポートが上がる前に、目を通していただき、問題点を本社の担当にフィードバックして貰う。こちらは書面でのやりとり、いわば添削ですから、メールや電話で業務をこなしていただく。重要案件であれば、本社から担当者をこちらに出向かせますから負担は小さいと思います。もっとも決算期には東京本社に出張してもらうことになるでしょうけど……。とにかく、私の目からしますと、ここはまさに宝の山なんです」

「なるほどねえ」

「もちろん、しかるべき報酬はお支払いしますよ。フルタイムというわけではありませんから、現役の頃の給料に比べれば、安いものでしょうけど、それでもちょっとした小遣いにはなると思いますがね」

悪い話ではないと思った。なるほど大企業の持っている仕事上のノウハウは、中小企業からすれば高坂の言うように、喉から手が出るほど欲しいものには違いない。それは高坂の会社だけではなく、近隣市町村に数多《あまた》ある会社にも言えることだ。そして何よりも、移住してくる人間の人的リソースを再活用できるとなれば、会社経営については最高レベルにある知識を地場《じば》産業が労せずして手に入れるチャンスである。うまく人材斡旋の仕組みを造り上げることができたなら、地方産業の活性化、レベルアップにも繋がるだろう。

「面白いかもしれませんね。双方にとってもメリットのある話だし……。いいでしょう、町の方で斡旋の仕組み造りができるかどうか、検討させましょう」

「是非お願いいたします」

高坂は頭を下げると人混みの中に姿を消した。

こうした仕事を任せる人間は決まっている。私は賑やかに会話を交わす人の群れに目をやると、

「おーいクマケン。ちょっと話がある」

クマケンの名を呼んだ。

＊

施設が開業して初めての盆を迎えると、町には人が溢れ返った。

永住型住居棟に入居した祖父母を訪ねて、息子や娘が孫を連れて押しかけたのだ。プールには子供の歓声が溢れ、テニスコートは朝早くからボールの音が鳴り響く。川には孫を

連れたおじいちゃんが釣りを楽しむ姿が見受けられ、早朝から兜虫《かぶとむし》や鍬形虫《くわがたむし》といった昆虫獲りに出掛ける子供たちもいる。減反政策のお陰で、休耕田となった田んぼを家庭菜園に変えた畑では、孫とおばあちゃんがトマトや胡瓜《きゅうり》をザルに摘《つ》むほほ笑ましい姿がある。

なにしろ交通費さえ支払ってしまえば、宿泊費は無料である。訪ねてくる家族にしてみれば、ちょっとした別荘で夏休みの一時を過ごすようなものだ。

これまでなら、盆の間は商店も店を閉めていたものだったが、自炊の食材を求める客がひきも切らずとあっては、休むわけにも行かない。飲食店もまた同じである。公共スペースに設けられたディスコは、老若男女が入り乱れて踊り、ビートルズやストーンズ、あるいはシックスティズのメロディを演奏するバンドのリズムに酔った。盆休みの最後の日には、中学校の校庭に櫓《やぐら》を設え、盛大な盆踊りもやった。

町は急速に活気を取り戻しつつあった。ここには都会の老人施設にありがちな、沈滞した空気はない。年寄りを集め、年齢に応じた生活の楽しみ方を提示すれば、絶大なるパワーを発揮するのだ。

クマケンに命じて急遽組織した再就職相談室は、予想外の反響を呼び、周辺自治体の地場産業、果ては仙台の企業からも求人の打診があり、少なくない数の入居者が再就職の道を選んだ。

もちろん、何もかもが問題なく推移していたわけではない。介護に当たる従業員たちは、慣れない環境の中で戸惑うこともままあったし、再就職相談室に至っては、募集を上回る応募者があり、就職を果たせない入居者と採用された入居者との間に、微妙な空気が流れた。中には責任者であるクマケンに、嚙《か》みついて来る人間もいたりして、役場が職業仲介の労を取るのはやはりまずかろう、ここはプロに任せることだという話になり、こちらは早々にハローワークに業務のすべてを移管することにした。まあ、これは私の安請け合いが招いたことで、不徳のいたすところだが、企業にしても無条件ですべての希望者を受け入れるわけではない。募集に応募するということは、当然不採用もあり得るということだから仕方がない。

それともう一つ。入居者と家族が和やかな時を過ごす雰囲気に水を差したのがカマタケだ。あの狸《たぬき》オヤジは、こともあろうに盆休みに入るや否や、建設途中のパチンコ屋の現場に、アドバルーンを三つも上げやがったのだ。それも『近日開店、パチンコ昴《すばる》』と書かれた幟《のぼり》をぶら下げてだ。燃えるような緑溢れる山々に囲まれ、高く抜けるような青空に浮かんだアドバルーンは、異様な光景だった。もちろん、法的には何の問題もないわけだから、町が文句を言う筋合いのものではない。

「いいかげんにしろ!」の一言を発したいのは山々だったが、私はその光景を歯嚙みをしながら見詰めるしかなかった。しかし、このカマタケの行為は、思わぬところから反感を買った。彼が客になると踏んだ居住者、そして従業員たちである。

「雰囲気ぶちこわし」

「法的に問題がなくとも、やっていいことと悪いことがある」

「下品！」

「浅ましい！」

「だいたい年金生活者の年寄りの金を毟《むし》り取ろうって魂胆が許せない」

「誰が行くか。馬鹿野郎」

そんな罵声が入居者、従業員の間からあからさまに上がった。知らぬはカマタケばかりである。ここに集まって来た人たちは、ギャンブルにうつつを抜かすことなく、堅実な生活を営んで来たからこそ、今日こうして大金を払って入居することができたのだ。ここに至って、パチンコに興ずるとは思えない。カマタケのパチンコ屋の行く末が見えるようだった。

盆が過ぎると、町は静かになり、祭りの後の寂しさが漂った。もっともこれは想定していたことだったから、普通の生活に戻すべく、私は一つのイベントを企画した。『プラチナタウン杯争奪トーナメント』である。ゴルフ、テニス、水泳、釣り、陶芸、手芸、絵画、園芸、農園……。入居者が楽しめるレクリエーションのすべてをコンペの対象にしたのだ。スポーツは月に一度のコンペの通算成績で勝敗を争い、陶芸、手芸、絵画、園芸、農園は品評会である。釣りは通年で釣った魚の量と、大きさで競うといった按配《あんばい》だ。各競技の入賞者には、商店会からショッピングモールと町内の商店ならどこでも使える商品券が贈られる。私は唯一の趣味であるゴルフでコンペに臨むことにした。

「皆様、おはようございます！」

盆休みが終わった最初の月曜日、町から三十分ほど離れたところにある、伊達北カントリー倶楽部には、百五十人の参加者が集まった。もちろんスクラッチマッチとはいかないから、めいめいが腕に応じたハンデを持つ。

「本日は、プラチナタウン杯争奪ゴルフトーナメントの記念すべき初日でございます。このトーナメントは年間十二回のコンペの平均スコアで勝敗を競います。同成績の場合は、高年齢者が。年齢が同じ場合は誕生日の早い方が勝ちといたします。人間いくつになってもやはり燃えるものが必要であります。燃えるものといえば、生木よりも枯れ木の方が良く燃える。ベテランの技、熟年のエネルギーを爆発させ、大いに盛り上がろうではありませんか。入賞者には、緑原商店会から、商品券が贈られます。美味い物を食べ、美味い空気を吸い、清々《すがすが》しい汗を流し、いつまでも元気で我々のプラチナタウンで楽しく暮らして行きましょう」

百五十人の参加者から、一斉に拍手が沸き起こった。

「それでは、これより町長による始球式を行います。皆様、ティーグラウンドにお集まり下さい」

クマケンが高らかに宣言する。

私は一番ホールのティーグラウンドに歩み寄ると、スモークボールをセットした。スタンスを取り、アドレスに入る。ドライバーをゆっくりと振り上げ、一気に振り抜いた。

バシッ！

小気味よい音を立てて、ボールが白い煙を吐きながら雲一つない東北の早朝の青空に舞う。朝日が煙に反射して、白金《プラチナ》に似た光を放った。

「ナイスショット！」

ティーグラウンドに集まった百五十人の老人が一斉に声を上げた。

参考文献　『時差は金なり』　三菱商事広報室著　株式会社サイマル出版会

（この作品『プラチナタウン』は平成二十年七月、小社から四六判で刊行されたものです。なお、この作品はフィクションです。登場する人物、および団体名は、実在するものといっさい関係ありません）

解説――どんな状況だろうと、積極的に

さわやか福祉財団理事長・弁護士　堀《ほっ》田《た》力《つとむ》

借金だらけでどうにもならないような町は、全国どこにでもある。いや、日本国自体が、そうなりかけている。

しかし、その町を、老人の街建設でみごとに立て直した自治体は、まだ出現していない。だから、この小説の後半は、楡《にれ》さんの創作である。町の再建そのものが、創作なのである。新しいものを創り出すことは面白い。ワクワクする。主人公になり切って読み進める読者も興奮するが、町の再建を筆一本で行う楡さんは、もっと楽しかったに違いない。

＊　＊　＊

私たちの住む町の経済を、あるいは日本の経済を、福祉の充実によって立て直したいという主張は、珍しくない。

福祉分野の学者たちは、「福祉は金喰い虫」という主張に反論するために、福祉の投資効果は、公共事業のそれより大きいというような言い方で、福祉が経済面でもよい効果を発揮することを強調するし、政治家にも、舛添要一《ますぞえよういち》さんをはじめ、そういう主張をする方がかなりおられる。

しかし、高齢者の多い、つまり、福祉の投資の大きい町は、おしなべて、財政が苦しい。高齢者用住宅の建売りで町の再建を試みるところもあるが、めざましい話は聞かない。

そこへ、この作品である。

「こうすればいいじゃないか」というメッセージがいっぱい。

そしてそれに説得力があるから、はらはらしながらも、ぐんぐん引き込まれていく。

描かれている町の問題点が、まさに今、日本や地方の自治体が抱えている問題点そのものであるから、自分たちの問題として引きずり込まれていくのである。

「じゃ、どうするのよ」というか「私たちはどうすればよいのよ」という切迫した疑問につき動かされて、主人公の動きを追い、主人公と一体になっていく。

だから、主人公が、屈辱的な思いで退職した大四井《よつい》の社長福永《ふくなが》から、最後のシーンで、「私も何だか君のような人材をわが社から出せたことが誇らしく思えるね」と言ってもらうと、自分も苦労が報いられたような気持ちになるのである。

＊＊＊

この作品は、「高齢者に、もっともっと幸せな生活をしてもらう方策はあるし、それを実現することもできる」ということを、教えてくれる。そこが、中途半端でない、魅力である。

そして、「幸せな生活が保障されれば、高齢者はもっともっとお金を出しますよ」ということも教えてくれる。

おそらく、日本の経済が救われる、たぶん唯一の方策は、高齢者が貯め込んでいる莫大《ばくだい》な個人資産を、市場に導くことであろう。

この作品は、その答えを提示したのである。

＊＊＊

ただ、クマケンが気にした、低所得の高齢者はどうなるのか。山崎《やまさき》町長は、町の財政がよくなれば、低所得者も入れる特養や老健も充実できると答えた。

この作品の解説としては余分なことかも知れないが、この作品の舞台が東日本大震災で被災した地域であるところから、その復興にこの作品のメッセージを生かしてほしいと願って、ひとこと書いておきたい。

この作品のように、三万坪の遊休整地がなくても、復興する町の中に、高齢者向きの住宅を建てることができる。敷地が足りなければ、高層にするのも止《や》むをえない。そして、町の中心部に、サービス拠点をつくり、そこから、ヘルパーさんや看護師さんを二十四時間、必要な時に、出向《でむ》かせる。高齢者住宅に入った要介護、要看護の人たちだけでなく、町の中に家族と住んでいる高齢者などにも、必要な時に、出向かせる。いわゆる地域包括ケア、二十四時間巡回サービスを実現するのである。その体制ができれば、介護棟をつくらなくても、最後まで、住みなれた自分の家で暮らすことができる。低所得者には介護保険のサービスを届けるし、余裕のある高齢者は、そのサービスに上乗せして、さまざまなサービスを届けて貰えばよい。これなら、めざましい財政向上とはいかないにしても、どの町でも、着実に復興し、「最後まで自宅で暮らす」という理想が実現するであろう。

あとは、海と山である。楽しみはいくらでもつくり出せるだろう。

しかし、復興にあたってもっとも必要なのは、山崎町長のような、既存の価値観やしがらみにとらわれない新鮮な発想と実行力、そして、住民の幸せを常に願う情熱である。

この作品は、東日本大震災を経験していっそう社会から求められるものになるであろう。

＊＊＊

ストーリィは、広い意味でサクセスものである。だから、挑戦のプロセスが魅力である。そのためには障碍《しょうがい》が多いほど面白い。奥様が静かだったのは意外であるし、最大の障碍と思われる職員や町民の無気力も、クマケンがうまく治めたようで、山崎町長、ついている。唯一存在感があるのがカマタケで、こいつ、どこにでもいる。国政にもいる（想像してるでしょ?）。わかりやすい奴で、楡さん、どう退治するかとずっと楽しみにしてたら、なんと、根性焼き！

「ったく、煩《うるせ》えんだよ。このくそジジイ」

今どきバリバリのオフィスレディ渡部《わたなべ》の啖呵《たんか》は、本書でもっとも胸のすく場面であった。

＊＊＊

さぁ、どんなに厳しくても、積極的に取り組むぞ！

そういう気になりました。楡さん、ありがとう。

プラチナタウン

一〇〇字書評

切り取り線

購買動機（新聞、雑誌名を記入するか、あるいは○をつけてください）

□（	）の広告を見て
□（	）の書評を見て
□ 知人のすすめで	□ タイトルに惹かれて
□ カバーが良かったから	□ 内容が面白そうだから
□ 好きな作家だから	□ 好きな分野の本だから

・最近、最も感銘を受けた作品名をお書き下さい

・あなたのお好きな作家名をお書き下さい

・その他、ご要望がありましたらお書き下さい

住所	〒				
氏名		職業		年齢	
Eメール	※携帯には配信できません	新刊情報等のメール配信を 希望する・しない			

この本の感想を、編集部までお寄せいただけたらありがたく存じます。今後の企画の参考にさせていただきます。Eメールでも結構です。

いただいた「一〇〇字書評」は、新聞・雑誌等に紹介させていただくことがあります。その場合はお礼として特製図書カードを差し上げます。

前ページの原稿用紙に書評をお書きの上、切り取り、左記までお送り下さい。宛先の住所は不要です。

なお、ご記入いただいたお名前、ご住所等は、書評紹介の事前了解、謝礼のお届けのためだけに利用し、そのほかの目的のために利用することはありません。

〒一〇一－八七〇一
祥伝社文庫編集長　清水寿明
電話　〇三（三二六五）二〇八〇

祥伝社ホームページの「ブックレビュー」からも、書き込めます。

www.shodensha.co.jp/bookreview

祥伝社文庫

プラチナタウン

平成23年7月25日　初版第1刷発行
令和6年6月25日　　第10刷発行

著者　楡《にれ》 周平《しゅうへい》

発行者　辻　浩明

発行所　祥伝社《しょうでんしゃ》
東京都千代田区神田神保町3-3
〒101-8701
電話　03（3265）2081（販売部）
電話　03（3265）2080（編集部）
電話　03（3265）3622（業務部）
www.shodensha.co.jp

印刷所　萩原印刷
製本所　ナショナル製本
カバーフォーマットデザイン　芥 陽子

Printed in Japan ©2011, Shuhei Nire ISBN978-4-396-33689-9 C0193